CIDADE ABERTA

A marca FSC® é a garantia de que a madeira utilizada na fabricação do papel deste livro provém de florestas que foram gerenciadas de maneira ambientalmente correta, socialmente justa e economicamente viável, além de outras fontes de origem controlada.

TEJU COLE

Cidade aberta

Romance

Tradução
Rubens Figueiredo

1ª reimpressão

Companhia Das Letras

Copyright © 2011 by Teju Cole
Todos os direitos reservados

Grafia atualizada segundo o Acordo Ortográfico da Língua
Portuguesa de 1990, que entrou em vigor no Brasil em 2009.

Título original
Open city

Capa
Elisa v. Randow sobre fotografia *Placa* (2010) de Emmanuel Nassar

Preparação
Leny Cordeiro

Revisão
Luciane Helena Gomide
Ana Maria Barbosa

Dados Internacionais de Catalogação na Publicação (CIP)
(Câmara Brasileira do Livro, SP, Brasil)

Cole, Teju
    Cidade aberta / Teju Cole ; tradução Rubens Figueiredo.
— 1ª ed. — São Paulo : Companhia das Letras, 2012.

    Título original: Open city.
    ISBN 978-85-359-2125-0

    1. Ficção norte-americana I. Título.

12-05659   CDD-813

    Índice para catálogo sistemático:
    1. Ficção : Literatura norte-americana 813

[2012]
Todos os direitos desta edição reservados à
EDITORA SCHWARCZ S.A.
Rua Bandeira Paulista, 702, cj. 32
04532-002 — São Paulo — SP
Telefone (11) 3707-3500
Fax (11) 3707-3501
www.companhiadasletras.com.br
www.blogdacompanhia.com.br

Para Karen e para Wah-Ming e Beth

PARTE I

A morte é uma perfeição do olho

1.

Então, quando comecei a fazer minhas caminhadas à noitinha no outono passado, descobri que Morningside Heights era um bom caminho para se entrar na cidade. A trilha que desce da Catedral de São João Divino e atravessa o Morningside Park fica a apenas quinze minutos do Central Park. Na outra direção, seguindo para oeste, são quinze minutos até o Sakura Park e, indo de lá para o norte, caminha-se rumo ao Harlem, em paralelo ao rio Hudson, embora o trânsito torne inaudível o rio, que corre por trás das árvores. Essas caminhadas, um contraponto a meus dias atarefados no hospital, eram cada vez mais demoradas e me levavam cada vez mais longe, de modo que muitas vezes eu me apanhava a uma grande distância de minha casa, já tarde da noite, e era obrigado a voltar de metrô. Dessa maneira, no início do último ano de minha bolsa de pesquisa em psiquiatria, a cidade de Nova York ficou gravada em minha vida como um local para caminhadas.

Não muito antes de começarem aqueles passeios sem rumo, eu me havia habituado a observar, pela janela de meu apartamento, a migração das aves, e agora me pergunto se as duas coisas não estão ligadas. Nos dias em que chegava do hospital bem cedo, eu olhava com atenção pela janela, como alguém à procura de presságios, na esperança de ver o milagre da imigração natural. Toda vez que avistava gansos descendo em formação pelo céu, me perguntava como devia parecer nossa vida aqui embaixo, vista da perspectiva deles, e imaginava que, se alguma vez os gansos se dessem ao trabalho dessa especulação, os edifícios altos deviam parecer pinheiros aglomerados num bosque. Muitas vezes, quando eu observava o céu, tudo o que via era a chuva, ou a tênue esteira de fumaça de um avião cortando a janela ao meio e, em algum ponto dentro de mim, duvidava que aquelas aves, com suas asas e pescoços escuros, seus corpos pálidos e seus pequenos corações incansáveis, existissem de fato. As aves me deixavam tão admirado que, quando elas não estavam visíveis no céu, eu não conseguia confiar em minha memória.

Pombos voavam de vez em quando, assim como pardais, cambaxirras, papa-figos, sanhaços e andorinhões, embora fosse quase impossível distinguir umas aves das outras naquelas minúsculas manchas solitárias e quase sempre sem cor que eu avistava palpitando pelo céu. Enquanto esperava as raras esquadrilhas de gansos, às vezes ficava ouvindo o rádio. Em geral, evitava as estações americanas, que tinham anúncios demais para o meu gosto — Beethoven seguido de casacos para esquiar, Wagner depois de queijo artesanal —, eu preferia ouvir pela internet alguma estação de rádio do Canadá, da Alemanha ou da Holanda. E embora muitas vezes não conseguisse entender os locutores, pois minha compreensão daqueles idiomas é limitada, a programação sempre combinava de maneira exata com meu estado de ânimo à noite. Boa parte da música era familiar, pois naquela altura já fazia mais de catorze anos que eu era um ávido ouvinte de estações de rádio de música clássica, mas algumas peças eram novidade. Também havia raros momentos de assombro, como a primeira vez em que ouvi, numa estação de rádio de Hamburgo, uma fascinante composição para orquestra e solo de viola, de Shchedrin (ou talvez fosse Ysaÿe), que até hoje não consegui identificar.

Gostava dos murmúrios dos locutores, o som daquelas vozes que falavam com calma, a milhares de quilômetros de distância. Eu diminuía o volume dos alto-falantes do computador e olhava para fora, aninhado no conforto proporcionado por aquelas vozes, e não era nem um pouco difícil fazer uma comparação entre mim mesmo, em meu apartamento acanhado, e o locutor, ou locutora, em sua cabine, no que devia ser o meio da noite em algum ponto da Europa. Ainda agora, em minha mente, aquelas vozes desencarnadas continuam associadas à chegada dos gansos em migração. Não que eu tenha visto as migrações mais de três ou quatro vezes, na verdade: em geral, o que eu via eram as cores do céu no crepúsculo, seu azul poeirento, rubores sujos e cores ocres, tudo aos poucos dando lugar a uma sombra profunda. Quando escurecia, eu pegava um livro e lia, sob a luz de uma antiga luminária de mesa que eu havia resgatado numa das caçambas de lixo na universidade; a lâmpada ficava meio encoberta por um sino de vidro que lançava uma luz esverdeada sobre minhas mãos, sobre o livro em meu colo, sobre o estofamento puído do sofá. Às vezes, eu chegava a pronunciar as palavras do livro em voz alta para mim mesmo e, ao fazer isso, percebia a maneira estranha como minha voz se misturava com o murmúrio dos locutores de rádio franceses, alemães ou holandeses, ou com a fina textura das cordas dos violinos das orquestras, tudo isso reforçado pelo fato de que tudo o que eu lia tinha sido, provavelmente, traduzido de um dos idiomas europeus. Naquele outono, eu saltava de um livro para outro: *A câmara clara*, de Barthes; *Telegramas da alma*, de Peter Altenberg; *O último amigo*, de Tahar Ben Jelloun, entre outros.

Naquela fuga sônica, eu me lembrava de Santo Agostinho e de seu assombro com Santo Ambrósio, que gozava da reputação de ter descoberto um meio de ler sem pronunciar as palavras em voz alta. Parece mesmo uma coisa estranha — e me surpreende tanto agora quanto antes — que possamos compreender palavras sem pronunciá-las. Para Agostinho, a melhor maneira de sentir o peso e a vida interior das frases era dizendo-as em voz alta, mas desde então muita coisa mudou em nossa noção de leitura. Aprendemos há muito tempo que a visão de um homem falando sozinho é sinal de excentricidade ou de loucura; não estamos mais nem um pouco habituados à nossa própria voz, a não ser na conversa ou na segurança de uma multidão que grita. Mas um livro sugere conversa: uma pessoa fala para outra, e o som audível é, ou devia ser, natural numa troca desse tipo. Portanto leio em voz alta sozinho, sou minha própria plateia e dou voz às palavras de outro.

Em todo caso, aquelas horas noturnas incomuns passavam facilmente, e muitas vezes eu adormecia ali mesmo no sofá, só me arrastava para a cama bem mais tarde, em geral em algum ponto já no meio da madrugada. Então, após o que sempre pareciam apenas alguns minutos de sono, eu era acordado de supetão pelo toque do despertador de meu celular, que estava programado para tocar um arranjo de "O Tannenbaum" executado por algo semelhante a uma marimba. Naqueles primeiros momentos de consciência, sob o clarão repentino da luz da manhã, minha mente corria em redor de si mesma, recordando fragmentos de sonhos ou trechos do livro que eu estava lendo antes de adormecer. Era para quebrar a monotonia daquelas noites que eu saía para caminhar duas ou três vezes por semana, depois do trabalho, e pelo menos num dos dias do fim de semana.

De início, eu encarava as ruas apenas como uma barulheira incessante, um choque depois da concentração do dia e da relativa tranquilidade, como se alguém, com o clarão de um televisor, destruísse a calma de uma capela particular e silenciosa. Eu costurava meu caminho no meio da multidão de consumidores e trabalhadores, no meio das obras nas ruas e das buzinas dos táxis. Caminhar por partes agitadas da cidade significava que meus olhos viam mais pessoas, centenas e até milhares de pessoas a mais do que eu estava habituado a ver ao longo de um dia inteiro, mas a impressão daqueles rostos incontáveis de nada adiantava para aplacar minha sensação de isolamento; na verdade, aumentava a sensação. Também fiquei mais cansado depois que as caminhadas começaram, um esgotamento diferente de qualquer cansaço que eu havia experimentado desde os primeiros meses de minha residência médica, três anos antes. Certa noite, simplesmente continuei a andar e não parei, segui até a Houston Street, uma distância de uns onze quilômetros, e me vi num estado de cansaço desorientador, me esforçando ao máximo para conseguir continuar de pé. Naquela noite, tomei o metrô para casa e, em vez de pegar no sono imediatamente, fiquei deitado na cama, cansado demais para me libertar de minha agitação, e no escuro reconstituí mentalmente os numerosos incidentes e imagens com que havia deparado enquanto vagava. Escolhia cada um deles como uma criança que brinca de montar um prédio com blocos de madeira, tentando imaginar onde cada um se encaixava, como cada um se combinava com o outro. Cada bairro da cidade parecia feito de uma substância diferente, cada um parecia ter uma pressão do ar diferente, um peso físico diferente: as luzes brilhantes e as lojas fechadas, os conjuntos habitacionais e os hotéis de luxo, as saídas de incêndio e os parques municipais. Minha inútil tarefa de escolher as partes e tentar encaixá-las prosseguia até que as formas começavam a se confundir umas com as outras e assumiam feições abstratas, sem relação com a cidade real, e só então minha mente febril demonstrava afinal alguma piedade e se aquietava, só então vinha um sono sem sonhos.

As caminhadas atendiam uma necessidade: representavam um alívio do ambiente mental rigidamente controlado do trabalho, e assim que descobri que eram uma terapia, tornaram-se algo normal, e esqueci o que era a vida antes de eu começar a dar minhas caminhadas. O trabalho era um regime de perfeição e competência e não admitia improvisação nem tolerava erros. Por mais interessante que fosse meu projeto de pesquisa — eu fazia um estudo clínico sobre os distúrbios afetivos em idosos —, o grau de minúcia que a pesquisa exigia era de uma complexidade que ultrapassava qualquer outra coisa que eu tivesse feito até então. As ruas serviam como um bem-vindo oposto de tudo aquilo. Cada decisão — onde dobrar à esquerda, quanto tempo ficar perdido em pensamentos diante de um prédio abandonado, onde parar para ver o sol se pôr sobre Nova Jersey ou despencar nas sombras do East Side, de frente para o Queens — era algo irrelevante e, por esse motivo, servia como uma evocação da liberdade. Eu percorria os quarteirões da cidade como se medisse as distâncias com meus passos, e as estações de metrô serviam como motivos recorrentes em minha marcha sem destino. A visão de grandes massas humanas descendo afobadas para câmaras subterrâneas era perpetuamente estranha para mim, e eu tinha a sensação de que a raça humana inteira se precipitava, empurrada por um impulso de morte antinatural, rumo a catacumbas móveis. Na superfície da terra, eu estava com milhares de outros em sua solidão, mas dentro do metrô, de pé entre desconhecidos, empurrando e sendo empurrado em busca de espaço e de uma brecha para respirar, todos nós reconstituíamos traumas não admitidos, a solidão intensificada.

Num domingo de manhã, em novembro, depois de uma jornada por ruas relativamente tranquilas do Upper West Side, cheguei à grande praça ensolarada em Columbus Circle. A área tinha mudado pouco tempo antes. Tornara-se um destino mais comercial e turístico por causa do par de edifícios erguidos no local para a empresa Time Warner. Os edifícios, construídos com grande celeridade, tinham sido inaugurados pouco antes e eram repletos de lojas que vendiam camisas sob medida, roupas de estilistas, joias, utensílios para a culinária *gourmet*, acessórios de couro feitos à mão e peças decorativas importadas. Nos andares de cima ficavam alguns dos restaurantes mais caros da cidade, que anunciavam trufas, caviar, bife de gado Kobe e caríssimos "menus degustação". Acima dos restaurantes ficavam apartamentos que figuravam entre as moradias mais caras da cidade. A curiosidade me levara a entrar nas lojas no térreo uma ou duas vezes antes, mas o preço dos produtos e aquilo que eu percebia como uma atmosfera esnobe generalizada havia me impedido de regressar, até a manhã daquele domingo.

Era o dia da maratona de Nova York. Eu não sabia. Fiquei espantado ao ver cheia de gente a praça redonda diante das torres de vidro, uma multidão compacta e ansiosa, a postos bem junto à linha de chegada da maratona. A multidão margeava a rua que partia da praça na direção leste. Mais perto do lado oeste, havia um coreto sobre o qual dois homens com guitarras afinavam seus instrumentos, tocavam e respondiam um para o outro as notas prateadas de seus instrumentos amplificados. Faixas, cartazes, pôsteres, bandeiras e flâmulas de todo tipo sacudiam no vento, e homens da polícia montada, em cavalos com antolhos, controlavam a multidão com a ajuda de cordões, apitos e movimentos das mãos. Os guardas vestiam azul-escuro e usavam quepes com viseiras. A multidão estava vestida com cores vivas, e olhar para todos aqueles tecidos sintéticos verdes, vermelhos, amarelos e brancos sob o sol chegava a ferir os olhos. A fim de escapar do barulho, que parecia aumentar, resolvi entrar no shopping. Além das lojas Armani e Hugo Boss, havia uma livraria no segundo andar. Lá, pensei, talvez eu pudesse conseguir um pouco de calma e tomar um café, antes de voltar para casa. Mas a entrada estava tomada por uma parte da multidão que já não cabia na rua, e os cordões de isolamento não permitiam que eu entrasse nas torres.

Mudei de ideia e resolvi fazer uma visita a um antigo professor que morava ali perto, num apartamento a menos de dez minutos a pé, na Central Park South. Aos oitenta e nove anos, o professor Saito era a pessoa mais velha que eu conhecia. Quando eu era calouro em Maxwell, ele me tomou sob sua proteção. Naquela época, já era professor emérito, embora continuasse a frequentar o campus todos os dias. Deve ter visto em mim alguma coisa que o fez pensar que eu era alguém em quem sua refinada disciplina (Primórdios da Literatura Inglesa) não seria desperdiçada. Nesse aspecto, fui uma decepção, mas ele tinha bom coração e, mesmo depois que não consegui tirar uma nota decente em seu seminário sobre a Literatura Inglesa antes de Shakespeare, convidou-me diversas vezes para encontrá-lo em seu gabinete. Naquela ocasião, ele tinha instalado pouco antes uma máquina de fazer café incomodamente barulhenta, e assim nós tomávamos café e conversávamos: sobre as interpretações do *Beowulf* e depois, mais tarde, sobre os clássicos, sobre o interminável trabalho das pesquisas acadêmicas, os diversos consolos da universidade e também sobre seus estudos nas vésperas da Segunda Guerra Mundial. Este último tema era tão completamente distante de minha experiência que talvez fosse aquele que mais despertava meu interesse. A guerra começou bem quando ele estava terminando seu doutorado, e por isso foi obrigado a deixar a Inglaterra e voltar para sua família, no noroeste do Pacífico.

Com eles, pouco depois, foi levado preso para o Minidoka Camp, em Idaho.

Naquelas conversas, da maneira como hoje me recordo, era quase só ele que falava. Aprendi com ele a arte de escutar e a capacidade de reconstituir uma história a partir do que foi omitido. O professor Saito raramente me contava algo a respeito de sua família, mas me contava bastante sobre sua vida como professor universitário e sobre como havia reagido a questões importantes de seu tempo. Tinha feito uma tradução anotada de *Piers Plowman** na década de 1970, que veio a ser seu mais notável sucesso acadêmico. Quando o mencionava, fazia-o com uma curiosa mistura de orgulho e frustração. Aludia também a outro grande projeto (não dizia o que era), o qual jamais foi concluído. Falava ainda sobre a política dos departamentos da universidade. Lembro-me de uma tarde que foi tomada por suas recordações acerca de uma antiga colega, cujo nome não significava nada para mim quando ele o pronunciou e do qual agora nem me lembro mais. Aquela mulher se tornara famosa por seu ativismo na era da luta pelos direitos civis e, por um momento, chegou a ser tamanha celebridade no campus, que a sala onde dava aulas de literatura transbordava de alunos. Ele a descrevia como inteligente e sensível, mas uma pessoa com quem jamais conseguia estar de acordo. Tinha admiração e antipatia por ela. É um enigma, lembro que ele me disse, era uma boa professora e estava do lado certo das lutas da época, mas eu não conseguia suportá-la pessoalmente. Era ríspida e egocêntrica, que sua alma repouse em paz. Por aqui, contudo, não se pode dizer nem uma palavra contra ela. Ainda é considerada uma santa.

Depois que ficamos amigos, eu fazia questão de ver o pro-

---

* "Piers Plowman" [Pedro, o lavrador], poema inglês do século XIV. (N. T.)

fessor Saito duas ou três vezes por semestre, e aqueles encontros se tornaram preciosos momentos de luz em meus últimos dois anos em Maxwell. Passei a encará-lo como uma espécie de avô, completamente distinto de meus avôs (dos quais só conheci um). A sensação era de que eu tinha mais em comum com ele do que com meus parentes. Depois da graduação, quando fui embora, primeiro para fazer minha pesquisa em Cold Spring Harbor e depois para a faculdade de medicina em Madison, perdemos contato. Chegamos a trocar uma ou duas cartas, mas era difícil manter nossas conversas por aquele canal, pois notícias e novidades não constituíam a verdadeira matéria de nossa interação. No entanto, depois que voltei à cidade para fazer a residência, eu o vi algumas vezes. A primeira, por puro acidente — embora tenha ocorrido num dia em que eu estivera pensando nele —, foi na frente de uma mercearia perto da Central Park South, aonde ele tinha ido caminhar com a ajuda de um assistente. Depois, apareci em seu apartamento sem avisar, como se ele tivesse me convidado, e descobri que ele ainda mantinha a mesma política de portas abertas que seguia no tempo em que tinha seu próprio gabinete na faculdade. A máquina de fazer café daquele gabinete agora estava fora de uso, num canto da sala. O professor Saito me disse que estava com câncer de próstata. Não era algo inteiramente debilitante, mas havia deixado de ir ao campus e passara a atender seus discípulos em casa. Suas interações sociais tinham sido reduzidas a um grau que deve tê-lo magoado: o número de visitas que recebia havia declinado de forma drástica, a tal ponto que a maioria de seus visitantes era ou enfermeiras ou assistentes de enfermagem domiciliares.

Cumprimentei o porteiro no saguão escuro, de teto baixo, e peguei o elevador para o terceiro andar. Quando entrei no apartamento, o professor Saito deu um grito. Estava sentado na ponta da sala, perto das janelas grandes, e acenou na minha direção, para eu sentar na cadeira à sua frente. Seus olhos estavam fracos, mas sua audição havia permanecido tão aguçada quanto na primeira vez que o encontrei, quando não passava dos setenta e sete anos de idade. Agora, entrouxado numa poltrona larga e macia, envolto em mantas, parecia alguém que penetrara bem fundo na segunda infância. Mas não era o caso, de forma nenhuma: sua mente, a exemplo da audição, permanecia aguçada e, quando sorria, as rugas se espalhavam por todo o rosto, vincando a pele da testa, fina como papel. Naquela sala, onde sempre parecia fluir uma delicada e fresca luz do norte, ele estava rodeado de arte, colecionada durante toda a vida. Meia dúzia de máscaras da Polinésia, expostas logo acima de sua cabeça, formavam um halo grande e escuro. No canto, estava uma figura ancestral da Papua em tamanho natural, com dentes entalhados individualmente e uma saia de palha que mal conseguia esconder seu pênis ereto. Ao se referir àquela figura, o professor Saito disse certa vez: Adoro monstros imaginários, mas fico apavorado com os monstros reais.

Das janelas que tomavam toda a extensão daquele lado da sala, via-se a rua coberta por sombras. Além da rua, estava o parque, que era delimitado por um comprido muro de pedra. Ouvi um clamor na rua, na hora em que eu estava me sentando; rapidamente me levantei de novo e vi um homem correndo sozinho no meio da alameda formada pela multidão. Estava de camisa dourada, luvas pretas que pareciam chegar aos cotovelos, como as luvas de uma dama num jantar elegante, e havia começado a arrancada final com um vigor renovado, animado pelos aplausos. Com as energias revigoradas, corria rumo ao coreto, à multidão entusiasmada, à linha de chegada e ao sol.

Venha cá, sente-se. O professor Saito tossiu, enquanto acenava para a cadeira. Conte-me o que anda fazendo; veja, andei doente; passei mal semana passada, mas agora estou bem melhor.

Na minha idade, a gente fica doente toda hora. Conte lá, como vai, como tem passado? O barulho de fora aumentou de novo e esmoreceu. Vi os corredores que vinham em segundo e terceiro lugar passarem ligeiros, dois negros. Quenianos, supus. Todo ano é assim, já faz quase quinze anos, disse o professor Saito. Se preciso sair de casa no dia da maratona, uso a saída dos fundos do edifício. Mas já não saio muito agora, com essa coisa enfiada dentro de mim, presa em mim feito o rabo de um cachorro. Quando sentei na cadeira, ele apontou para o saco transparente pendurado numa pequena haste de metal. O saco estava cheio de urina até a metade e um tubo plástico ia de lá até algum ponto embaixo do ninho de mantas. Alguém comprou caquis para mim ontem, uns caquis maravilhosos, firmes. Não quer um? Sério, devia provar. Mary! A auxiliar de enfermagem, mulher de meia-idade, alta e vigorosa, de Santa Lúcia, que eu tinha encontrado ali em visitas anteriores, surgiu no corredor. Mary, podia fazer a gentileza de servir alguns caquis ao nosso visitante? Depois que ela desapareceu na cozinha, ele disse: Tenho tido dificuldade para mastigar ultimamente, Julius, por isso uma coisa saborosa e acessível como um caqui é algo perfeito para mim. Mas agora chega desse assunto. Como tem passado? Como vai seu trabalho?

Minha presença lhe transmitia energia. Contei-lhe um pouco a respeito de minhas caminhadas e senti vontade de lhe contar mais, porém não tinha clareza do que eu procurava dizer acerca do território solitário que minha mente vinha percorrendo. Assim, contei-lhe a respeito de um de meus casos recentes. Tive de atender uma família de cristãos conservadores e pentecostais que me foi encaminhada por um dos pediatras do hospital. O filho de treze anos de idade, filho único, estava prestes a se submeter a um tratamento de leucemia que comportava grave risco de infertilidade. O conselho do pediatra para a família foi congelar uma quantidade de sêmen do jovem e guardá-lo, de modo que, quando se tornasse adulto e casasse, seria possível inseminar artificialmente a esposa e gerar filhos próprios. Os pais estavam abertos à ideia de armazenar o esperma e nada tinham contra a inseminação artificial, mas mantinham firme oposição, por motivos religiosos, à ideia de deixar o filho se masturbar. Não havia nenhuma solução puramente cirúrgica para o impasse. A família estava em crise por causa do assunto. Vieram me consultar e, após algumas sessões, e depois de muitas orações da parte deles, resolveram correr o risco de não ter netos. Simplesmente não podiam permitir que o filho cometesse o que chamavam de pecado do onanismo.

O professor Saito balançou a cabeça e pude ver que ele tinha gostado da história, que sua feição estranha e infeliz o havia divertido (e perturbado), assim como acontecera comigo. As pessoas escolhem, disse ele, as pessoas escolhem, e escolhem pelos outros. Mas e fora de seu trabalho, o que você anda lendo? Sobretudo revistas de medicina, respondi, e também muitas outras coisas interessantes que começo a ler e, por um motivo ou outro, não consigo terminar. Assim que compro um livro novo, ele me repreende por deixá-lo sem ser lido. Também não leio muito, disse o professor Saito, do jeito que andam meus olhos; mas já tenho um bocado de coisa guardada aqui dentro. E apontou para a cabeça. Na verdade, estou lotado. Rimos e só então Mary trouxe os caquis num pires de porcelana. Comi metade de uma fruta; estava um pouco doce demais. Comi a outra metade e agradeci.

Durante a guerra, disse ele, confiei alguns poemas à memória. Suponho que essa expectativa agora não exista mais nas faculdades. Vi a mudança ocorrer no tempo em que estive em Maxwell, vi como as últimas gerações que ingressaram estavam pouco preparadas para isso. A memorização, para elas, era apenas um entretenimento agradável, que vinha em função de algum curso específico; para seus antepassados de trinta ou quarenta anos antes, havia um forte vínculo entre a vida e os poemas, que nascia do fato de terem memorizado vários deles. Os calouros na faculdade traziam consigo um conjunto de obras com as quais já mantinham uma relação antes mesmo de porem os pés nas aulas de inglês de uma faculdade. Para mim, nos anos 40, a memorização foi uma habilidade muito útil e eu recorria a ela porque não tinha certeza de que poderia voltar a ver meus livros e, de todo modo, não havia muito o que fazer no campo de prisioneiros. Todos vivíamos confusos a respeito do que estava acontecendo; éramos americanos, sempre pensávamos em nós mesmos dessa forma, e não como japoneses. Houve todo aquele tempo de uma espera confusa, mais difícil para os pais, eu creio, do que para os filhos, e nessa espera eu guardei na cabeça trechos do *Prelúdio*, sonetos de Shakespeare e longas passagens de Yeats. Agora não me recordo mais das palavras exatas de nenhum deles, faz tempo demais, porém só preciso do ambiente criado pelos poemas. Só um ou dois versos, como um pequeno anzol — e mostrou a forma com a mão —, só um ou dois, basta isso para fisgar todo o resto, o que o poema diz, o que significa. Tudo é puxado pelo anzol. *No tempo do estio, quando o sol era ameno, eu me cobria com um manto, quando era pastor.* Você reconhece? Acho que hoje em dia ninguém memoriza mais nada. Fazia parte de nossa disciplina, assim como um bom violonista tinha de saber de cor as partitas de Bach ou as sonatas de Beethoven. Meu professor em Peterhouse era Chadwick, de Aberdeen. Era um grande intelectual; tinha sido aluno de Skeat. Já contei para você a respeito de Chadwick? Um rematado resmungão, mas foi ele o primeiro a me ensinar o valor da memória e de que forma pensar nela como uma música mental, um conjunto de iambos e troqueus.

Seu devaneio o afastava do dia a dia; afastava-o das mantas

e do saquinho de urina. Estava de novo nos anos 30, de volta a Cambridge, respirando o ar úmido dos brejos, desfrutando a tranquilidade de sua bolsa de estudos da juventude. Às vezes, mais parecia que estava falando sozinho, mas de repente fazia uma pergunta direta e eu, vendo interrompido meu próprio fluxo de pensamentos, ficava em apuros para encontrar uma resposta. Retomávamos o antigo relacionamento de aluno e professor e ele ia sempre em frente, sem hesitar, a despeito de minhas respostas serem pertinentes ou não, de eu confundir Chaucer com Langland, ou Langland com Chaucer. Uma hora se passou rapidamente, e ele me perguntou se eu não podia ficar ali o resto do dia. Prometi voltar em breve.

Quando saí para a Central Park South, o vento tinha ficado mais frio, o ar, mais claro, e os aplausos da multidão, mais altos e constantes. Uma vasta corrente de corredores cruzava a linha de chegada. Como a rua 59 estava bloqueada por cordões de isolamento, segui até a rua 57 e subi até chegar à Broadway. O metrô estava congestionado demais em Columbus Circle, por isso caminhei na direção do Lincoln Center, a fim de pegar o metrô na estação seguinte. Na rua 62, topei com um homem ágil, de costeletas grisalhas, levando um saco plástico com uma etiqueta, que estava visivelmente esgotado e mancava, com as pernas um pouco arqueadas. Estava de calção e meias colantes de ginástica, além de uma jaqueta azul de lã e de mangas compridas. Pelas feições, achei que era mexicano ou da América Central. Caminhamos lado a lado por um tempo, não de propósito, mas nos vimos andando juntos, no mesmo passo e na mesma direção. Por fim, perguntei-lhe se havia acabado de correr naquele momento e, quando fez que sim com a cabeça e sorriu, dei-lhe os parabéns. Mas, comecei a pensar, depois de quarenta e dois quilômetros, ele se limitara a pegar seu saco plástico e seguir a pé para casa. Não havia amigos nem familiares presentes para celebrar seu feito. Senti pena dele. Desviando aqueles pensamentos particulares, voltei a falar, perguntei se a corrida tinha sido boa. Sim, disse ele, a corrida foi boa, o tempo estava bom para correr, não fazia calor demais. O homem tinha um rosto agradável, mas fatigado, devia ter uns quarenta e cinco ou cinquenta anos de idade. Caminhou um pouco mais adiante por dois ou três quarteirões, intercalando nossos silêncios com alguma conversa superficial sobre o tempo e a multidão.

Na rua transversal em frente aos teatros líricos, me despedi dele e comecei, eu mesmo, a andar mais ligeiro. Imaginei sua silhueta claudicante ficando para trás, enquanto eu avançava depressa, seu corpo magro e rijo ostentando uma vitória visível para ninguém, senão para si mesmo. Meus pulmões eram fracos quando criança e nunca fui um corredor, mas compreendo de forma instintiva o ímpeto de energia que um maratonista consegue em geral encontrar no quadragésimo quilômetro da prova, já bem perto do fim. Mais misterioso é o que mantém essas pessoas correndo no trigésimo, trigésimo primeiro e trigésimo segundo quilômetros. Nessa altura, o acúmulo de cetonas deixa as pernas endurecidas e a acidose ameaça abater o ânimo e interromper os movimentos do corpo. O primeiro homem que correu uma maratona em toda a história morreu instantaneamente, e não é de admirar: trata-se de uma atividade que leva ao extremo a resistência humana e continua a ser algo notável, a despeito de quantas pessoas a pratiquem hoje em dia. E assim, ao me virar para trás a fim de olhar para meu companheiro de pouco antes, e pensando no colapso de Fidípides, enxerguei a situação com mais clareza. Eu era digno de pena, pois apesar de ser tão solitário quanto ele, havia tirado menos proveito daquela manhã.

Logo cheguei à grande loja Tower Records na esquina da rua 66 e fiquei surpreso ao ver as placas do lado de fora que anunciavam que a loja bem como a empresa que a geria iam fechar as portas. Eu tinha ido à loja muitas vezes, na certa gastara ali centenas de dólares com música, e me pareceu justo, em homenagem aos velhos tempos, visitá-la de novo antes de fecharem as portas para sempre. Entrei, atraído também pela promessa de que os preços tinham sido muito reduzidos em todos os produtos, apesar de não me sentir especialmente motivado a comprar nada. A escada rolante me levou ao segundo andar, onde a seção de música clássica, mais movimentada do que o costume, parecia ter sido expropriada em seu todo por homens velhos e de meia-idade que vestiam paletó de cor parda. Os homens vasculhavam as caixas de CDs com a paciência de animais no pasto, e alguns levavam cestos vermelhos de compras, nos quais jogavam os discos que escolhiam, enquanto outros abraçavam sacos plásticos junto ao peito. O sistema de som da loja estava tocando Purcell, um coro envolvente que logo identifiquei como uma das odes compostas para o aniversário da rainha Maria. Em geral eu não gostava do que tocavam nos alto-falantes das lojas de música. Aquilo estragava o prazer de pensar em outras músicas. Parecia-me que lojas de música tinham de ser locais silenciosos: lá, mais do que em qualquer outra parte, a mente precisava estar desimpedida. Porém, naquele caso, como eu reconheci a composição, e como era uma peça que eu adorava, não me importei.

O disco que tocaram a seguir, embora em tudo distinto do anterior, era outra música que identifiquei de imediato: o movimento de abertura da última sinfonia de Mahler, *Das Lied Von der Erde*. Voltei à minha busca, passando de uma caixa para outra, de relançamentos das sinfonias de Chostakóvitch executadas por orquestras regionais soviéticas, esquecidas havia muito tempo, até recitais de Chopin, interpretados por pianistas de rosto jovem, classificados nas primeiras colocações na Competição Van Cliburn, tive a sensação de que a redução dos preços era modesta, perdi todo o interesse real em comprar e por fim comecei a me adaptar à música que soava acima de mim e a penetrar nas estranhas nuances do seu mundo. Aconteceu de maneira subliminar, porém em pouco tempo fiquei arrebatado e, sem mais nem menos, me senti envolvido numa escuridão particular. Em tal transe, continuei a passar de uma fila de discos para outra, meus dedos folheavam as caixinhas de plástico, as revistas e as partituras, enquanto escutava os movimentos daquela *chinoiserie* vienense se sucederem um ao outro. Ao ouvir a voz de Christa Ludwig, no segundo movimento, uma canção sobre a solidão do outono, reconheci que se tratava da famosa gravação regida por Otto Klemperer em 1964. Com que espanto me veio outra descoberta: que tudo o que me restava ali era fazer hora e aguardar a chegada do núcleo emocional da obra, que Mahler situara no movimento final da sinfonia. Sentei num dos bancos duros próximos das cabines onde se podiam ouvir os discos e mergulhei num devaneio, segui os passos de Mahler pela embriaguez, pela saudade, pelo tom bombástico, pela juventude (com seu declínio) e pela beleza (com seu declínio). Então veio o movimento final, "Der Abschied", a Despedida, e no lugar onde Mahler em geral indicava o tempo da música, ele havia escrito *schwer*, difícil.

O canto de pássaro e a beleza, os queixumes e os toques festivos dos movimentos anteriores, todos foram suplantados por um estado de ânimo diferente, mais forte e mais seguro. Era como se as luzes, sem aviso, tivessem brilhado com mais força diante de meus olhos. Era simplesmente impossível entrar por inteiro na música, não naquele lugar público. Coloquei a pequena pilha de discos que estava em minha mão sobre a mesa mais próxima e saí. Entrei no metrô rumo à parte alta da cidade na hora exata em que as portas fecharam. Naquela altura, a multidão da maratona começava a diminuir. Sentei-me e recostei no banco. O tema melódico de cinco notas de "Der Abschied" continuava a se desdobrar a partir do ponto de onde eu havia fugido, soava com tamanha presença que parecia que eu ainda estava na loja, ouvindo a música. Sentia a madeira dos clarinetes, a resina dos violinos e das violas, as vibrações dos tímpanos e a inteligência que os mantinha todos unidos e os conduzia de modo interminável pela partitura musical. Minha memória estava sobrecarregada. A canção me acompanhou até em casa.

A música de Mahler tomou conta de minhas atividades durante todo o dia seguinte. Havia uma intensidade nova até nas coisas mais corriqueiras do hospital: o brilho das portas de vidro na entrada do edifício Milstein, as mesas de exames e as macas com rodinhas no térreo, as pilhas de fichas de pacientes no departamento de psiquiatria, a luz nas janelas da lanchonete, as cabeças afundadas dos prédios da parte alta da cidade, vistos daquela altura, como se a precisão da textura orquestral tivesse sido transferida para o mundo das coisas visíveis, e cada detalhe, de algum modo, tivesse se tornado pleno de significado. Um de meus pacientes havia sentado de frente para mim, de pernas cruzadas, o pé direito erguido, se mexendo no sapato preto e lustroso, e de certo modo também ele parecia fazer parte daquele complexo mundo musical.

O sol estava se pondo quando saí do Hospital Presbiteriano de Columbia, o que dava ao céu um toque prateado. Peguei o metrô até a rua 125 e, na caminhada até meu bairro, sentindo-me muito menos fatigado do que costumava acontecer nas noites de segunda-feira, tomei um desvio e caminhei um pouco pelo Harlem. Vi o agitado comércio dos ambulantes na calçada: os senegaleses vendedores de roupas, os jovens que vendiam DVDs piratas, as barraquinhas da Nação do Islã. Havia livros publicados pelos próprios autores, túnicas africanas, pôsteres sobre libertação dos negros, feixes de incenso, frascos de perfume e de óleos essenciais, tambores *djembê* e pequenos objetos decorativos africanos. Sobre um tabuleiro estavam expostas fotografias ampliadas de linchamentos e afro-americanos no início do século xx. Dobrando a esquina da St. Nicholas Avenue, os motoristas de táxis pretos estavam reunidos, fumavam cigarros e conversavam, à espera de corridas pelas quais pudessem cobrar mais do que marcava o taxímetro. Jovens de suéteres com capuz, assimilados a uma economia informal, transmitiam mensagens e trocavam entre si pacotinhos embrulhados em náilon, representando uma coreografia opaca para qualquer outra pessoa que não eles mesmos. Um velho com cara cor de cinzas e olhos amarelos em forma de bulbos, de passagem por ali, ergueu a cabeça para me cumprimentar e eu (por um momento achando que se tratava de alguém que eu certamente conhecia, ou havia conhecido algum dia, ou tinha visto antes, e me desfazendo uma a uma de todas essas ideias; e depois com receio de que a velocidade daquelas dissociações mentais pudesse perturbar o ritmo de meus passos) respondi seu cumprimento silencioso. Dei meia-volta para ver seu capuz preto dissolver-se numa porta sem iluminação. Na noite do Harlem não existiam brancos.

No mercado, comprei pão, ovos e cerveja e, ao lado, na loja jamaicana, comprei carne de cabra ao curry, bananas-da-terra maduras, arroz e ervilhas para levar para casa. Do outro lado da mercearia ficava uma loja Blockbuster; embora eu nunca tivesse alugado nada ali, fiquei surpreso ao ver um cartaz anunciando que também aquilo ia fechar as portas. Se uma loja Blockbuster não conseguia se aguentar numa área repleta de estudantes e famílias, só podia significar que aquele modelo de negócio tinha sido afetado de maneira fatal, que os esforços desesperados que haviam feito ultimamente, e que então eu recordei, baixando os preços da locação, lançando uma campanha publicitária maciça e abolindo as multas por atraso, tinham sido feitos tarde demais. Pensei na loja Tower Records — uma associação que não pude deixar de fazer, uma vez que as duas empresas tinham dominado, por muito tempo, suas respectivas indústrias. Não que eu sentisse pena daquelas empresas nacionais e sem rosto: longe disso. Elas tinham acumulado seus lucros e ganhado fama destruindo as empresas menores, locais, que existiam antes delas. No entanto fiquei abalado não tanto com o desaparecimento daqueles acessórios de minha paisagem mental, mas sim com a velocidade e a indiferença com que o mercado engolia até as empresas mais sólidas. Negócios que, alguns anos antes, pareciam inabaláveis tinham desaparecido, pelo visto, num intervalo de poucas semanas. O papel que desempenhavam, qualquer que fosse, havia passado para outras mãos, mãos que por um breve tempo se sentiriam invencíveis e que, por sua vez, acabariam derrotadas por mudanças imprevistas. Aqueles sobreviventes seriam esquecidos também.

Quando me aproximei do edifício de apartamentos com minhas sacolas, vi alguém que eu conhecia: o homem que morava no apartamento vizinho ao meu. Ele estava entrando no edifício na mesma hora e segurou a porta aberta para eu passar. Eu não o conhecia direito, na verdade mal o conhecia e tive de pensar por um momento antes de lembrar seu nome. Tinha cinquenta e poucos anos de idade e se mudara para cá no ano anterior. O nome me voltou à memória: Seth.

Eu tinha conversado rapidamente com ele e sua esposa, Carla, quando se mudaram para cá, mas depois disso quase não falei mais com eles. Seth era assistente social aposentado e alimentava o antigo sonho de voltar à faculdade e tirar um segundo diploma, em línguas românicas. Eu só o via uma vez por mês, na porta do edifício ou junto às caixas de correio. Carla, que eu só tinha visto duas vezes desde que se mudaram para o prédio, também estava aposentada; havia sido diretora de escola no Brooklyn e os dois ainda possuíam uma casa lá. Certa vez, quando minha namorada, Nadège, e eu tivemos um dia de folga juntos, Seth veio bater na minha porta para perguntar se eu estava tocando violão. Quando respondi que não sabia tocar violão, explicou que muitas vezes ficava em casa de tarde e que o barulho de meus alto-falantes (devem ser seus alto-falantes, disse ele, apesar de parecer o som de música ao vivo) às vezes o incomodava. Mas ele acrescentou, com simpatia autêntica na voz, que ele e a esposa sempre passavam os fins de semana fora e que nós estávamos liberados para fazer barulho da tarde de sexta-feira em diante, se quiséssemos. Fiquei sem graça e pedi desculpas. Depois disso fiz um esforço consciente para não incomodá-los e nunca mais se falou do assunto.

Seth segurou a porta para eu entrar. Ele também tinha ido fazer compras e carregava sacolas plásticas. Está ficando frio, disse ele. Seu nariz e os lóbulos das orelhas tinham um tom cor-de--rosa e os olhos estavam lacrimejantes. Sim, sim, é mesmo, na verdade cheguei a pensar em pegar um táxi na rua 125. Seth fez que sim com a cabeça e ficamos parados em silêncio um momento. Quando o elevador chegou, entramos. No sétimo andar, saímos e, quando caminhávamos pelo corredor, nossas sacolas de náilon roçavam umas nas outras e eu lhe perguntei se eles ainda passavam os fins de semana fora de casa. Ah, sim, todo fim de semana, mas agora estou sozinho, Julius. Carla morreu em junho. Teve um ataque do coração.

Fiquei desconcertado, numa confusão momentânea, como se tivessem acabado de me contar uma coisa impossível. Lamento muito, falei. Ele inclinou a cabeça e continuamos a caminhar pelo corredor. Perguntei se ele conseguira algum período de dispensa da faculdade. Não, respondeu Seth, continuei a estudar, não parei. Coloquei a mão em seu ombro por um momento e disse de novo como eu lamentava o que havia ocorrido e ele me agradeceu. Pareceu vagamente embaraçado, tendo de lidar com meu choque atrasado em face de algo que, para ele, era um fato muito mais pessoal, porém já antigo. Nossas chaves tilintaram e Seth entrou no apartamento 21 e eu, no 22. Fechei a porta e ouvi que Seth também fechou a dele. Não acendi a luz. Uma mulher tinha morrido no apartamento colado ao meu, tinha morrido do outro lado da parede em que eu estava encostado, e eu nada percebera. Não havia percebido nada durante as semanas em que seu marido estava de luto, não havia percebido nada quando o cumprimentava com um movimento da cabeça, com meus fones enfiados nos ouvidos, ou quando dobrava roupas na lavanderia do prédio e ele usava a máquina de lavar. Eu não o conhecia o bastante para lhe perguntar rotineiramente como estava Carla e eu não a via nem percebia a presença dela. Isso é que foi o pior. Eu não percebera nem a ausência de Carla nem a mudança — deve ter havido alguma mudança — no estado de espírito de Seth. Mesmo na ocasião, não teria sido possível bater na porta de Seth e lhe dar um abraço ou conversar com ele demoradamente. Teria sido uma intimidade falsa.

Por fim acendi a luz e segui adiante no meu apartamento. Imaginei Seth lutando com suas tarefas domiciliares de língua francesa e espanhola, conjugando verbos, esforçando-se para fazer as traduções, memorizando listas de palavras, fazendo exercícios de redação. Enquanto arrumava minhas compras, tentava recordar exatamente quando ele viera bater na minha porta para perguntar se eu estava tocando violão. Por fim, me contentei com a ideia de que aquilo tinha ocorrido antes, e não depois, da morte da esposa. Isso me deu certa sensação de alívio, que quase imediatamente deu lugar a uma impressão de vergonha. Mas mesmo esse sentimento acabou cedendo; rápido demais, me parece agora, quando penso nisso.

2.

Eu estava falando com Nadège ao telefone, algumas noites depois, quando ouvi ruídos ao longe, sons que no início mal dava para escutar, mas que alguns segundos depois se aproximaram e ficaram mais altos. Só uma voz, uma voz de mulher, gritava e uma multidão respondia. Depois que aquilo se repetiu algumas vezes, consegui reconhecer que a multidão era predominante ou inteiramente feminina. Vários apitos cortavam o ar, mas não era um som festivo; isso eu pude perceber antes mesmo de abrir a janela e olhar para fora. Tratava-se de algo mais sério. Havia tambores e, à medida que a multidão se aproximava, os tambores adquiriam um tom marcial crescente (em minha cabeça, surgiu a imagem de um grupo de caça e uma torrente de coelhos que corriam afoitos para fora de suas tocas). Era tarde, passava bastante das dez horas. Alguns de meus vizinhos do outro lado da rua estavam debruçados para fora das janelas; todos espichávamos o pescoço na direção da Amsterdam Avenue. A voz que liderava a multidão se tornou ainda mais alta, mas as palavras não redundavam num sentido, e a maior parte da multidão, que marchava em nossa direção, continuava encoberta pela escuridão. Então, quando a multidão, toda ela formada por mulheres jovens, passou embaixo das luzes dos postes, seus gritos ficaram mais claros. *Nós temos o poder, nós temos a força*, a voz solitária entoava. E vinha a resposta: *As ruas são nossas, tomem a noite de volta.*

A multidão, muitas dúzias de mulheres bem comprimidas, passou embaixo de minha janela. Alguns andares acima da calçada, eu as observei, enquanto seus rostos entravam e saíam do facho de luz que vinha da iluminação dos postes. *Corpos de mulher, vidas de mulher, não vamos ter medo.* Fechei a janela. Do lado de fora estava só um pouco mais frio do que dentro do apartamento. Mais cedo naquela noite, eu tinha caminhado no Riverside Park, da rua 116 até as ruas Noventa e depois voltei. Ainda não estava frio e, durante todo o tempo em que estive no parque — enquanto observava os cachorros e seus donos, que pareciam todos ter convergido para os mesmos caminhos que eu escolhia, uma torrente interminável de pit bulls, jack russells, alsacianos, weimaraners e vira-latas —, eu me perguntava por que ainda estava tão quente em meados de novembro.

Ao subir a ladeira rumo ao edifício onde eu morava, na hora em que atravessei a esquina da rua 121, vi meu amigo. Ele morava a poucos quarteirões dali e tinha saído para fazer compras no mercado. Cumprimentei-o e nós batemos um papo ligeiro. Era um jovem professor do Departamento de Ciências da Terra, já cumprira quatro anos da incerta jornada de sete anos rumo à estabilidade no emprego. Seus interesses eram mais amplos do que sua especialidade profissional sugeria, e aquilo era uma parte do que servia de base para nossa amizade: ele tinha opiniões firmes acerca de livros e filmes, opiniões que muitas vezes se chocavam com as minhas, e ele havia morado dois anos em Paris, onde adquirira um gosto por filósofos da moda, como Badiou e Serres. Além disso, era um ávido jogador de xadrez e o dedicado pai de uma menina de nove anos, que passava a maior parte do tempo com a mãe, em Staten Island. Ambos lamentávamos que as exigências do trabalho nos impedissem de ficar juntos o tempo que gostaríamos.

Meu amigo era especialmente entusiasmado com o jazz. A maioria dos nomes e dos estilos que o encantavam tanto não significava quase nada para mim (parecia haver um número incontável de músicos de jazz dos anos 60 e 70 com o sobrenome Jones). Mas eu podia perceber, mesmo na distância de minha desinformação, a sofisticação de seu ouvido musical. Muitas vezes ele dizia que um dia ainda ia sentar diante de um piano e me ensinar como o jazz funcionava e que eu finalmente entenderia a terça e a sétima menor e as notas sincopadas, os céus se abririam e minha vida se transformaria. Eu até que acreditava nele, e de vez em quando ficava preocupado e me perguntava qual o motivo de eu, pelo visto, não ter um forte laço afetivo com o mais americano dos estilos musicais. Quase sempre me parecia apenas adocicado, até enjoativo, e me desagradava sobretudo quando servia de música de fundo. Enquanto eu e meu amigo estávamos conversando, um sem-teto cantava do outro lado da rua, e captávamos fragmentos da sua voz quando o vento soprava uma rajada em nossa direção.

Aqueles pensamentos agradáveis foram interrompidos por um pressentimento da conversa que eu ia ter naquela noite com Nadège. E como foi estranho, horas depois, ouvir a tensa voz dela, em contraponto à voz das manifestantes na rua lá embaixo. Ela se mudara para San Francisco algumas semanas antes e tínhamos dito que faríamos um esforço para dar um jeito na situação, apesar da distância, mas tínhamos falado aquilo da boca para fora.

Tentei imaginá-la naquela multidão, mas não me veio nenhuma imagem ao pensamento, tampouco pude imaginar como seria seu rosto se ela estivesse no apartamento comigo. As vozes das manifestantes logo diminuíram, à medida que a marcha, com seus cartazes e seus apitos, avançou rumo ao Morningside Park. As batidas dos tambores marciais, que faziam o coração bater em outro ritmo, continuaram, e depois também aquilo foi sumindo e eu só conseguia ouvir a voz reduzida de Nadège do outro lado do telefone. Fazia sofrer aquela separação, mas não era surpresa para nenhum de nós dois.

Na noite seguinte, no metrô da linha 1, vi um aleijado arrastando a perna quebrada enquanto passava de um vagão para o outro. Forçava a voz para ficar com um som de taquara rachada e assim dar a impressão de que seu corpo era ainda mais frágil. Aquele artifício me desagradava e não quis lhe dar dinheiro. Minutos depois, quando desembarquei na plataforma, vi um cego. Sua bengala branca e comprida tinha uma bola de tênis espetada na ponta e ele movimentava a bengala para um lado e para o outro, traçando um arco reduzido à sua frente, e quando chegou perto de cair na beirada da plataforma (ou assim me pareceu, pelo menos), me aproximei e perguntei se podia ajudar. Ah, não, disse ele, ah, não. Estou só esperando meu trem chegar, muito obrigado. Deixei-o e caminhei pela plataforma, rumo à saída. Fiquei confuso ao ver naquele momento um outro cego, que também levava uma comprida bengala branca com uma bola de tênis espetada na ponta e que, à minha frente, subia a escada da saída, na direção da luz.

Veio-me a ideia de que algumas coisas que eu via à minha volta estavam sob a égide de Obatalá, o demiurgo encarregado por Olodumarê de criar os seres humanos a partir do barro. Obatalá cumpriu bem sua tarefa, até começar a beber. De tanto beber, acabou embriagado e começou a moldar seres humanos estropiados. Os iorubás acreditam que, nesse estado de embriaguez, ele criou anões, aleijados, pessoas sem braços e pernas e afligidas por doenças incapacitantes. Olodumarê teve de retomar a função que havia delegado e terminar ele mesmo a criação da humanidade e, em consequência, pessoas que sofrem enfermidades físicas se identificam como adoradores de Obatalá. Essa é uma forma de relação interessante com um deus, uma relação que não é de afeição nem de louvor, mas de antagonismo. Tais pessoas cultuam Obatalá como uma acusação: foi ele que as fez como são. Vestem-se de branco, que é a cor de Obatalá e também a cor do vinho de palma com o qual se embriagou.

Fazia meses que eu não ia ao cinema. Por volta das dez horas, entrei numa livraria, filial de uma famosa rede, para matar o tempo antes de o filme começar e, quando entrei, lembrei-me de um livro que eu queria dar uma olhada já fazia muito tempo: uma biografia histórica, escrita por uma de minhas pacientes. Logo encontrei um exemplar — *O monstro de Nova Amsterdam* — e me instalei no chão, entre pilhas de livros, num canto mais sossegado, para ler. V., professora assistente na Universidade de Nova York e pertencente à tribo Delaware, baseara o livro na sua tese de doutorado em Columbia. Era o primeiro estudo abrangente sobre Cornelis Van Tienhoven. Van Tienhoven ganhara fama como *schout* de Nova Amsterdam no século XVII, oficialmente encarregado de impor a lei entre os colonos holandeses na ilha de Manhattan. Ele chegou em 1863, como secretário da Companhia Holandesa das Índias Orientais, porém, à medida que subiu na escala social, tornou-se conhecido por suas numerosas brutalidades, sobretudo uma expedição que comandou para matar índios da tribo Canarsie em Long Island, depois da qual trouxe as cabeças das vítimas enfiadas na ponta de lanças. Em outra expedição, Van Tienhoven ficou no comando de um grupo de homens que matou mais de cem pessoas inocentes da tribo Hackensack. O livro de V. era uma leitura macabra. Era repleto de incidentes violentos e, nas notas do fim do livro, vinham reproduzidos importantes documentos do século XVII. Estavam redigidos numa linguagem calma e religiosa que apresentava o assassinato em massa como pouco mais do que o desagradável efeito colateral de colonizar a terra. Na paciente recapitulação daqueles crimes, *O monstro de Nova Amsterdam* se assemelhava às biografias de Pol Pot, Hitler ou Stálin, que quase sempre figuram nos primeiros lugares das listas de mais vendidos. Um adesivo na capa do exemplar que eu tinha nas mãos indicava que o livro fora indicado para o National Book Critics Circle Award. Os comentários na orelha, escritos por historiadores americanos de ponta, eram enfadonhamente elogiosos, louvavam o livro por lançar luz num capítulo esquecido da história colonial. De tempos em tempos, nos anos anteriores, ao ler os jornais, eu vira alguns trechos daquela aclamação crítica e, por essa razão, conhecia o nome de V. e tinha alguma ideia de seu êxito profissional, antes de ela se tornar minha paciente.

Quando comecei a tratá-la de sua depressão, no começo do ano passado, fiquei surpreso com seu jeito tímido e seu corpo frágil. Era um pouco mais velha do que eu, mas parecia bem mais jovem, e estava trabalhando em outro projeto, que, como ela explicou, era um estudo mais abrangente dos encontros entre os grupos nativos do norte — em especial os delaware e iroqueses — e os colonizadores europeus no século XVII. A depressão de V. se devia, em parte, ao custo emocional daquelas pesquisas, que certa vez ela definiu como observar com atenção o outro lado de um rio num dia de chuva forte, de tal modo que não conseguia ter certeza de que a atividade na outra margem tinha alguma coisa a ver com ela, ou até se havia mesmo alguma atividade lá. Sua biografia de Van Tienhoven, embora direcionada para o público em geral, vinha com todo o aparato de uma pesquisa universitária e também com boa dose da distância emocional típica de um estudo acadêmico. Mas também ficou claro, nas conversas com ela, que os horrores que os nativos americanos tiveram de suportar nas mãos dos colonizadores brancos, os horrores que, na opinião dela, continuavam a sofrer, a haviam afetado num nível pessoal profundo.

Não posso fingir que não se trata de minha vida, disse-me ela certa vez, é a minha vida. É difícil viver num país que apagou nosso passado. V. ficou calada, e a sensação criada por suas palavras — lembro que experimentei aquilo como uma sutil alteração na pressão atmosférica da sala — se tornou mais profunda no silêncio, de modo que tudo o que podíamos ouvir era o ir e vir do lado de fora, por trás da porta de meu consultório. Ela havia fechado os olhos por um momento, como se tivesse adormecido. Mas depois prosseguiu, as pálpebras fechadas agora tremiam: Os americanos nativos na cidade de Nova York são quase inexistentes, e há muito poucos em toda a região nordeste do país. Não é direito que as pessoas não se sintam horrorizadas com isso, porque se trata de uma coisa horrorosa o que aconteceu com uma vasta população. E não foi só no passado, continua aqui, hoje, entre nós: pelo menos, continua comigo. Parou e depois abriu os olhos e, quando me lembrei de tudo aquilo, sentado no tapete entre as estantes altas na livraria, consegui visualizar o rosto curiosamente sereno de V. naquela tarde, no qual os únicos sinais físicos de abatimento eram os olhos cheios de lágrimas. Levantei-me, fui até o caixa e comprei o livro. Sabia que não ia ter tempo para ler tudo, mas queria pensar mais a respeito do que ela havia escrito e, além disso, tinha esperança de que o livro, nos momentos em que deixasse de lado o rigor dos documentos históricos e traísse alguma análise subjetiva, me trouxesse alguma compreensão maior do estado psicológico da autora.

Depois de pagar, caminhei os quatro quarteirões até o cinema no que, me lembro, era uma noite quente. Eu estava com minha recorrente preocupação sobre o calor que havia feito durante toda a estação. Embora eu não gostasse das estações frias em seus momentos mais intensos, com o tempo passei a concordar que havia nelas certa razão de ser, que existia uma ordem natural em tais coisas. A ausência dessa ordem, a ausência do frio quando devia fazer frio, era algo que agora parecia um incômodo repentino. A ideia de que o clima estava mudando a olhos vistos me perturbava, ainda que não houvesse nenhuma prova de que aquele outono acalorado em particular não fosse devido a uma variação absolutamente normal, prevista em padrões climáticos que abrangiam séculos. Tinha ocorrido uma pequena era do gelo natural nos Países Baixos no século XVI e, assim, por que não uma pequena era de calor em nossa própria época, independente de causas humanas? Mas eu já não era mais o cético do aquecimento global que tinha sido alguns anos antes, ainda que não conseguisse suportar a tendência de alguns a pular direto para conclusões, com base apenas em indícios casuais: o aquecimento global era um fato, mas isso não queria dizer que era a explicação para que determinado dia fosse mais quente. Era arriscado pensar em estabelecer uma relação dessa ordem de maneira demasiado fácil, era uma invasão da política da moda no que devia ser um reduto encouraçado da ciência.

No entanto, a maneira como meus pensamentos retornavam ao fato de que eu estava em meados de novembro e ainda não tivera ocasião de vestir meu casaco me levava a indagar se eu já não seria uma daquelas pessoas que enxergavam tudo com lentes de aumento. Aquilo era uma parte da minha desconfiança de que havia na sociedade um estado de ânimo que empurrava as pessoas para juízos temerários e opiniões levianas, um estado de ânimo anticientífico; ao velho problema da dificuldade em massa para os cálculos e a matemática, acrescentava-se agora, assim me parecia, uma incapacidade mais geral para avaliar os dados. Isso criava chances de grandes negócios para aqueles cuja especialidade era prometer soluções imediatas: políticos ou sacerdotes de diversas religiões. Dava certo sobretudo para aqueles que desejavam congregar pessoas em torno de uma causa. A causa em si, qualquer que fosse, não tinha quase nenhuma importância. O que interessava era o sectarismo.

A multidão na bilheteria do cinema era fora do normal, mas eu já esperava aquilo, em função do horário tardio do filme, do fato de se passar na África e da ausência de nomes de Hollywood no letreiro. As pessoas que compravam os ingressos eram jovens, muitas eram negras, vestidas em roupas modernas. Havia também alguns asiáticos, latinos, imigrantes nova-iorquinos e outros nova-iorquinos de origem étnica indeterminada. O último filme que eu tinha visto no mesmo cinema, meses antes, contara com uma plateia formada quase exclusivamente de gente branca de cabelos grisalhos; agora, era muito menor o número daquelas pessoas na plateia. Na vasta caverna do cinema, sentei-me sozinho. Não, não exatamente sozinho: em companhia de centenas de outras pessoas, mas todas desconhecidas para mim. As luzes apagaram e, quando relaxei preguiçosamente na poltrona estofada com veludo e o filme começou, percebi que havia alguém na ponta da minha fileira: um velho, adormecido, a cabeça tombada para trás e a boca aberta, de modo que parecia antes morto que adormecido. Não se mexeu nem quando o filme começou.

A elegante sequência dos créditos tinha ao fundo uma música do período correto, mas não da parte correta da África: o que o Mali tinha a ver com o Quênia? Mas eu tinha vindo preparado para gostar de algumas coisas do filme e também esperava que outras coisas me incomodassem. Outro filme que eu tinha visto no ano anterior, sobre os crimes de grandes empresas farmacêuticas na África Oriental, tinha me deixado frustrado, não por causa do enredo, que era aceitável, mas por causa da fidelidade do filme à convenção do homem branco bom na África. A África estava sempre esperando, um substrato para a vontade do homem branco, um pano de fundo para suas atividades. E assim, ao me sentar para conhecer aquele filme, *O último rei da Escócia*, eu já estava preparado para me indignar outra vez. Já estava pronto para ver um homem branco, uma pessoa nula em seu país, que como sempre pensava que a salvação da África dependia dele. O rei a que o título se referia era Idi Amin Dada, ditador de Uganda na década de 1970. Condecorar a si mesmo com títulos espúrios era apenas o menos macabro de seus numerosos passatempos.

Conheci bem Idi Amin Dada, por assim dizer, porque ele foi uma parte indelével da mitologia de minha infância. Recordo as muitas horas que passei na casa de meus primos vendo um filme intitulado *Ascensão e queda de Amin*. Naquele filme, não se poupava nenhum detalhe para apresentar a insensibilidade, a insanidade e o entusiasmo bruto daquele homem. Na ocasião, eu tinha sete ou oito anos de idade, e as imagens de pessoas sendo fuziladas e amontoadas em caminhões, ou decapitadas e guardadas em frigoríficos, ficaram gravadas dentro de mim. As imagens eram genuinamente chocantes porque, ao contrário dos filmes de guerra americanos, respingados de sangue, que também víamos com gosto naquelas compridas férias escolares, as vítimas de *Ascensão e queda* pareciam nossos pais e tios, com suas roupas afro e safári e suas testas brilhantes. As cidades onde aquela brutalidade era praticada pareciam a nossa cidade, e os carros com perfurações de bala eram dos mesmos modelos dos que víamos à nossa volta. Mas gostávamos do choque do filme, do seu realismo poderoso e com estilo, e toda vez que não tínhamos nada para fazer, víamos de novo o filme.

O último rei da Escócia evitava, no geral, aquelas imagens sangrentas. Em vez disso, sua história se concentrava na relação entre Idi Amin Dada e o médico escocês, inocente por um breve tempo, Nicholas Garrigan, que ele forçou a trabalhar como seu médico particular. Era a história de um homem em quem os atributos clássicos de uma ditadura tomaram sua feição mais radical. Com sua loucura extrovertida — que continha raiva, medo, insegurança, encanto temperamental —, Idi Amin assassinou cerca de trezentos mil ugandenses durante seu governo, baniu a grande comunidade de indianos ugandenses, destruiu a economia do país e adquiriu a reputação de uma das mais grotescas manchas da história africana recente.

Enquanto assistia ao filme, lembrei um encontro incômodo que tivera certa noite, numa casa abastada num subúrbio de Madison, alguns anos antes. Na época, eu era estudante de medicina e nosso anfitrião, um cirurgião indiano, convidou a mim e vários colegas de turma para ir à sua casa. Depois de comermos, o dr. Gupta nos conduziu para uma de suas três salas suntuosas e percorreu todo o grupo, enchendo nossas taças com champanhe. Ele e sua família, nos contou o doutor, tinham sido expulsos de suas casas e de suas terras por Idi Amin. Agora sou bem-sucedido, disse ele, os Estados Unidos permitiram que eu, minha esposa e meus filhos tivéssemos uma vida nova. Minha filha está fazendo pós-graduação em engenharia no MIT e o nosso caçula está em Yale. Mas, se me permitem falar com franqueza, ainda me sinto indignado. Perdemos muita coisa, fomos assaltados à mão armada e, quando penso nos africanos — e sei que não convém falar dessa maneira nos Estados Unidos —, quando penso nos africanos, tenho vontade de cuspir.

O rancor era chocante. Era uma raiva que, não pude deixar de sentir, era parcialmente dirigida a mim, o único outro africano presente na sala. O detalhe da minha origem, o fato de eu ser nigeriano, parecia não fazer nenhuma diferença, pois o dr. Gupta havia falado de africanos, tinha se desviado do específico e falado no geral. Mas agora, enquanto assistia ao filme, vi que o próprio Idi Amin Dada promovia festas estupendas, contava piadas verdadeiramente engraçadas e falava com eloquência sobre a necessidade da autodeterminação dos africanos. Tais nuances de sua personalidade, como retratadas aqui, sem dúvida teriam provocado um gosto ruim na boca de meu anfitrião em Madison.

Eu gostaria de acreditar que as coisas não eram tão ruins quanto pareciam. Era a parte de mim que queria ser entretida, que preferia não encarar o horror. Mas essa satisfação não me foi concedida: as coisas terminaram mal, como em geral acontece. Assim como Coetzee fez em *Elizabeth Costello,* eu me perguntava de que adiantava penetrar em tais redutos do coração humano. Para que mostrar a tortura? Não bastava saber, com detalhes precisos, que coisas ruins aconteceram? Desejamos ser poupados, seja a história sobre Idi Amin Dada ou sobre Cornelis Van Tienhoven. É um desejo comum, e tolo: ninguém é poupado. Os filhos pequenos de Idi Amin se chamavam MacKenzie e Campbell — MacKenzie era epiléptico — e esses dois escoceses-ugandenses foram apanhados no pesadelo de Idi Amin, e no descuido de Obatalá.

Saí do cinema para o ar quente à meia-noite. Tinha comigo o livro de V., mas depois do que eu tinha acabado de ver, sabia que teria de deixá-lo de lado por um tempo. Na estação de metrô quase vazia, havia uma família de fora da cidade à espera do metrô. Uma garota de treze anos estava sentada no banco a meu lado. O irmão de dez anos veio sentar-se perto dela. De onde estavam, não podiam ser ouvidos pelos pais, que, exceto por um ou dois olhares despreocupados em nossa direção, estavam concentrados na própria conversa. Ei, moço, disse ela, virando-se para mim, como vai? Ela fez sinais com os dedos e, junto com o irmão, começou a rir. O menino usava na cabeça uma imitação de chapéu chinês. Os dois brincavam de imitar olhinhos puxados e reverências exageradas, antes de virem para o lugar onde eu estava. Agora os dois se viraram para mim. O senhor é um bandido, moço? O senhor é um bandido? E fizeram sinais que identificavam os membros de uma gangue, ou sinais que eles imaginavam servir para aquilo. Olhei para eles. Era meia-noite e eu não estava com vontade de dar aula em público. Ele é preto, disse a menina, mas não está vestido que nem um bandido. Eu aposto que ele é um bandido, disse o irmão. Aposto que é. Ei, moço, o senhor é um bandido? Continuaram a me cutucar com os dedos por alguns minutos. A vinte metros de distância, os pais conversavam entre si, distraídos.

Pensei em ir a pé para casa, uma hora de caminhada, mas o trem para a parte alta da cidade chegou. Naquele instante, tive um momento de iluminação, a sensação de que minha *oma* (como me habituei a chamar minha avó materna) deveria me ver de novo, ou que eu devia fazer um esforço para vê-la, se ela ainda estivesse neste mundo, se ela estivesse num asilo de idosos em algum lugar de Bruxelas. O fato de me ver talvez representasse um tipo de bênção tardia para ela. O que eu poderia fazer para realmente localizá-la, disso eu não tinha a menor ideia, mas a questão de repente me pareceu real, bem como sua promessa de reencontro, enquanto eu caminhava pela plataforma e entrava num vagão mais afastado.

3.

Numa tarde de chuva forte em que as folhas de ginkgo se acumulavam na calçada até a altura dos tornozelos, com o aspecto de milhares de diminutas criaturas amarelas recém-caídas do céu, eu continuava a caminhar. Todo o tempo em que não estava com meus pacientes, eu passava com um professor, o dr. Martindale, cuidando da publicação de um artigo. As descobertas de nosso estudo eram verdadeiramente empolgantes: tínhamos conseguido mostrar uma relação forte entre o derrame cerebral em idosos e o começo da depressão. Mas a redação de nosso artigo se complicara por causa de nossa tardia descoberta de que outro laboratório havia chegado a uma conclusão semelhante pouco tempo antes, usando um protocolo de pesquisa diferente. O dr. Martindale estava próximo de se aposentar, e o grosso da tarefa de reescrever o artigo coubera a mim, assim como quaisquer outras análises que tivessem de ser feitas no laboratório. Esta última parte, eu a fiz de maneira um pouco descuidada, quebrei os géis duas vezes e tive de recomeçar tudo. Dediquei-me àquilo por três árduas semanas. Depois executei a maior parte das tarefas de reescrever, durante três dias intensos, enviamos o artigo e ficamos esperando a correspondência das revistas. Saí com o guarda-chuva na mão e com a ideia de que podia atravessar a pé o Central Park e chegar à área situada ao sul do parque, e quando entrei no parque, voltaram os pensamentos sobre minha avó.

Minha mãe e eu passamos a nos estranhar depois que completei dezessete anos, pouco antes de eu partir para os Estados Unidos. Tendo a associar isso ao estranhamento que minha mãe sentia em relação à própria mãe. Devem ter se afastado por motivos tão confusos quanto aqueles que me separaram de minha mãe. Ela não voltou para a Alemanha depois que saiu de lá na década de 1970. No entanto, em anos recentes, eu pensava com frequência na minha *oma*. Em geral me concentrava na única vez em que ela veio nos visitar na Nigéria, vindo da Bélgica, para onde havia se mudado algum tempo depois da morte de meu avô. O retrato que minha mãe havia pintado de minha avó como uma pessoa difícil e de mente estreita era inexato; era um retrato que nada tinha a ver com a minha *oma*, mas tinha tudo a ver com o rancor que minha mãe sentia por ela. Eu estava com onze anos quando ela veio nos visitar, e pude ver que meus pais mal conseguiam suportar aquela senhora estranha (meu pai tomou as dores de minha mãe). Também entendi que uma parte do que eu era tinha vindo dela e, com base nisso, estabeleceu-se uma espécie de solidariedade. Uma vez, durante aquela visita, já no final, se bem me lembro, a família inteira fez um passeio ao interior do território dos iorubás. Nossa viagem não nos levou além de quatro horas de carro da cidade de Lagos. Visitamos o Palácio Deji em Akure e o de Ooni em Ifé, ambos são grandes complexos reais construídos com tijolos de barro e decorados com colunas de madeira maciça, entalhadas com imagens da cosmologia iorubá: o mundo dos vivos, o mundo dos mortos, o mundo dos que não nasceram. Profundamente interessada na arte, minha mãe explicava a iconografia para a mãe dela e para mim. Meu pai vagava a esmo, um pouco entediado.

Viajamos durante horas em estradas lamacentas e cheias de sulcos, através de uma paisagem ondulada, bem seca em certos trechos e densamente coberta por florestas, em outros. Paramos nas Águas Térmicas de Ikogosi e fomos ver os monólitos sagrados da Rocha Olumo, em Abeokuta, na qual o povo egbá se abrigou durante as guerras fratricidas do século XIX. Na Rocha Olumo, *oma* e eu ficamos na base, enquanto meus pais subiram com um guia. De onde eu estava, podia ver como meus pais subiam em zigue-zague pela ladeira íngreme, paravam diante de grutas e afloramentos rochosos, enquanto o guia lhes mostrava aspectos religiosos e históricos, depois retomavam a subida, que, para nós que olhávamos de baixo, parecia especialmente perigosa. Naquele dia, guardei na memória o silêncio que compartilhei com *oma* (sua mão no meu ombro, massageando); meus pais ficaram longe durante uma hora e, naquele momento, nós dois nos tornamos íntimos quase sem dizer palavra, apenas esperando, sensíveis ao vento nas árvores ali perto, observando os lagartos que corriam sobre pequenas formações rochosas, que afloravam na terra como ovos pré-históricos, escutando o ronco das motocicletas na estreita estrada a uns duzentos metros de distância. Quando minha mãe e meu pai voltaram, ofegantes, ruborizados, satisfeitos, estavam encantados com sua experiência. Sobre a nossa, *oma* e eu não podíamos dizer nada, porque o que ocorreu foi sem palavras.

Mais tarde, depois que a visita de poucas semanas de *oma* terminou, meus pais não falaram muito a respeito dela. A comunicação entre ela e minha mãe cessou mais uma vez, e foi como se ela nunca tivesse ido à Nigéria; a afeição tranquila, intrigada, que ela mostrara ter por mim foi se apagando no passado. Até onde sei, minha avó voltou para a Bélgica. E era na Bélgica que eu agora a imaginava, embora não soubesse dizer com certeza se ainda estava viva. Na época de sua visita à Nigéria, eu esperava que começasse uma relação normal entre ela e o resto de minha família. Mas não pôde ser assim; meu palpite é que houve uma grande discussão entre *oma* e minha mãe, pouco antes de ela partir. Na situação que se estabeleceu, a única pessoa que podia me dizer qual era o paradeiro atual de minha avó, que podia me dizer se ela afinal tinha algum paradeiro atual, era a única pessoa a quem eu não podia perguntar.

Entrei no parque na rua 72 e comecei a caminhar para o sul, em Sheep Meadow. O vento ficou mais forte e a água se derramou sobre o solo encharcado em agulhas finas e incessantes, encobrindo as tílias, os olmos e as macieiras silvestres. A força da chuva toldava minha visão, um fenômeno que eu já havia notado apenas em tempestades de neve, quando a nevasca apagava os mais óbvios sinais da época, deixando a pessoa impossibilitada de identificar em que século estava. A torrente havia revestido o parque com um sentimento ancestral, como se estivesse chegando um dilúvio de fim de mundo e, naquela hora, Manhattan pareceu exatamente como devia ter sido na década de 1920 ou até num passado ainda mais remoto, se a pessoa estivesse bem afastada dos edifícios mais altos.

A aglomeração de táxis na esquina da Quinta Avenida com a Central Park South desfez aquela ilusão. Depois que caminhei mais quinze minutos, já completamente ensopado, parei embaixo do beiral de um prédio na rua 53. Quando me virei para trás, vi que estava na entrada do Museu de Arte Folclórica Americana. Como nunca tinha visitado o museu, entrei.

As peças artesanais em exposição, a maioria dos séculos XVIII e XIX — cata-ventos, objetos de decoração, colchas, pinturas —, evocavam a vida agrária do novo país americano, bem como as tradições semiesquecidas dos antigos países europeus. Era a arte de um país que tinha uma aristocracia, mas não contava com o patrocínio das cortes: uma arte simples, franca e tosca. No patamar do primeiro lance da escada, vi um retrato pintado a óleo de uma garota com um vestido vermelho engomado, segurando um gato branco. Um cachorro espiava, enfiado por baixo da cadeira da garota. Os detalhes eram piegas, mas não conseguiam obscurecer a força e a beleza da pintura.

Os artistas expostos no museu, em quase todos os casos, trabalhavam fora da tradição da elite. Careciam de treinamento formal, mas sua obra tinha alma. Assim que cheguei ao terceiro andar do museu, a sensação de ter penetrado no passado foi completa. A galeria tinha uma fileira de colunas brancas e esguias que a cortavam ao meio e os pisos eram de cerejeira polida. Aqueles dois elementos remetiam à arquitetura colonial da Nova Inglaterra e das chamadas Colônias do Meio, estabelecidas por holandeses e suecos.

Aquele andar, bem como o que ficava abaixo, apresentava uma exposição especial das pinturas de John Brewster. Filho de um médico da Nova Inglaterra de mesmo nome, Brewster tinha recursos modestos, mas a escala da exposição deixava claro que se tratava de um artista muito requisitado. A galeria era silenciosa e tranquila e, exceto pelo guarda parado no canto, eu era a única pessoa presente. Isso realçava a sensação de tranquilidade que quase todos os retratos me transmitiam. A imobilidade das pessoas retratadas sem dúvida tinha participação naquele efeito, bem como a sóbria paleta de cores de todos os quadros, no entanto havia mais alguma coisa, algo mais difícil de definir: um ar de hermetismo. Cada um dos retratos era um mundo lacrado, visível pelo lado de fora, mas impossível de penetrar. Isso era mais verdadeiro ainda nos muitos retratos de crianças feitos por Brewster, todas serenas em seus corpos infantis, e muitas vezes com elementos extravagantes na indumentária, mas com rostos sérios, sem exceção, mais sérios até do que o rosto dos adultos, uma austeridade em franco desacordo com seus poucos anos de vida. Todas as crianças estavam numa pose de boneco e ganhavam vida por força de um olhar incisivo. O efeito era perturbador. O segredo, descobri, era que John Brewster sofria de uma grave surdez, e o mesmo acontecia com muitas crianças por ele retratadas. Algumas eram alunas do Asilo para a Educação e a Instrução de Surdos e Mudos de Connecticut, fundado em 1817, a primeira escola para surdos no país. Brewster ficou matriculado lá como aluno por três anos, já adulto, e foi enquanto esteve na escola que se desenvolveu aquilo que mais tarde seria conhecido como a Linguagem Americana de Sinais.

Enquanto contemplava o silencioso mundo à minha frente, pensava nas muitas ideias românticas associadas à cegueira. Ideias de uma sensibilidade e de um gênio incomuns eram evocadas por nomes como Milton, Blind Lemon Jefferson, Borges, Ray Charles; supõe-se que perder a visão física signifique adquirir uma segunda visão. Uma porta se fecha e outra maior se abre. A cegueira de Homero, acreditam muitos, é uma espécie de canal espiritual, um atalho rumo aos dons da memória e da profecia. Quando eu era criança em Lagos, havia um bardo cego errante, homem que era encarado com enorme espanto em razão de seus dotes espirituais. Quando cantava suas canções, ele deixava em todos a sensação de que, ao ouvi-lo, tocavam no divino, ou eram por ele tocados. Certa vez, numa feira apinhada de gente em Ojuelegba, no início da década de 1980, eu o vi. Foi a uma boa distância, mas recordo (ou imagino que recordo) seus olhos grandes e amarelos, calcificados nas pupilas com uma coloração cinzenta, seu aspecto assustador e o manto grande e sujo com que se cobria. Cantava numa voz plangente e de tom agudo, num iorubá proverbial e ressonante, que para mim era impossível acompanhar. Mais tarde, imaginei que tinha visto em torno dele algo semelhante a uma aura, um distanciamento espiritual que levava todos os seus ouvintes a enfiar a mão na bolsa e depositar alguma coisa na tigela que um menino, seu assistente, levava.

Essa é a narrativa acerca da cegueira. O mesmo não ocorre com a surdez, que, como no caso de meus tios-avós, era vista muitas vezes como mera infelicidade. Ocorreu-me então que muitas pessoas surdas eram tratadas como se tivessem retardo mental; mesmo a expressão "surdo-mudo", longe de ser uma simples definição de condição fisiológica, comportava um sentido pejorativo.

Parado na frente dos retratos de Brewster, com a mente serena, vi as pinturas como registros de uma transação silenciosa entre o artista e seu tema. Um pincel carregado, ao depositar tinta sobre a tela ou o tecido, não pode registrar um som, e como é grande a paz palpável nos grandes artistas da imobilidade: Vermeer, Chardin, Hammershøi. O silêncio era ainda mais profundo, pensei, enquanto me achava naquela galeria e o mundo privado do artista existia completo em sua quietude. À diferença daqueles pintores, Brewster não tinha recorrido a olhares indiretos ou *chiaroscuro* para transmitir o silêncio de seu mundo. Os rostos eram bem iluminados e frontais, e no entanto eram silenciosos.

Parei diante da janela no terceiro andar e olhei para fora. O ar tinha mudado do cinza para o azul-escuro e a tarde já tinha virado fim de tarde. Uma imagem me atraiu de volta para o lado de dentro, a pintura de uma criança com um passarinho preso num cordão azul. A paleta, como era comum em Brewster, era dominada por cores em surdina: as duas exceções eram o azul vivo do cordão, que cortava a face da pintura como um raio de eletricidade, e os sapatos pretos da criança, que eram mais pretos e mais carregados do que quase qualquer outra coisa naquela galeria. O passarinho representava a alma da criança, como também acontecia no retrato feito por Goya do malfadado Manuel Osorio Manrique de Zúñiga, de três anos de idade. A criança na pintura de Brewster mirava atenta, com uma expressão serena e etérea, do ano de 1805. Ao contrário de muitas outras crianças pintadas por Brewster, o menino tinha sua audição perfeita. Seria aquele retrato um amuleto contra a morte? Uma em cada três pessoas, naquela época, morria antes dos vinte anos de idade. Seria aquilo a expressão de um desejo mágico de que a criança resistisse e se agarrasse à vida, assim como se agarrava ao cordão? Francis O. Watts, o modelo da pintura, de fato sobreviveu. Entrou na Universidade Harvard aos quinze anos e se tornou advogado, casou com Caroline Goddard, que era de Kennebunkport, a cidade natal dele, no Maine, e depois se tornou presidente da Associação Cristã de Moços. Morreu em 1860, cinquenta e cinco anos depois que o retrato foi feito. Mas, no momento da pintura, e para sempre a partir daí, ele é um garotinho que segura um passarinho num cordão azul, vestido numa blusa branca, com esmerados babados e rendas.

Brewster, nascido mais ou menos dez anos antes da Declaração de Independência, ganhava a vida como pintor itinerante e viajava a trabalho do Maine até sua nativa Connecticut e a região leste de Nova York. Morreu com quase noventa anos. O ambiente da elite federalista em que se formou lhe dera acesso a mecenas ricos e compenetrados (seus próprios ancestrais estiveram no navio *Mayflower* em 1620), mas sua surdez fazia dele um excluído e suas imagens eram impregnadas com aquilo que o demorado silêncio lhe havia ensinado: concentração, a suspensão do tempo, uma discreta sagacidade. Numa pintura intitulada *Sem um sapato*, que me deixou paralisado no momento em que parei diante dela, o laço caprichado no sapato do pé direito de uma menina repetia os asteriscos desenhados no piso. O outro sapato estava na mão dela e pentimentos vermelhos eram visíveis ao redor do calcanhar e dos dedos do pé esquerdo, agora descalço. A menina, tão segura dentro de seu próprio ser quanto todas as crianças de Brewster, tinha uma expressão que desafiava o espectador a achar graça.

Perdi toda a noção do tempo diante daquelas imagens, mergulhei fundo no seu mundo, como se todo o tempo entre elas e eu tivesse de certo modo desaparecido, e assim, quando o guarda se aproximou para me dizer que o museu ia fechar, esqueci como falar e me limitei a olhar para ele. Quando afinal desci a escada e saí do museu, foi com o sentimento de alguém que havia voltado à Terra, vindo de muito longe.

O trânsito na Sexta Avenida, com seus gladiadores da hora do rush pondo à prova os limites uns dos outros, contrastava violentamente com o local onde eu estivera pouco antes. A chuva recomeçara, agora como uma grande torrente de espelhos que varriam, de cima a baixo, os lados a prumo dos prédios de vidro; levei algum tempo para conseguir um táxi. Quando afinal achei um carro vazio, uma mulher de repente se adiantou na minha frente, disse que estava com pressa e perguntou se eu me importaria que ela pegasse o táxi em meu lugar. Sim, respondi quase gritando (o som de minha própria voz me surpreendeu). Eu me importaria sim. Tinha ficado na chuva por dez minutos e não sentia a menor inclinação para gestos de cavalheirismo. Entrei no táxi e imediatamente o motorista perguntou: Para onde? Devo ter parecido desorientado. Tentei lembrar o endereço de minha casa. Meu guarda-chuva fechado escorria, a água empoçava no tapete do carro e eu pensei no retrato que Brewster fez da adolescente surda chamada Sarah Prince, sentada diante do piano, um instrumento que nem o modelo nem o pintor ouviriam: o piano mais silencioso do mundo. Imaginei a garota correndo a mão pelo teclado, mas se recusando a apertar as teclas. Quando meu endereço conseguiu filtrar-se e voltar à minha memória, eu o transmiti para o motorista e lhe disse: E então, como vão as coisas, irmão? O motorista se empertigou e olhou para mim pelo espelho retrovisor.

Não está certo, não está nada certo, sabe, esse jeito como você entrou no meu carro sem dizer alô, isso foi ruim. Ei. Sou africano que nem você, por que faz isso? Ele estava de olhos cravados em mim, no espelho. Fiquei confuso. Falei: Me desculpe, estava com a cabeça longe, não fique ofendido, hein, meu irmão. Como é que vão as coisas? Ele não disse nada e ficou olhando para a rua. Eu não estava nem um pouco arrependido. Não estava com a menor paciência para aturar gente a fim de me dar lições. O motorista ficou calado e, enquanto conduzia o carro para o norte ao longo do rio Hudson, no West Side, o rio e o céu formaram uma única superfície encoberta por uma névoa escura e o horizonte havia sumido. Saímos da avenida e ficamos presos no trânsito da esquina da Broadway com a rua 97. O motorista ligou o rádio num programa de entrevistas: pessoas discutiam em voz alta sobre coisas que não interessavam. A raiva tinha me inundado por dentro, me enlouquecia, a raiva de um repouso rompido. O trânsito finalmente melhorou, mas o rádio continuava a esbravejar futilidades. O motorista me levou para um endereço errado, a alguns quarteirões de distância de meu edifício. Pedi para corrigir o erro, mas ele desligou o carro, desarmou o taxímetro e disse: Não, é aqui mesmo. Paguei, adicionei a gorjeta de costume e fui a pé para casa debaixo de chuva.

4.

No dia seguinte, de novo em Sheep Meadow, num trajeto tortuoso rumo a um recital de poesia numa associação hebraica de jovens na rua 92, esquina com a Lexington Avenue, notei a massa de folhas que definhava e ganhava cores brilhantes e ouvi os pardais de pescoço branco que, dentro delas, ora cantavam, ora escutavam. Tinha chovido mais cedo e as nuvens fragmentadas e cheias de luz se desfaziam umas nas outras; bordos e olmos se erguiam com seus galhos imóveis. Acima de uma cerca viva, o enxame suspenso de abelhas me fez recordar alguns epítetos de Olodumarê, a divindade suprema: aquele que transforma sangue em crianças, que fica parado no céu como uma nuvem de abelhas.

A chuva havia impedido muita gente de praticar seus esportes de costume depois do trabalho, e o parque estava quase vazio. Num abrigo formado por duas pedras grandes, aonde fui conduzido como que por uma mão invisível, sentei em cima de um monte de cascalho. Deitei-me e recostei a cabeça numa das pedras, apoiando a bochecha em sua superfície úmida e áspera.

Para alguém que olhasse de longe, eu devia parecer uma figura bem absurda. As abelhas acima da cerca viva se elevaram como uma única nuvem e sumiram dentro de uma árvore. Após alguns minutos, minha respiração voltou ao normal e o clamor em minhas costelas cessou. Levantei-me devagar e tentei limpar minhas roupas, sacudindo de minha calça e de meu suéter pedaços de grama e bocados de terra, e esfreguei manchas de poeira da palma das mãos. O céu agora estava em sua última luz, e um filete azul, visto através dos prédios do lado oeste, era tudo o que conseguia vazar.

Senti uma alteração na distante comoção da cidade; o fim do dia: gente indo do trabalho para casa ou começando o turno da noite, preparativos para o jantar em milhares de cozinhas de restaurantes e as luzes amarelas suaves que agora brilhavam nas janelas dos apartamentos. Apressei-me para sair do parque, atravessei a Quinta Avenida, a Madison, a Park, depois fui para o norte na Lexington, para um auditório onde, depois que estávamos instalados em nossas cadeiras, apresentaram o poeta. Era polonês, vestia roupas marrons e cinzentas e, embora relativamente jovem, seu cabelo tinha um halo branco brilhante. Aproximou-se do leitoril para receber os aplausos e disse: Hoje não quero falar sobre poesia. Quero falar sobre perseguição, se permitirem tal licença a um poeta. O que podemos entender sobre perseguição, sobretudo quando o alvo de tal perseguição é uma tribo ou uma raça ou um grupo cultural? Vou começar com uma história. Seu inglês era fluente, mas o sotaque, carregado, e as vogais longas e os erres vibrantes davam à sua fala um ritmo pausado, como se estivesse traduzindo cada trecho em pensamento, antes de falar. Ergueu os olhos para a sala repleta, observou todos os presentes e ninguém em particular, e as luzes se refletiam em seus óculos, dando a impressão de que ele tinha uma grande venda branca sobre cada olho.

* * *

Mais tarde, naquela semana, no fim de um dia difícil na unidade de pacientes internados, um dia em que me sentia supersensível às luzes brancas do hospital e me irritei mais do que o costume com a papelada dos relatórios e com a conversa fiada cotidiana, uma repetição do estado de ânimo pesado, agora mais firme, me dominou. Programas de formação psiquiátrica são considerados menos brutais do que outros programas de residência médica — e eu também achava isso —, mas o trabalho tinha seus desafios peculiares. Às vezes os psiquiatras sentem a falta das soluções claras que os cirurgiões e os patologistas têm a seu dispor, e pode ser desgastante ter sempre de encontrar a preparação mental e o foco emocional necessários para atender cada paciente. Quando eu me detinha para pensar em tudo isso, a única coisa que animava as longas horas que eu passava de plantão ou no consultório era a confiança que os pacientes tinham em mim, seu desamparo, sua esperança de que eu pudesse ajudá-los a melhorar.

Em todo caso, à diferença de meus primeiros tempos de trabalho no hospital, não passava mais muito tempo pensando nos pacientes, em geral só fazia isso na sessão seguinte, e muitas vezes, quando visitava pacientes internados, precisava olhar as fichas para lembrar até mesmo os dados mais elementares do caso em questão. O fato de eu pensar em M. longe da área médica do campus era, nesse sentido, uma exceção; a exemplo de V., ele era um dos raros pacientes cujos problemas não ficavam relegados a recantos secundários de meu pensamento quando eu ia para a rua. M. tinha trinta e três anos, se divorciara pouco antes e tinha delírios. Nas semanas piores, a medicação parecia não conseguir ajudá-lo em nada.

Havia no ar um toque de inverno quando comecei a atravessar a Broadway e fui detido por um momento diante dos olhos amarelos dos carros, a postos em fileiras cerradas diante da luz vermelha de um sinal fechado. Passava das cinco horas e a noite estava caindo depressa. Os prédios do complexo hospitalar se erguiam ombro a ombro contra o fundo cor de carvão do céu e, à minha volta, as pessoas usavam casacos estofados e gorros de tricô. Entrei no metrô na rua 168 e peguei um trem abarrotado na direção sul. Estava tão absorto recordando a consulta com M. naquela tarde que, quando o trem chegou à rua 116, eu simplesmente olhei as portas abrirem, ficarem abertas e fecharem. O vagão foi em frente, deixando minha estação para trás, e por um momento tentei entender o que tinha acontecido. Eu não havia adormecido. Concluí, afinal, que o fato de eu ficar no vagão foi intencional, quem sabe até consciente. Isso foi confirmado na estação seguinte, quando mais uma vez não consegui sair e, em vez disso, sentei-me, com a sensação de que estava observando a mim mesmo, à espera para ver o que ia acontecer em seguida. Todo mundo no vagão parecia estar vestido de preto ou cinza. Uma mulher, extraordinariamente alta, com mais de um metro e oitenta, vestia um paletó preto por cima de uma saia preta e pregueada, além de botas pretas de cano alto, até os joelhos, e o efeito de profundidade nas várias camadas de suas roupas trouxe à minha memória os trechos virtuosísticos de preto sobre preto em certas pinturas de Velázquez. Seu rosto pálido e contraído se mostrava quase subjugado pelo negro das roupas. Ninguém no metrô falava e, pelo visto, ninguém conhecia ninguém. Era como se estivéssemos ouvindo com atenção o chacoalhar das rodas do metrô sobre os trilhos. As luzes estavam fracas. Eu sabia que não estava mais indo direto para casa.

Na rua 96, passei para o expresso da linha 2, que calhou de parar na plataforma naquele instante. O vagão estava intensamente iluminado. O homem sentado à minha frente vestia um paletó cor de abóbora e, a seu lado, estava uma mulher de paletó azul-celeste e luvas listradas. Algumas pessoas naquele metrô conversavam, nenhuma delas se mostrava expansiva nem falava alto, mas era o bastante para realçar em meu pensamento como o outro trem era soturno. Talvez a claridade desse às pessoas a permissão para se abrir. À minha direita estava sentado um homem cuja atenção estava toda voltada para *Kindred*, de Octavia Butler, e à direita dele um homem de cabelo ruivo estava inclinado para a frente em seu banco e lia *The Wall Street Journal*. Sua expressão natural era delirante, o que lhe dava o aspecto de uma gárgula, mas quando se pôs mais reto no banco, revelou um perfil bonito. Na rua 42, um homem de terno com riscas de giz entrou com um volume que trazia o título *Você PRECISA ler este livro!* O livro estava aberto na mão dele, mas quando o homem entrou e ficou de pé junto aos bancos, seus olhos permaneceram cravados num ponto do chão. Ficou assim por muito tempo. Segurava o livro aberto na sua frente, mas não lia nada. Por fim, fechou o volume com o dedo no meio na hora em que desembarcou, em Fulton. Em Wall Street, mais pessoas embarcaram, na certa todas elas trabalhadores do mundo financeiro, mas ninguém desceu. Na hora em que as portas estavam fechando naquela estação, me levantei e saí ligeiro do vagão. As portas se fecharam às minhas costas e, com aquele sortimento de tipos urbanos focalizados de maneira interior ainda girando dentro da minha cabeça, me vi sozinho em plena plataforma do metrô.

Subi na escada rolante e, quando saí para o nível do mezanino, vi o teto — alto, branco, formado por uma série de abóbadas interligadas — desdobrar-se lentamente, como se ali houvesse uma cúpula retrátil que estivesse se fechando. Era uma estação onde eu nunca havia pisado e fiquei surpreso ao ver que era muito requintada, porque eu esperava que todas as estações na baixa Manhattan fossem banais e sem graça, que consistissem apenas em túneis ladrilhados e saídas estreitas. Por um momento desconfiei que o amplo salão que tinha agora à minha frente em Wall Street fosse uma ilusão de óptica. O salão tinha duas fileiras de colunas que atravessavam toda sua extensão e havia conjuntos de portas de vidro nas duas extremidades. O vidro, a predominância do branco na combinação de cores, assim como a série de palmeiras em vasos colocados ao pé das colunas, davam a impressão de que o salão era um átrio ou uma estufa, mas a divisão do espaço em três partes, com o corredor central mais largo que os outros dois nas laterais, continha antes a reminiscência de uma catedral. As abóbadas reforçavam aquela impressão, e o que vinha à mente era o floreado estilo gótico da Inglaterra, exemplificado pelos prédios da Abadia de Bath ou da Catedral de Winchester, onde os pilares e sua colunata se espraiam para o alto, até o fundo das abóbadas. Não que a estação fosse uma réplica dos ornatos em pedra daquelas igrejas. Na verdade, lembrava o efeito por meio de sua superfície requintadamente quadriculada ou entremeada, uma gigantesca colagem de plástico branco.

Minha impressão original da grandiosidade do espaço, embora não de seu tamanho, logo se modificou enquanto eu caminhava pelo salão. As colunas podiam ter sido feitas de cadeiras de plástico recicladas e o teto parecia ter sido cuidadosamente construído com blocos brancos de Lego. Tal sensação de me encontrar dentro de uma maquete em grande escala aumentava ainda mais com as palmeiras solitárias em seus vasos e com os poucos grupos de pessoas que agora eu via sentadas no corredor à direita da nave central. Tinham colocado mesinhas redondas daquele lado do salão e, nelas, homens jogavam gamão. O salão era espalhado e, como se tratava de um espaço fechado, estava cheio dos ecos das poucas vozes presentes. O cenário, imaginei, seria diferente no meio de um dia normal de trabalho. Havia cinco pares de jogadores agora, embaixo do corredor à direita da nave central, naquela imagem de fim de tarde, e todos eram negros. Do outro lado do salão, embaixo do outro comprido corredor da nave central, havia mais um par de homens, ambos brancos, jogando xadrez. Andei no meio dos jogadores de gamão, a maioria parecia ser de meia-idade, e seus rostos lânguidos e concentrados e a lentidão de seus movimentos nada fizeram para corrigir minha impressão de estar entre manequins em tamanho natural. Quando voltei para a nave central, que estava quase desprovida de presença humana, um homem solitário que vinha muito afobado na direção da escada rolante do metrô deixou cair sua maleta, que fez muito barulho. Ficou de joelhos e começou a recolher os objetos que caíram. Seu casaco grande demais, de cor parda, se abriu em torno dele, como um vestido dos tempos vitorianos.

Saí pelas portas que davam em Wall Street propriamente dita. Ali fora, as pessoas se movimentavam, falavam em seus telefones, pelo jeito a caminho de casa, mas eu não ouvia nenhum barulho de trânsito. O motivo se tornou claro logo depois, quando vi as barreiras que tinham sido armadas nos dois lados da rua, ou por razões de segurança ou por causa de alguma obra em andamento. Do lugar onde eu estava, na esquina da William Street, de lá até a Broadway, a uma distância de vários quarteirões, o trânsito estava fechado e a rua se transformara numa zona de pedestres; o que se ouviam eram vozes humanas e a batida dos calcanhares sobre o calçamento. Caminhei na direção oeste. Pessoas compravam comida num vendedor ambulante de faláfel cuja van estava estacionada na esquina, ou andavam sozinhas, em pares, em trios. Vi mulheres negras em terninhos de cor grafite e rapazes indo-americanos de cabeça raspada. Logo depois do Federal Hall, caminhei ao lado da fachada envidraçada do New York Sports Club. Logo depois do vidro, na forte claridade interna, estava uma única fileira de bicicletas ergométricas, todas ocupadas por homens e mulheres em roupas de Lycra, que pedalavam no silêncio e olhavam para fora, para as pessoas que voltavam do trabalho para casa, no crepúsculo. Perto da esquina de Nassau, um homem de echarpe e chapéu de feltro estava diante de um cavalete e pintava a Bolsa de Valores em tons de cinza numa tela grande. Uma pilha de pinturas terminadas, também em tons de cinza, do mesmo prédio visto de diferentes ângulos, jazia a seus pés. Observei-o trabalhar por um momento, enquanto encharcava seu pincel e, com gestos cuidadosos, aplicava realces brancos aos acantos das seis gigantescas colunas coríntias da Bolsa de Valores. O prédio em si — que, seguindo o olhar do pintor, eu então examinei com mais atenção — estava iluminado de baixo para cima por uma fileira de lâmpadas amarelas e, com aquela iluminação, parecia levitar.

Fui em frente, passei pela Broad Street e pela New Street, onde notei outra academia de ginástica, essa com o nome Equinox, da qual outra fileira de pessoas que se exercitavam olhavam para a rua, de frente, até que cheguei à Broadway, onde terminava a Wall Street e em cuja esquina ficava a face leste da Igreja da Trindade. O reaparecimento do trânsito de veículos na Broadway me causou espanto por um momento. Atravessei a Broadway e subi na entrada da igreja, com a ideia não premeditada de que podia entrar e rezar por M. Fazia um tempo que ele andava doente, mas, a partir de seu divórcio, no início do ano, M. teve uma piora acentuada. Agora estava completamente dominado pelo delírio e, quando falava, era com tal abatimento que suas frases muito carregadas de sotaque pareciam expulsar umas às outras de dentro das perturbadas cavernas de sua mente.

Eu não a condeno, disse ele para mim, mais cedo naquele dia, qualquer mulher faria a mesma coisa, eu estraguei tudo, estraguei tudo. Devia ter tomado mais cuidado. Agora não acho nenhuma graça nisso, mas posso imaginar que para os outros pode parecer assim, posso imaginar que meu sofrimento divirta as pessoas. Faço tanta coisa por elas, mas elas acham meu sofrimento divertido. Mas tenho de ser responsável, ter mais disciplina, cada vez mais disciplina, e se eu tentasse fazer isso, ainda estaria casado. Não ponho a culpa nela, nem em ninguém, eles podem fazer o que quiserem, mas tenho de ser responsável pelo mundo e nenhum deles sabe como é isso. Se a gente não organiza as coisas direito, sabe, tudo acabará sendo destruído. Entende? Não estou dizendo que sou Deus, porém sei qual é a sensação de carregar o mundo nas costas. Me sinto que nem o garotinho com o dedo enfiado no buraco do dique, é como se eu estivesse fazendo uma coisa pequena, mas que requer muita concentração. Tudo depende disso, nem consigo explicar para você, e eu gostaria de não ter de carregar esse fardo, um fardo que parece muito com o fardo de Deus, só que entregue a uma pessoa, doutor, está vendo só o problema, uma pessoa que não tem o poder de Deus.

O portão da frente da igreja estava trancado. Caminhei ao longo da grade, primeiro para o norte e depois, quando não achei a entrada por ali, para o sul. Havia um grande cemitério que abrangia os dois lados da igreja, lápides brancas, pretas e alguns monumentos, entre os quais se destacava o de Alexander Hamilton: O PATRIOTA DE INTEGRIDADE INCORRUPTÍVEL, O SOLDADO DE VALOR A TODA PROVA, O ESTADISTA DE SABEDORIA CONSUMADA, CUJOS TALENTOS E VIRTUDES SERÃO ADMIRADOS. Dava a data — 12 de julho de 1804 — bem como sua idade, quarenta e sete anos. Hamilton, que na verdade tinha quarenta e nove anos quando morreu do único tiro que levou no duelo com Burr, não era a única pessoa famosa sepultada no cemitério da Igreja da Trindade. Entre as lápides, havia também as que celebravam John Jacob Astor, Robert Fulton e o abolicionista George Templeton Strong, cujo livro de memórias sobre a vida na cidade no final do século XIX eu tinha visto, um dia, na estante de um amigo. E também havia muitas mulheres daqueles poucos séculos seguintes à chegada dos europeus ao rio Hudson e a formação de suas colônias nessa ilha, mulheres chamadas Eliza, Elizabeth, Elisabeth. Algumas morreram velhas, muitas outras morreram jovens, não raro no parto ou, mais jovens ainda, de doenças na infância. Havia um grande número de túmulos de crianças.

Dobrando na Rector Street, fui sair na Trinity Place, onde um muro antigo circundava a igreja e o ar estava frio e com cheiro de mar. A Igreja da Trindade foi erguida em remotos anos do século XVII; marinheiros em geral e baleeiros em particular partiam em suas demoradas viagens pelo mundo levando as bênçãos daquela congregação. Era àquela mesma igreja que retornavam, quando recebiam a bênção de uma viagem próspera e segura, com o intuito de agradecer pelas graças recebidas na jornada. Um dos muitos privilégios conferidos à Trindade naqueles anos era o pleno direito sobre quaisquer naufrágios ou quaisquer baleias encalhadas na ilha de Manhattan. A igreja ficava próxima da beira-mar. A água assomava perto dela em todas as direções, exceto no norte. Fiz o contorno à procura de uma entrada, pensando naquelas águas próximas. Mais tarde, eu encontraria a história recontada pelo colono holandês Anthony de Hooges, em seu livro de memórias:

No dia 29 de março do ano de 1647, apareceu diante de nós, aqui na colônia, um certo peixe, que avaliamos ser de tamanho considerável. Veio do fundo e passou por nós, nadando a certa distância, na direção dos bancos de areia e voltou de tardinha, passando por nós de novo. Era branco como a neve, sem barbatanas, de corpo arredondado, e esguichava água pela parte de cima da cabeça, assim como as baleias ou os atuns. Pareceu-nos muito estranho, porque existem muitos bancos de areia entre nós e Manhattan, e também porque era branco como a neve, como ninguém entre nós jamais tinha visto; e sobretudo, veja bem, porque percorreu uma distância de trinta quilômetros de água doce em contraste com a água salgada, que é o seu elemento natural. Só Deus sabe o que isso significa. Mas é certo que eu e quase todos os habitantes o observamos com enorme admiração. Na mesma noite em que esse peixe apareceu diante de nós, tivemos o primeiro trovão e o primeiro raio do ano.

O Forte Orange, de onde De Hooges escreveu esse relato, era o povoado de colonos que mais tarde se transformou em Albany, depois que os britânicos ocuparam as possessões holandesas nessa parte do Novo Mundo. De Hooges escreveu sobre outra aparição de uma grande criatura marinha, em abril do mesmo ano. Outro escritor, o viajante Adriaen van der Donk, comunicou duas aparições, bem como uma baleia encalhada, subindo o rio Hudson, na área de Troy, também em 1647. Da última, roubaram o óleo, escreveu Van der Donk, e sua carcaça foi abandonada para apodrecer e exalar mau cheiro na praia. Para o holandês, porém, a visão de uma baleia em águas internas no continente, ou de sua enorme carcaça em terra, era um tremendo portento, e a associação que faz De Hooges entre a presença das baleias e os marcantes padrões climáticos era algo bastante típico. A aparição do animal era até mais agourenta do que o habitual, pois a criatura descrita parecia ser um espécime albino.

Dificilmente haveria, no século XVII, algum holandês residente em Nova Amsterdam ou nos entrepostos comerciais rio acima que não tivesse conhecimento das muitas baleias encalhadas em sua Holanda natal. Em 1598, o cachalote de dezesseis metros que encalhou nos bancos de areia de Berckhey, perto de Haia, levou quatro dias para morrer e, durante esse tempo e nas semanas que se seguiram, ingressou nas lendas de uma nação, bem no início de sua história moderna. A baleia de Berckhey foi celebrada em gravuras, tratada como objeto de valor comercial e, quando isso se esgotou, de curiosidade científica. Acima de tudo, foi interpretada como uma mensagem vinda das profundezas. Não era nem um pouco difícil para as pessoas da época perceberem um elo entre aquele monstro moribundo e as atrocidades cometidas pelas odiadas tropas espanholas no principado de Cleves em agosto do mesmo ano. Entre meados do século XVI e o final do século XVII, pelo menos quarenta baleias encalharam no litoral de Flandres e no norte da Holanda. Para os holandeses, que na época tentavam não apenas definir sua nova república como também consolidar seu controle sobre a Nova Amsterdam e outras possessões no exterior, o significado espiritual da baleia era algo sempre presente.

Cerca de duzentos anos depois, quando um jovem da região de Forte Orange desceu pelo rio Hudson e se estabeleceu em Manhattan, decidiu escrever seu *opus magnum* sobre um Leviatã albino. O autor, que no passado tinha sido paroquiano da Igreja da Trindade, intitulou seu livro *A baleia*; o subtítulo, *Moby Dick*, só foi acrescentado depois da primeira edição. Essa mesma Igreja da Trindade agora não me recebeu, deixou-me do lado de fora, exposto ao cortante ar marinho sem me oferecer nenhum lugar para rezar. Havia correntes com cadeados em todos os portões, e não consegui achar meio nenhum de entrar no prédio, nem ninguém que pudesse me ajudar. Assim, apaziguado pelo ar do mar, resolvi achar meu caminho até a margem da ilha. Seria bom ficar um tempo na beira do mar, pensei.

Quando atravessei a rua e entrei no beco em frente, foi como se o mundo inteiro tivesse desmoronado. Fiquei estranhamente consolado ao me descobrir sozinho desse modo no coração da cidade. A ruazinha esquecida por todos, caminho para lugar nenhum, era só paredes de tijolos e portas trancadas, e do outro lado as sombras caíam tão incisivas quanto numa gravura. À minha frente havia um grande prédio preto. A superfície de sua torre semivisível era fosca, um preto que absorvia a luz, como um pano, e sua pronunciada geometria lhe dava o aspecto de uma sombra sem apoio nenhum ou um recorte de cartolina. Caminhei por baixo de um andaime no beco e, da Thames Street, atravessei a Greenwich e cheguei a Albany, de onde avistei a torre com mais clareza, embora ainda de certa distância. Estava completamente encoberta por uma rede de trama apertada. Onde aquela rua estreita e tranquila cruzava com a Washington, vi à minha direita, a um quarteirão ao norte do local onde eu estava, um grande espaço vazio. Na mesma hora pensei no óbvio, mas, de forma igualmente rápida, afastei a ideia de meu pensamento.

Pouco depois, eu estava na West Side Highway. Era o único pedestre no cruzamento. As lanternas traseiras dos carros eram seguidas de perto por seus reflexos vermelhos rumo às pontes de saída da ilha, e à direita havia uma passarela de pedestres ligando não um edifício ao outro, mas sim ao térreo. E de novo o espaço vazio, que era, eu agora via e admitia, o óbvio: as ruínas do World Trade Center. O lugar tinha se transformado numa metonímia de sua catástrofe: lembrei-me de um turista que certa vez me perguntou como poderia chegar ao Onze de Setembro: não ao local dos acontecimentos do Onze de Setembro, mas ao Onze de Setembro propriamente dito, a data petrificada em pedras talhadas. Cheguei mais perto. O local estava cercado por madeiras e correntes de ferro, mas, a não ser por isso, nada mais dava sinal de sua importância. Do outro lado da avenida havia uma tranquila rua residencial, chamada South End, em cuja esquina havia um restaurante. Tinha um letreiro em neon (recordo o neon, mas esqueci o nome do restaurante) e, quando espiei lá dentro através das portas de vidro, vi que estava quase vazio. Os poucos fregueses, ao que parecia, eram todos homens e a maioria estava sozinha. Entrei, sentei diante do balcão e pedi uma bebida à garçonete.

Eu tinha acabado de tomar e de pagar a cerveja quando um homem veio sentar-se ao meu lado. Você não está me reconhecendo, disse ele, erguendo as sobrancelhas. Reparei em você lá no museu, faz uma semana, o Museu de Arte Folclórica. A fisionomia de meu rosto deve ter permanecido meio velada, porque ele acrescentou: Sou vigia no museu e foi você que eu vi lá, não foi? Fiz que sim com a cabeça, por mais apagada que fosse minha memória. Ele disse: Eu sabia, reconheci logo sua cara. Apertamos as mãos e ele se apresentou como Kenneth. Era careca, tinha pele escura, a testa larga e lisa e um bigode fininho aparado com esmero. A parte superior do corpo era muito forte, mas as pernas eram finas e compridas, de modo que parecia o Pnin de Nabokov encarnado. Tinha quase quarenta anos, calculei. Jogamos um pouco de conversa fora, mas logo ele enveredou por um monólogo, saltando de um assunto para o outro com um sotaque do Caribe. Era de Barbuda, disse, e ficou surpreso por eu já ter ouvido falar do lugar.

A maioria dos americanos não conhece lugar nenhum senão o que está na frente de seu nariz, disse. De todo jeito, estou aqui esperando uns amigos, e não acha isto aqui um lugar legal? Ah, nunca esteve aqui antes? Balancei a cabeça. Perguntou de onde eu era, o que eu fazia. Falava depressa, com loquacidade. Um de meus colegas de quarto, certa vez, no Colorado, disse ele, era nigeriano. Chamava-se Yemi. Acho que era iorubá. E na verdade tenho grande interesse pela cultura africana. Você é iorubá? Àquela altura, Kenneth já estava começando a me aborrecer e passei a desejar que ele sumisse. Pensei no motorista de táxi que tinha me levado do Museu de Arte Folclórica para casa — Ei, sou africano, que nem você. Kenneth estava com a mesma conversa.

Eu morava em Littleton, mas fazia faculdade em Denver, estudava para tirar meu diploma do curso abreviado, de dois anos, disse ele. Você conhece Littleton, não é? O massacre ocorreu pouco depois que cheguei lá. Coisa horrível. O mesmo aconteceu com Nova York, cheguei aqui em julho de 2001. Loucura, não acha? Loucura total, por isso não sei se não é melhor eu avisar o pessoal da próxima cidade onde eu for morar! Na verdade, o emprego no museu, sabe, é legal, uma coisa para fazer por enquanto, é bom, mas o que eu quero mesmo é... Kenneth continuou falando depressa, automático, mas seus olhos castanho-claros estavam imóveis. Então me veio a suspeita de que seus olhos estavam me fazendo uma pergunta. Uma pergunta sexual. Expliquei-lhe que eu tinha de encontrar um amigo. Pedi desculpas por não ter nenhum cartão de apresentação para lhe dar e falei algo sobre visitar o museu de novo em breve. Saí do restaurante e voltei para a South End. Não era longe da água e me dirigi para a margem, senti um pouco de pena dele e do desespero em sua fala acelerada.

Esta é a ilha mais estranha que existe, pensei, enquanto olhava para o mar, esta ilha que se isolou em si mesma e de onde a água foi banida. A costa era uma carapaça, permeável apenas em certos pontos escolhidos. Em que ponto desta cidade ribeirinha alguém poderia ter uma sensação plena de estar na beira de um rio? Tudo foi ocupado por construções, em concreto e em pedra, e os milhões que moravam no diminuto interior tinham escassa noção do que fluía à sua volta. A água era uma espécie de segredo embaraçoso, a filha mal-amada, rejeitada, enquanto os parques eram adorados, cobertos de atenções, usados ao extremo. Fiquei parado no calçadão e olhei para a água, ao longe, para a noite impassível. Tudo estava calmo e as luzes chamavam da margem em Jersey, do outro lado. Ao longo da South End, de frente para a água, havia filas de casas com terraços, lojinhas e um pequeno mirante redondo sufocado por trepadeiras e arbustos. À minha frente, no rio Hudson, havia apenas um levíssimo eco dos velhos navios baleeiros, das baleias e das gerações de nova-iorquinos que vieram a esse calçadão para contemplar a riqueza e a dor fluírem para dentro da cidade ou apenas para ver a luz refletir na água. Todos aqueles momentos do passado estavam agora presentes como vestígios. Do lugar onde eu me encontrava, a Estátua da Liberdade era uma mancha verde contra o fundo formado pelo céu e, além dela, estava a ilha Ellis, o centro de tantos mitos; mas ela foi construída tarde demais por aqueles primeiros africanos — que não eram imigrantes, de forma nenhuma — e tinha sido fechada cedo demais para significar qualquer coisa para os africanos mais recentes, como Kenneth, o taxista ou eu.

A ilha Ellis era um símbolo sobretudo para os refugiados europeus. Os negros, "nós os negros", conheceram portos de entrada mais brutos: foi isso que o taxista quis dizer, tive de admitir para mim mesmo. Era esse reconhecimento que ele, no seu jeito brusco, queria receber de todo "irmão" que encontrava. Andei para o norte pelo calçadão, enquanto ouvia a água respirar. Dois velhos vinham arrastando os pés na minha direção, em seus trajes de ginástica lustrosos, envolvidos ambos numa conversa. Por que de repente tive a sensação de que eles eram visitantes vindos do outro lado do tempo? Captei seu olhar por um momento, mas seus olhos nada comunicaram senão o abismo costumeiro entre os velhos e os jovens. Andei um pouco mais para o norte, o calçadão se alargou, a fila de residências terminou e avistei o átrio de vidro do World Financial Center, com sua variedade de amplas instalações, que lhe davam o aspecto de um aquário gigantesco. Havia uma tranquila enseada bem na frente do edifício, na qual alguns barcos, um dos quais tinha a placa da Escola da Navegação de Manhattan, balançavam de leve. Desci um curto lance de escada, com degraus de madeira, e caminhei sobre o cais, ao longo dos barcos e para além deles, no setor onde havia água dos dois lados. A enseada estava à minha direita, o rio, à minha esquerda, e eu estava de frente para a esquerda, cravando os olhos na água preta, nas luzes dispersas de Hoboken e da cidade de Jersey e, acima delas, no céu negro. As suaves ondulações da água caíram dentro de meus ouvidos e, daqueles rumores, veio a voz melancólica de M.

Como pude ser tão burro, uma esposa turco-americana, uma amante turca. Sempre dizia para ela que eu tinha negócios em Ancara, o que era verdade, mas ela não sabia de meus outros negócios; e para a outra eu dava trezentos dólares todo mês. Era um bom arranjo, eu acho, ou melhor, eu pensava que era. Pensava. Não pensava. Um dia ela me escreveu e me pediu mais dinheiro — as mulheres são loucas, doutor, mais loucas até do que eu —, ela queria quinhentos. Pode imaginar uma coisa dessas? Todo mês, quinhentos, e minha esposa disse: Uma carta da Turquia, deixe-me ver quem é que está escrevendo para meu marido. Aquilo foi o fim da linha para mim. Quando cheguei em casa, ela estava me esperando com a carta numa mão e um porrete na outra. Como posso condenar minha esposa? Eu estava pensando com o meu... sei lá, doutor. E agora todo mundo em casa sabe disso. Eu estava pensando com meus colhões. Eu não pensei. Tudo de bom que eu tenho serviu para fazer o mal, Deus está decepcionado comigo.

Seus olhos se encheram de lágrimas. Ele já havia contado a história antes e tinha chorado antes, mas cada vez era diferente de todas as outras vezes. Experimentava a dor de novo e toda vez dramatizava. E, como pensamentos levam a pensamentos, ali parado olhando para o rio, senti eu mesmo uma repentina pontada de dor, uma súbita ansiedade e um sofrimento, mas a imagem da pessoa em quem eu estava pensando voou e passou depressa. Tinha sido algumas semanas antes, mas o tempo começara a embotar até mesmo aquela ferida. Estava ficando frio, porém fiquei parado ali mais um tempo. Como seria fácil, pensei, esgueirar-me suavemente para dentro da água e descer para as profundezas. Fiquei de joelhos e corri a mão pelo rio Hudson. Estava gélido. Aqui estávamos todos nós, ignorando aquela água, prestando a menor atenção possível ao par de eternidades negras entre as quais nossa diminuta luz perpassava. No entanto, e a nossa dívida com aquela luz: o que foi feito dela? Devemos nossa vida a nós mesmos. Isso, assunto sobre o qual nós, médicos, falamos tanto com nossos pacientes, sobre o qual tão pouco se pode falar de maneira sensata, reflui e também nos faz perguntas. Enxuguei a mão em meu paletó e soprei meus dedos para aquecê-los.

Dois meninos, já no final da adolescência, no calçadão com seus skates, eram as únicas pessoas ao alcance de minha voz. Estavam concentrados em seu esporte. Um deles dava repetidos saltos numa rampa baixa, aterrissando e decolando com estalos ressonantes, enquanto o outro corria a seu lado num outro skate, com uma câmera de vídeo, segura num nível baixo, quase na altura do tornozelo, e com um facho de luz que vinha de sua lâmpada. Um guarda passou num quadriciclo motorizado e advertiu os meninos de que não deviam dar aqueles saltos. Os dois ficaram parados e escutaram com todo o respeito e pareciam acatar as repreensões. Porém, assim que o guarda se afastou, retomaram seus saltos.

Longe da água, no largo atrás do World Financial Center, havia uma pequena área parcialmente fechada que consistia num chafariz, canteiros de plantas com juncos e duas paredes de mármore, uma mais alta que a outra. Nas paredes havia inscrições e, na parede mais baixa, havia uma placa: DEDICADO À MEMÓRIA DOS MEMBROS DO DEPARTAMENTO DE POLÍCIA QUE PERDERAM A VIDA A SERVIÇO DAS PESSOAS DA CIDADE DE NOVA YORK. Na outra parede havia uma lista, com dúzias de nomes. No alto da lista estava a primeira entrada: TENENTE JAMES CAHILL, 29 DE

SETEMBRO DE 1854. A lista prosseguia desse modo, atravessando os anos, uma entrada após a outra, posto, nome, data da morte: lá estava a esperada e desalentadora aglomeração de nomes no outono de 2001, depois alguns outros, que morreram nos anos seguintes. Abaixo disso, havia uma vasta superfície em branco de mármore polido, à espera daqueles que, entre os vivos, morreriam de uniforme, e daqueles que ainda não tinham nascido, que iriam nascer e crescer para se tornar policiais e serem mortos no exercício daquele trabalho.

Do outro lado do largo, além da West Side Highway, os grandes edifícios do bairro mercantil se perfilavam num perímetro invisível, como animais se espremendo em busca de espaço à beira de um lago, tomando cuidado para não tombar para a frente. O perímetro delimitava o vasto canteiro de obras. Segui até uma segunda passarela, aquela que antes ligava o World Financial Center aos prédios que se erguiam no canteiro de obras. Até aquele momento, eu era um caminhante solitário, mas então começaram a sair pessoas em bandos do World Financial Center, homens e mulheres de terno escuro, inclusive um grupo de japoneses jovens que, acompanhados pelo fluxo acelerado de sua conversa, passaram ligeiro por mim. Acima deles, pela terceira vez naquele anoitecer, vi as luzes brilhantes de uma academia de ginástica com as fileiras de bicicletas, nesse caso voltadas para o canteiro de obras. Tentei imaginar o que poderia passar pela cabeça das pessoas que faziam exercício, enquanto pedalavam, se esforçavam e olhavam para lá. Quando subi a passarela, pude experimentar a mesma visão que eles tinham: uma rampa comprida que se estendia para dentro do canteiro de obras e os três ou quatro tratores espalhados lá dentro, parecendo anões ou brinquedos, por causa das dimensões do terreno. Logo abaixo do nível da rua, vi o repentino verde metálico de um trem de metrô que se movia com estrépito, exposto às intempéries no local onde atravessava o canteiro de obras, uma veia pálida estendida no pescoço do Onze de Setembro. Além do canteiro de obras, ficava o prédio que eu tinha visto mais cedo, no fim da tarde, o prédio envolto numa tela preta, misterioso e austero como um obelisco.

A passarela estava repleta de gente. Em seus abrigos, havia indicações com cores fortes para diversos locais turísticos na baixa Manhattan. MOSTRE A SEUS FILHOS ONDE OS ESTRANGEIROS DESEMBARCAVAM, dizia a placa relativa à ilha Ellis. O Museu Financeiro Americano era promovido com as palavras RELEMBRE O DIA EM QUE A BOLSA AMERICANA PAROU. O Museu da Polícia, também entrando no espírito das piadinhas sem graça, convidava as pessoas a visitar a primeira cadeia de Nova York. Os que voltavam para casa passavam por mim, ombros erguidos, cabeça baixa, todos de preto ou de cinza. Eu me senti um peixe fora d'água, o único na multidão que parou para olhar, de cima da passarela, para o canteiro de obras. Todas as outras pessoas seguiam em frente, direto, e nada as separava, nada nos separava, das pessoas que estavam trabalhando bem ali do outro lado da rua no dia da catástrofe. Quando descemos a escada para a Versey Street, fomos cercados de ambos os lados por uma cerca de correntes, ficamos num curral estreito, "como bichos" que avançam rumo ao matadouro. Mas por que era permitido tratar mesmo animais daquela maneira? As perguntas inoportunas de Elizabeth Costello vinham à tona nos lugares mais estranhos.

Mas a atrocidade não tem nada de novo, não para seres humanos, não para animais. A diferença é que em nosso tempo ela é extraordinariamente bem organizada, praticada com currais, trens de carga, livros de contabilidade, cercas de arame farpado, campos de trabalho, gás. E esta última contribuição, a ausência de corpos. Não havia nenhum corpo visível, exceto os que caíam, no dia em que a Bolsa americana parou. Histórias vendáveis de todo tipo se adensaram em torno do litoral ferido de nossa cidade, mas o retrato dos corpos mortos era proibido. Seria perturbador agir de outra forma. Segui em frente, através do curral, junto com as pessoas que iam do trabalho para casa.

Não era o primeiro apagamento praticado no local do desastre. Antes de as torres desaparecerem, tinha existido uma frenética rede de ruazinhas que cruzavam essa parte da cidade. Robinson Street, Laurens Street, College Place: tudo isso tinha sido apagado nos anos da década de 1960 para dar lugar aos prédios do World Trade Center, e tudo isso agora estava esquecido. Também se foram o antigo Washington Market, os embarcadouros ativos, as mulheres desbocadas, o enclave de cristãos sírios que se estabeleceu aqui no final do século XIX. Os sírios, os libaneses e outros povos do Oriente foram empurrados para o outro lado do rio, para o Brooklyn, onde lançaram raízes na Atlantic Avenue e em Brooklyn Heights. E antes disso? Que trilhas da tribo lenape jazem enterradas sob os escombros? O local da catástrofe era um palimpsesto, como era toda a cidade, escrita, apagada, reescrita. Houve aqui comunidades antes até de Colombo levantar velas, antes de Verrazano ancorar seus navios nos estreitos, ou do mercador de escravos português Esteban Gómez subir o rio Hudson; seres humanos viveram aqui, construíram casas e brigaram com os vizinhos, muito antes de os holandeses enxergarem uma oportunidade de negócio nas peles e na madeira da ilha e de sua baía calma. Gerações passaram pelo buraco da agulha e eu, uma das pessoas da multidão ainda perceptível, entrei no metrô. Queria descobrir a linha que me ligava a minha própria parte naquelas histórias. Em algum ponto perto da água, aferrando-se àquilo que conhecia da vida, o garoto, com um forte ruído, tinha de novo galgado o topo do mastro.

5.

Foi no verão, no dia em que fomos numa excursão para o Queens com uma organização da igreja de Nadège chamada Acolhedores, que vi pela primeira vez o vínculo entre ela e outra garota que eu tinha conhecido tempos antes. Aquela garota tinha ficado oculta em minha memória durante mais de vinte e cinco anos; lembrar-me dela de súbito e uni-la instantaneamente a Nadège foi um choque. De forma subconsciente, eu devia estar girando em torno da ideia havia alguns dias, mas ver o vínculo resolveu um problema. Nunca falei para Nadège da outra garota, cujo nome eu tinha esquecido, cujo rosto se tornara indistinto na memória, de quem agora eu só retinha a imagem de um jeito claudicante de andar. Não era um engodo: todos os amantes vivem de um conhecimento parcial.

O problema da garota era muito pior que o de Nadège. Tinha poliomielite, que havia atrofiado seu pé esquerdo até transformá-lo num toco retorcido que ela arrastava atrás de si quando caminhava. A perna mecânica articulada feita de aço que usava para se apoiar estava sempre no seu braço esquerdo. Ao vê-la andar pelo pátio quando eu estava na escola primária, eu tinha medo de que os meninos zombassem dela; esse foi meu primeiro instinto, um impulso protetor e valente. Ela estudava na minha turma, mas agora me lembro de pouca coisa do que falamos nas três ou quatro vezes em que conversamos. Eu gostava de sua capacidade de ficar à vontade consigo mesma e da maneira como, depois que sentava, ela nada tinha de diferente em relação às outras crianças, e até ostentava à sua volta um brilho que era algo fora do comum. Podia ter sido a melhor aluna da sala, se tivesse ficado, mas seus pais a tiraram da escola e ela foi para outra. Nunca mais a vi depois daquelas duas semanas. E só quando Nadège desceu do ônibus no Queens, naquela excursão dos Acolhedores, notei de fato a semelhança, o eco, que era como o eco de João Batista em relação a Elias, duas pessoas separadas no tempo e que vibravam numa frequência singular; só então me lembrei de que eu havia imaginado uma vida futura com aquela garota quando tínhamos, nós dois, oito ou nove anos de idade, a primeira vez que tive um pensamento desses e, é claro, sem a menor ideia do que acarretava.

Vi a mim mesmo como um homem adulto, protegendo-a como se deve proteger um animal de estimação, tendo muitos filhos com ela, mas não pensei em ter a garota como minha namorada. Acho que na época eu nem tinha noção dessas coisas. Não sentia pena de Nadège como sentira da outra garota. Mancar era só uma sugestão visual, quase imperceptível, no caso de Nadège, algo que não trazia nenhum sério transtorno para ela; talvez ofendesse um pouco sua vaidade, mas só isso. Às vezes, disse ela, quando calçava sapatos adaptados, nem se percebia nada. Era um problema de quadril e ela fizera uma cirurgia de correção no fim da adolescência, quando já era tarde demais. Deveria ter sido feita muito antes, mas pelo menos o procedimento cirúrgico a livrou da dor crônica.

Estávamos na Triborough Bridge, voltando para o Harlem, quando Nadège me contou isso, com a cabeça apoiada em meu ombro. Meus pensamentos estavam dispersos: pensava nela, na outra garota, no rapaz com quem eu tivera uma demorada conversa mais cedo, naquela mesma tarde. Eu tinha ido na excursão dos Acolhedores convidado por Nadège; ela havia mencionado a excursão para mim e pareceu um modo interessante de conhecê-la melhor. A igreja dela organizava visitas bimestrais a uma prisão do Queens, onde mantinham presos imigrantes sem documentos. Demonstrei interesse e, quando ela me pediu para ir junto no domingo seguinte, concordei. Encontrei Nadège e o resto do grupo no porão da catedral, uma mistura de militantes dos direitos humanos e senhoras de igreja. O sacerdote deles, que não deu nenhuma bênção, estava descalço, costume que adquirira durante os longos anos de serviço numa paróquia rural no Orenoco. Nadège explicou que ele havia feito aquilo por solidariedade aos camponeses a quem servia, mas que em Nova York continuara a andar descalço a fim de recordar a si mesmo e aos outros das agruras deles. Perguntei a Nadège se ele era marxista, mas ela não sabia. O sacerdote descalço não foi conosco ao Queens. A maior parte do grupo, no dia em que fui, era formada por mulheres, muitas com aquela expressão beatífica e ligeiramente fora de foco que se vê em benfeitores da humanidade. Estávamos num ônibus fretado que seguiu pelo mesmo caminho que se toma para ir da alta Manhattan para o aeroporto de La Guardia e ficou andando por uma hora, no meio do trânsito lento, até chegarmos ao bairro do Queens chamado South Jamaica.

Era o início do verão, mas a visão era horrível, uma paisagem de cercas de arame, carros estacionados e equipamentos de construção abandonados. Quando chegamos a uma área que parecia industrial a cerca de oitocentos metros da região do aeroporto, ervas daninhas cresciam na pista e forravam as entradas

das galerias pluviais, todos os prédios pareciam pré-fabricados, com arremates laterais de alumínio, como se fosse para fundi-los na paisagem feia. Em idas anteriores ao aeroporto, eu já devia ter visto aqueles prédios, situados na extremidade de uma área asfaltada, alguns dos maiores eram usados como hangares ou oficinas para reparos de aviões. Mas, se os vi, devo ter me esquecido deles muito depressa: pareciam projetados para não serem notados. E o mesmo valia para a prisão propriamente dita, uma caixa de metal comprida e cinzenta, um prédio de um só andar, concedido à empresa Wackenhut, uma firma privada, sob a jurisdição do Departamento de Segurança da Pátria. Paramos num vasto estacionamento ao pé daquele prédio.

Foi aí que vi o jeito instável de andar de Nadège. De certo modo, foi a primeira vez que eu a vi de fato: a luz oblíqua da tarde, a paisagem sórdida de cercas de arame e concreto partido, o ônibus como uma fera adormecida, a maneira como ela deslocava o corpo para compensar uma deficiência física. Quando demos a volta e alcançamos a frente do prédio de metal, vimos uma grande multidão parada numa fila comprida. Pessoas levavam sacolas plásticas e caixinhas, e, perto do início da fila, um guarda explicava em voz bem alta para um casal que parecia falar pouco ou nenhum inglês que o horário de visitas ainda não havia começado e que ainda ia demorar mais dez minutos. O guarda fazia um grande alarde de sua irritação e o casal se mostrava ao mesmo tempo constrangido e insatisfeito. O grupo de Acolhedores entrou na fila, que parecia composta de imigrantes recentes: africanos, latinos, europeus do Leste, asiáticos. Noutras palavras, aquelas eram as pessoas que tinham motivo para visitar alguém numa prisão. Um homem de meia-idade berrava em polonês num celular. O vento estava frio e a temperatura logo caiu. A fila não se mexeu durante vinte e cinco minutos; então se movimentou e, um de cada vez, mostramos nossas carteiras de identidade, passamos pelo detector de metais e fomos admitidos na sala de espera. Todos, com exceção dos Acolhedores, pareciam estar ali para ver seus familiares. Os guardas — com excesso de peso, enfastiados, de maneiras bruscas, gente que não se dava ao trabalho de fingir que gostava do serviço que fazia — levavam os visitantes, meia dúzia de cada vez, para trás de portões reforçados para visitas de quarenta e cinco minutos. Os que ficavam esperando sua vez se mantinham, em geral, em silêncio, fitavam o vazio. Ninguém lia. O purgatório daquela sala de espera não tinha janela nenhuma e era iluminada por lâmpadas fluorescentes muito fortes, que pareciam sugar para dentro de si o pouco ar remanescente. Imaginei o sol se pondo lá fora, sobre o deserto de concreto.

Nadège tinha entrado. Estivera na prisão algumas vezes e visitava dois detentos com regularidade, uma mulher e um homem. Ela havia perguntado pelos dois pelo nome. Entrei com o grupo seguinte, para ver os detentos que os funcionários da prisão tinham selecionado para nós. A sala de visitas era como se esperava que fosse, banal: uma fila estreita de baias, cortadas ao meio por uma parede de plástico duro e transparente, com pequenas perfurações na altura do rosto e cadeiras dos dois lados. O homem sentado na minha frente tinha um sorriso largo e branco. Era jovem, vestia um macacão de cor laranja, como todos os outros detentos. Apresentei-me, ele imediatamente sorriu e perguntou se eu era africano. Era bonito, tinha uma aparência melhor do que qualquer outro homem que eu tinha visto. As maçãs do rosto eram delicadas, a cor da pele era escura e uniforme e a parte branca dos olhos era tão reluzente quanto os dentes brancos.

A primeira coisa que perguntou, talvez ciente de que eu estava junto com os Acolhedores, foi se eu era cristão. Hesitei, depois lhe disse que achava que sim. Ah, disse ele. Fico feliz com isso, porque também sou cristão, acredito em Jesus. Então podia fazer o favor de rezar por mim? Respondi que faria isso e comecei a lhe perguntar como era a vida na prisão. Não é tão ruim assim, podia ser pior, disse ele. Mas já estou cansado de ficar aqui, quero ser solto. Estou aqui já faz mais de dois anos. Vinte e seis meses. Eles acabaram de concluir o julgamento de meu processo e fizemos uma apelação, mas foi rejeitada. Agora vão me mandar de volta, mas não existe uma data, só essa espera que não acaba nunca.

Ele não falava com grande tristeza, porém estava frustrado, isso eu podia perceber. Estava cansado de ter esperança, mas também parecia incapaz de suprimir seu sorriso generoso. Havia certa delicadeza em cada frase que dizia, e começou a falar depressa e contou como acabou sendo aprisionado naquela grande caixa de metal no Queens. Eu o incentivei, pedi para esclarecer detalhes, ofereci, o mais que pude, uma atenção solidária para uma história que ele fora obrigado a guardar para si mesmo por um tempo longo demais. Tinha instrução, em seu inglês não havia hesitação, e deixei que falasse sem interrompê-lo. Baixou a voz um pouco, inclinou-se para perto da parede de plástico transparente e disse que Estados Unidos era um nome que na verdade nunca estivera longe quando ele era pequeno. Na escola e em casa, aprendera qual era o relacionamento especial que havia entre a Libéria e os Estados Unidos, que era como a relação que existe entre um tio e o sobrinho predileto. Até os nomes tinham uma semelhança de família: Libéria, América. Os dois com sete letras, quatro delas comuns a ambos. Os Estados Unidos se enraizaram fundo em seus sonhos, tornaram-se o centro absoluto de seus sonhos e, quando a guerra começou e tudo passou a desmoronar, ele tinha certeza de que os americanos iriam chegar e resolver tudo. Mas não foi assim; os americanos relutaram em ajudar, por seus próprios motivos.

Seu nome era Saidu, disse. Sua escola, perto do Old Ducor

Hotel, tinha sido bombardeada e totalmente destruída pelo fogo em 1994. Um ano depois, sua irmã morreu de diabetes, doença que não a levaria à morte em tempos de paz. Seu pai, que partira em 1985, continuava fora, e sua mãe, vendedora de pequenas mercadorias na feira, não tinha nada para vender. Saidu havia passado quase despercebido em meio às sombras da guerra. Fora forçado muitas vezes a apanhar água para a FPNL (Frente Patriótica Nacional da Libéria), ou derrubar a mata, ou remover cadáveres da rua. Acostumou-se aos gritos de alarme e às repentinas nuvens de fumaça, aprendeu a ficar bem abaixado e escondido quando vinham recrutadores de ambos os lados. Eles abordavam sua mãe e ela lhes dizia que o filho tinha uma doença chamada anemia falciforme e estava à beira da morte.

A mãe e a irmã foram mortas na Segunda Guerra, pelos homens de Charles Taylor. Dois dias depois, os homens voltaram e o levaram para os arredores de Monróvia. Ele levou uma mala. No início, achou que os homens iriam obrigá-lo a lutar, mas lhe deram um cutelo e ele ficou trabalhando numa fazenda de extração de borracha, junto com quarenta ou cinquenta pessoas. No campo, viu um de seus colegas de trabalho, um rapaz que tinha sido o melhor jogador de futebol no colégio: a mão direita daquele rapaz tinha sido cortada na altura do pulso, que havia cicatrizado e formado um coto. Outros haviam morrido, ele tinha visto cadáveres. Mas ver aquele coto onde antes havia uma mão foi o que produziu um efeito sobre ele: foi então que se deu conta de que não tinha escolha.

Naquela noite, guardou suas chuteiras de futebol, duas camisas e todo o dinheiro que possuía, cerca de seiscentos dólares liberianos. No fundo de sua mochila surrada, colocou a certidão de nascimento da mãe. O resto das coisas que tinha na mala ele despejou num fosso. A própria mala ele jogou no meio do mato. Ele mesmo não tinha certidão de nascimento, razão pela qual levava consigo a da mãe. Fugiu da fazenda andando sozinho pela estrada, no escuro, fez todo o percurso até Monróvia. Não podia voltar para casa, por isso foi para a ruína de sua escola incendiada, perto do Old Ducor Hotel, e lá ajeitou um cantinho. Pensou que se pegasse no sono talvez morresse. A ideia era nova para ele e deu uma sensação boa. Ajudou-o a dormir.

Fui surpreendido por uma batida forte na parede de acrílico. Um dos guardas da firma Wackenhut tinha se aproximado por trás de mim e eu estava tão concentrado na história de Saidu que levei um susto e deixei cair meu chapéu. O guarda disse: Vocês têm trinta minutos. Saidu ergueu os olhos para ele, do outro lado da divisória, sorriu e disse obrigado. Depois baixou a voz de novo, inclinou-se para a frente e falou ainda mais depressa que antes, como se as palavras agora fluíssem livremente de um aquífero até então contido por uma barragem no fundo de sua memória.

Naquela noite, dormiu sob a brisa de uma janela aberta, até que um som sibilante o despertou. Abriu os olhos, mas manteve o corpo parado e, na escuridão chamuscada, viu uma pequena cobra branca atravessada no quarto comprido, até a outra extremidade. Ficou tenso, imaginando se a cobra o havia visto, mas ela continuou a se mexer como se estivesse à procura de alguma coisa. Então veio uma rajada de vento pela janela e Saidu percebeu que a "cobra" era na verdade um livro de exercícios aberto, as páginas eram viradas pelo vento. A lembrança daquela visão perdurou, disse ele, porque muitas vezes se perguntava, na época e depois, se não teria algum significado para o seu futuro. Chegou a manhã e ele ficou na escola durante o dia inteiro, escondendo-se, e dormiu ali quando a noite caiu. Naquela noite de novo o livro se moveu no escuro e lhe fez companhia; Saidu ficou semidesperto, via as páginas levantarem e baixarem, e às vezes via o livro como uma cobra e, outras vezes, como um livro. No dia seguinte, viu alguns soldados da Comunidade Econômica dos Estados da África Ocidental encarregados de monitorar o cessar-fogo, vindos da Nigéria, que lhe deram arroz cozido para comer. Saidu fingiu ser um retardado e pegou carona com eles, viajando em seu veículo blindado até Gbarnga, no norte do país. Depois seguiu a pé até a Guiné, uma viagem de muitos dias, calçando ora suas sandálias, ora as chuteiras de futebol. Os dois calçados faziam bolhas nos pés, mas em lugares diferentes. Quando tinha sede, bebia água das poças. Ficou com fome, mas tentava não pensar naquilo. Não lembrava como havia conseguido percorrer a pé os cento e cinquenta quilômetros até uma cidadezinha no interior da Guiné, nem como conseguira viajar de lá a Bamaco, na garupa da motocicleta de um lavrador.

Nessa altura, a ideia de chegar aos Estados Unidos estava gravada em sua mente. Em Bamaco, sem saber falar bamana nem francês, ele ficou rondando o estacionamento, comendo sobras na feira, dormindo embaixo dos tabuleiros da feira à noite, e às vezes sonhava que era atacado por hienas. Num sonho, seu colega de escola se aproximou dele, estava sangrando onde a mão tinha sido amputada. Noutros sonhos, sua mãe, sua tia e sua irmã apareciam, todas em volta do tabuleiro da feira, todas sangravam.

Quanto tempo se passou? Ele não tinha certeza. Talvez seis meses, talvez um pouco menos. Acabou fazendo amizade com um motorista de caminhão do Mali e lavava o caminhão em troca de comida. Aquele motorista o apresentou a um outro, um homem de olhinhos castanhos, da Mauritânia. O mauritaniano lhe perguntou aonde queria ir e Saidu disse que queria ir para os Estados Unidos. O mauritaniano perguntou se não estava levando haxixe e Saidu respondeu que não, não tinha nenhum haxixe. O mauritaniano aceitou levá-lo até Tânger. Quando partiram, Saidu vestia uma camisa nova que o motorista maliano lhe dera. O caminhão estava abarrotado com senegaleses, nigerianos e malianos e todos tinham pagado, menos Saidu. Durante o dia, fazia um calor tremendo, de noite o frio era cortante, e a água guardada em latões de gasolina era racionada com todo o cuidado. Enquanto Saidu contava essa história, eu me perguntava, naturalmente, se estava acreditando nele ou não, se não era mais provável que ele fosse um soldado. Afinal de contas, ele tivera meses para enfeitar os detalhes, aprimorar sua afirmação de ser um refugiado inocente.

Em Tânger, disse ele, havia notado a maneira como os africanos negros circulavam, sempre sob vigilância policial. Um grande grupo deles, sobretudo homens e na maioria jovens, tinha um acampamento perto do mar, e Saidu foi juntar-se a eles. Enrolavam-se em mantas para se proteger do vento frio que vinha do mar. Um homem a seu lado disse que era de Accra e contou para Saidu que era mais seguro viajar por Ceuta. Quando entrarmos em Ceuta, disse o homem, já estamos na Espanha. Vamos partir amanhã. No dia seguinte, foram numa van a uma cidadezinha marroquina perto de Ceuta, um grupo de mais ou menos quinze pessoas, em seguida foram a pé até a fronteira com Ceuta. A cerca era iluminada por luzes fortes e o homem de Accra os conduziu até onde a cerca alcançava o mar. Um homem foi morto com um tiro na semana passada, disse ele, mas não acho que devemos ter medo, Deus está conosco. Havia um bote à espera, conduzido por um barqueiro marroquino. Eles uniram as mãos em oração, depois carregaram o bote e o homem remou através dos bancos de areia. Completaram a viagem de dez minutos até Ceuta sem serem percebidos, chegaram à terra e se dispersaram no mato. Ceuta, como disse o ganense, era Espanha. Os novos imigrantes se espalharam em várias direções.

Saidu entrou em terra espanhola após três semanas, através de Algeciras, numa balsa, e ninguém pediu nenhum documento. Atravessou a região sul do país pedindo esmola em praças e comendo em sopões para os pobres. Por duas vezes bateu carteiras em esquinas muito movimentadas, jogou fora os documentos de identidade e os cartões de crédito e guardou o dinheiro; esse, disse ele, foi o único crime que cometeu em toda a vida. Percorreu todo o sul da Espanha até atravessar a fronteira com Portugal e seguiu em frente até chegar a Lisboa, que era triste e fria, mas também impressionante. E foi só depois de chegar a Lisboa que os pesadelos cessaram. Lá, se enturmou com africanos, trabalhou primeiro como ajudante de açougueiro e depois como barbeiro.

Aqueles foram os dois anos mais longos de sua vida. Dormia numa sala abarrotada de gente, com mais dez africanos. Três eram garotas e os homens se revezavam com elas, pagavam às garotas, mas Saidu não tocou nelas, porque havia economizado apenas o suficiente para pagar o passaporte e a passagem. Se esperasse mais um mês, o preço ficaria cem euros mais barato, mas ele não podia esperar; tinha a opção de poupar dinheiro viajando para La Guardia e perguntou à vendedora de passagens se tinha certeza de que La Guardia também ficava nos Estados Unidos. Ela olhou para ele fixamente, Saidu balançou a cabeça e, por via das dúvidas, comprou mesmo a passagem para o Aeroporto J. F. Kennedy. No passaporte, feito para ele por um homem de Moçambique, Saidu fez questão de usar seu nome verdadeiro, Saidu Caspar Mohammed, mas o homem teve de inventar uma data de nascimento, porque Saidu não sabia a data verdadeira. O passaporte, que era de Cabo Verde, chegou numa terça-feira; na sexta-feira, ele estava no avião.

A viagem acabou no terminal quatro do Aeroporto J. F. Kennedy. Levaram-no para a alfândega. Na mesa entre ele e o funcionário do dia, disse Saidu, estava um saco plástico com seus pertences, no geral roupas, e também a certidão de nascimento da mãe. O saco tinha uma etiqueta colada. Vozes se erguiam do outro lado da divisória. O funcionário então olhou bem para ele, olhou para as anotações que seu colega tinha feito, balançou a cabeça e começou a escrever. Então entraram duas mulheres com cheiro de alvejante. Uma delas era uma negra americana. Puseram-no de pé e prenderam um bracelete de borracha nos dois pulsos. O bracelete cortava a pele e, quando levantou, a negra americana o empurrou. Ele estava com medo? Não, ele não estava com medo. Não achava que ia demorar muito para a situação se resolver. Estava com sede e, depois de tanto tempo fechado no avião, tudo o que desejava era ficar ao ar livre e sentir o cheiro dos Estados Unidos. Queria comer e tomar banho; queria uma oportunidade de trabalhar, talvez como barbeiro, para começar, e depois alguma coisa diferente. Talvez fosse para a Flórida, porque era um nome de que sempre havia gostado. Levaram-no adiante, como se estivessem conduzindo um cego e, quando atravessou a divisória e foi para a sala vizinha, de onde vinham as vozes altas, viu homens de uniforme, homens brancos e homens pretos, com armas nos coldres.

Trouxeram-me para cá, disse ele, e foi o fim. Desde então estou aqui. Só estive do lado de fora três vezes, nos dias em que fui ao tribunal. O advogado que escalaram para mim disse que eu poderia ter tido uma chance antes do Onze de Setembro. Mas, tudo bem, estou legal. A comida aqui é ruim, não tem gosto de nada, mas tem bastante comida. Uma coisa de que sinto falta é o gosto de cozido de amendoim. Você já provou? Os outros detentos são todos legais, são gente boa. E depois, baixando a voz: Os guardas às vezes são brutos. Às vezes são brutos. Não se pode fazer nada, a gente tem de aprender a não se meter em encrenca. Sou dos mais jovens aqui, sabe? E depois, erguendo a voz ligeiramente: Deixam a gente fazer exercício e tem televisão a cabo. Às vezes vemos jogos de futebol, às vezes, de basquete; a maioria aqui prefere futebol, a liga italiana, a liga inglesa.

O guarda tinha voltado, dava pancadinhas de leve com o dedo em seu relógio de pulso. A visita tinha terminado. Ergui a mão na direção da parede de acrílico e Saidu fez o mesmo. Não quero voltar para lugar nenhum, disse ele. Quero ficar neste país, quero ficar nos Estados Unidos e trabalhar. Entrei com um pedido de asilo, mas não concederam. Agora vão me devolver ao meu porto de entrada, que é Lisboa. Quando me levantei para ir embora, ele continuou sentado e disse: Volte para me visitar de novo, se eu não for deportado.

Respondi que voltaria, mas nunca voltei.

Contei a história para Nadège no caminho de volta para Manhattan, naquele mesmo dia. Talvez ela tenha se apaixonado pela imagem de mim mesmo que apresentei naquela história. Eu era o ouvinte, o africano generoso que prestava atenção aos detalhes da vida e das lutas de outra pessoa. Eu mesmo tinha me apaixonado por aquela imagem.

Mais tarde, quando nosso relacionamento terminou, aquele velho clichê se despedaçou: tínhamos nos "afastado". Nadège tinha sua lista de queixas, mas para mim pareciam banalidades, e nelas não havia nada que eu pudesse entender nem relacionar com a minha vida. Mas nas semanas que seguiram, de fato, me perguntei se não haveria ali algo que não percebi e deixei passar em branco, alguma parte do fracasso da qual eu devia me julgar responsável.

No início de dezembro, conheci um haitiano nas catacumbas do metrô, na Penn Station. Eu estava num corredor ao longo do qual uma comprida fileira de lojas dá de cara para os passageiros que vão e vêm do trabalho para casa e também para os portões de embarque da linha férrea de Long Island. Eu tinha parado num dos jornaleiros e comprado um guia de viagens de Bruxelas, começava a me perguntar se não seria boa ideia passar as férias lá. Não sei direito por que parei naquela tarde diante de um dos engraxates. Sempre tive problemas com a atividade dos engraxates e, mesmo nas raras ocasiões em que gostaria de dar uma escovada e uma limpeza em meus sapatos, algum espírito igualitário me impediu de fazer isso; dava uma sensação ridícula subir naquelas cadeiras altas e ficar com alguém agachado na minha frente. Como eu me dizia tantas vezes, não era o tipo de relação que eu desejava ter com outra pessoa.

Mas naquela ocasião parei e olhei para o interior da saleta muito iluminada onde trabalhavam os engraxates que, com todos os seus espelhos e bancos acolchoados e forrados com plástico, me fazia lembrar uma barbearia vazia. Um negro idoso que eu não tinha notado se levantou e acenou para mim, dizendo: Entre, entre. Vou engraxar muito bem seus sapatos. Balancei a cabeça rapidamente e ergui a mão para recusar, mas como não queria frustrá-lo, cedi. Entrei e subi no pequeno banco que servia de degrau e sentei num daqueles cômicos tronos vermelhos, no fundo da saleta dos engraxates. No ar, entremeavam-se os aromas de óleo de limão e terebintina. O cabelo do homem era crespo e branco, bem como suas costeletas, e ele vestia um avental sujo, com listras azuis e brancas. Não era fácil adivinhar qual era sua idade; já não era jovem, mas estava bastante animado. Um lustrador de botas, não um engraxate: a expressão mais antiga parecia mais apropriada para ele. Falou: É só relaxar, vou deixar esse preto mais preto do que a noite para você. E, com aquela sensação peculiar de metamorfose que experimentamos quando acordamos de um cochilo à tarde e descobrimos que o sol se pôs, percebi pela primeira vez, em sua voz clara e suave de barítono, o ligeiro vestígio de um sotaque do francês caribenho. Meu nome é Pierre, disse ele. Depois de ajeitar meus pés num par de pedestais metálicos e dobrar a bainha de minhas calças, ele besuntou um pedaço de pano numa latinha de graxa que tinha na mão e começou a aplicar a pomada fosca em meus sapatos. Através do couro macio do sapato, eu podia sentir seus dedos firmes apertando meus pés.

Nem sempre fui engraxate, sabe? Isso é um sinal da mudança dos tempos. Comecei como cabeleireiro e foi isso que fiz durante muitos anos nesta cidade. Olhando para mim, você não diria, mas eu conhecia todas as modas do momento e sempre fazia os penteados conforme as senhoras desejavam. Vim do Haiti quando as coisas ficaram ruins por lá, quando muita gente foi morta, brancos e negros. A matança não tinha fim, havia cadáveres nas ruas; meu primo, filho da irmã de minha mãe, e toda a sua família foram massacrados. Tínhamos de ir embora, porque o futuro era incerto. Acabaríamos virando alvo, isso era quase certo, e ninguém sabe o que mais poderia acontecer. Quando a situação piorou, a esposa do senhor Bérard, que tinha parentes aqui, falou: Já chega, temos de ir embora para Nova York. E foi assim que vim para cá, o senhor Bérard, a senhora Bérard, minha irmã Rosalie, eu e também muitos outros. Rosalie trabalhava comigo, na mesma casa.

Pierre fez uma pausa. Outro freguês, um homem de negócios que começava a ficar careca, vestindo um terno justo demais, entrou na saleta dos engraxates e, aparentemente do nada, surgiu um jovem calado para limpar seus sapatos. O homem de negócios tinha a respiração arquejante. Pierre olhou de relance para seu colega de trabalho. Falou bem alto: É melhor você chamar o Rahul para a escala da semana que vem. Amanhã estou de folga e não posso trabalhar. Em seguida esfregou bem meus sapatos com um pano seco e apanhou uma escova de trinta centímetros de comprimento.

Foi aqui que aprendi o ofício de cabeleireiro. Na época, nossa casa ficava na Mott Street, na região da Mott e a Hester. Tinha uma porção de irlandeses na região, italianos também, e negros, todos trabalhavam em serviços domésticos. Naquele tempo as casas eram maiores e todo mundo precisava de criados. Sim, muita gente trabalhava em condições horríveis, eu sei, condições desumanas. Mas dependia da família para a qual você trabalhava. A perda do senhor Bérard foi como a perda de meu próprio irmão. Ele não ia dizer a mesma coisa, é claro, mas foi ele que me ensinou a ler e escrever. Era um homem frio, às vezes, mas também tinha coração, e dou graças a Deus por ter me salvado de toda injustiça duradoura. Ouvíamos histórias sobre como as coisas andavam ruins, quanta gente tinha sido executada por Boukman e seu exército, e sabíamos que éramos felizardos por ter escapado. O terror de Bonaparte e o terror de Boukman: não houve nenhuma diferença para aqueles que sofreram.

Quando o senhor Bérard morreu, eu podia ter ido embora, mas tive de ficar no meu trabalho porque a senhora Bérard precisava de mim. Eles estavam em cima e nós, embaixo, mas na verdade éramos uma família, assim como o apóstolo define a família de Deus, na qual cada um exerce uma função. A cabeça não é maior do que os pés. Isso é a verdade. Por meio das boas graças da senhora Bérard, aprendi o ofício de cabeleireiro, como lhe contei antes, e trabalhei nas casas e nos salões de muitas mulheres notáveis desta cidade, eram numerosas demais para eu contar, e ganhava dinheiro pelo meu trabalho. Às vezes chegava a ir até o rio Bronck para trabalhar e ninguém me perturbava. Dessa forma, ganhei o bastante para comprar a liberdade de minha irmã Rosalie, e pouco depois ela se casou e foi abençoada com uma linda filha. Demos a ela o nome de Euphemia. Após um tempo, eu tinha dinheiro bastante até para comprar minha própria liberdade, mas preferi a liberdade dentro daquela casa e daquela família à liberdade do lado de fora. Servir a senhora Bérard era servir a Deus. Durante aqueles anos, meu encontro com Juliette, minha adorada esposa de sagrada memória, não alterou isso. Eu estava disposto a me mostrar paciente. Estou vendo pela cara do senhor que é difícil, é difícil para os jovens, como o senhor, compreender essas coisas. Eu tinha quarenta e um anos de idade quando a senhora Bérard morreu e fiquei de luto por ela, assim como tinha ficado por seu marido, e só aí é que fui procurar a liberdade do lado de fora.

Na condição de homem livre, casei com minha Juliette, e a misericórdia de Deus abençoou nossas vidas. Como eu, ela veio do Haiti durante a luta; comprei a liberdade dela antes de ter a minha. Nossa vida em comum, aqui, às vezes foi difícil, abundante outras vezes, e graças à intervenção da Virgem Santíssima ajudamos de todas as formas possíveis aqueles que tinham menos do que nós. A época da febre amarela foi a mais difícil. Ela caiu sobre nós como uma praga e foram muitos os que morreram nesta cidade. Até minha querida irmã Rosalie sucumbiu à febre amarela, e então adotamos sua filha, Euphemia, levamos para nossa casa e a criamos como se fosse nossa. Não sou médico e não entendo nada de remédios, mas cuidamos dos doentes da melhor maneira que podíamos fazer, naquele tempo. Quando o pior passou, Juliette e eu criamos uma escola para crianças negras em St. Vincent de Paul, lá na Canal, onde agora estão os chineses. Muitas daquelas crianças eram órfãs e, aprendendo um ofício, o Senhor Deus melhorou sua situação, de tal modo que elas não tinham nada a dever a homem nenhum. Ele premiou seu servo por essa obra, premiou a nós dois, minha Juliette e eu, e o maior prêmio que nos concedeu foi nos enriquecer para que pudéssemos levar adiante sua obra. O dinheiro que demos para a construção da catedral lá em Mulberry era só dele, essa é a verdade, e tudo isso aconteceu pelas boas graças da Virgem Santíssima. Foi ele que construiu a catedral, nós só ajudamos a construir. Na vida do homem, nada acontece que não tenha sido ordenado lá de cima.

Do lado de fora, a temperatura tinha caído, afinal. Apertei o nó de meu cachecol e caminhei dois quarteirões até a rua 34, depois da fachada de tijolos do Convento das Carmelitas. Na parede contínua, não havia nenhuma entrada visível. Meus sapatos brilhavam, mas a graxa apenas revelava que os sapatos eram velhos e precisavam ser substituídos, pois agora as rachaduras e os vincos no couro estavam mais visíveis. Na esquina, o letreiro de uma lanchonete que imita vagão de trem piscava com palavras escritas em neon: AJUDEM NOSSAS TROPAS. As primeiras duas letras de TRO- PAS estavam queimadas. Consumidores de Natal rondavam pela rua à espreita, envoltos em capotes pretos com golas de pele. Quando cheguei à Nona Avenida, havia uma comoção silenciosa junto a um grupo de árvores, um quarteirão ao sul, na rua 33, onde vi panfletos contra a guerra esvoaçando ao vento, como uma revoada de pássaros que alçam voo de repente. Tive a impressão de uma multidão que se dispersava logo após o auge de sua atividade. Uma barreira policial estava instalada a seu lado.

Naquela tarde, enquanto meu pensamento ia e vinha sem rumo, enquanto o tempo se tornava elástico e vozes irrompiam do passado e alcançavam o presente, o coração da cidade foi tomado pelo que pareceu uma comoção oriunda de tempos antigos. Tive receio de ser apanhado, foi a minha impressão, no meio de uma das revoltas populares contra o alistamento forçado de civis para lutar na guerra civil. As pessoas que vi eram todas homens, andavam às pressas embaixo das árvores desfolhadas, contornavam a barreira policial tombada perto de mim e outras barreiras, mais adiante. Havia uma espécie de combate corpo a corpo uns duzentos metros à frente, seguindo a rua, de novo estranhamente sem barulho, e um bolo de homens se abriu para deixar à mostra dois homens que brigavam e eram apartados e empurrados para trás, cada um para um lado. O que vi em seguida me deu medo: a certa distância, mais ao longe, para além da multidão indiferente, o corpo de um homem linchado pendura-do numa árvore. O vulto era esguio, vestido de preto dos pés à cabeça, não refletia luz nenhuma. No entanto logo ficou claro que se tratava de algo menos sinistro: um pedaço de lona escura pendurada num andaime de construção, sacudindo no vento.

6.

Cursei o Colégio Militar Nigeriano, em Zaria, por ideia do meu pai. Era uma instituição famosa, seu critério de admissão não supunha uma preferência pelos filhos de soldados e gozava a reputação de produzir adolescentes disciplinados. Disciplina: a palavra tinha a força de um mantra entre os pais nigerianos, e meu pai, que não tinha nenhuma formação militar e que a rigor sentia uma forte aversão à violência formalizada, foi dominado por essa palavra. A ideia era que, em seis anos, um incontrolável menino de dez anos seria transformado num homem, um homem com toda a frieza e a força que a palavra *soldado* comportava.

Eu não tinha nenhuma objeção a entrar no colégio. O King's College era mais prestigioso em termos acadêmicos, mas também ficava perto demais de casa e isso não convinha nem a mim nem aos meus pais e, de todo modo, ir para o norte distante, até Zaria, prometia liberdades peculiares. Deve ter sido em julho de 1986 que meus pais me levaram para uma entrevista de uma semana. Eu nunca tinha ido para o norte da Nigéria e seu território vasto e desertificado, com árvores miúdas e arbustos chamuscados, poderia muito bem ficar num outro continente, de tão diferente que era do caos que eu via em Lagos. Mas também fazia parte de um mesmo país, no qual soprava a mesma poeira vermelha, desde a terra dos iorubás até o califado hauçá.

Nosso grupo para a semana de entrevistas era formado por cento e cinquenta meninos. Vieram de todo o país e até então quase nenhum deles tinha deixado o lugar onde morava. Um dia, quando caminhava pela grama seca do terreno da escola junto com dois outros meninos, vi uma mamba preta, uma serpente muito venenosa. A cobra olhou para nós por um momento, depois desapareceu depressa por baixo do mato rasteiro. Um de meus colegas ficou tão prontamente perturbado pelo medo que começou a chorar. Jurou que nunca mais ia voltar e terminou indo para um externato em Ibadan, onde sua família morava. Foi melhor assim: ele nunca teria sobrevivido em Zaria, onde cobras venenosas eram a menor das preocupações.

Fui aceito no colégio e mandei meus dados e documentos para a matrícula. Em setembro, meus pais me levaram até lá outra vez. Nessa segunda viagem, sentado no banco de trás do carro, recordo de ter lutado comigo mesmo por causa da minha inquestionada lealdade a meu pai e da minha crescente aversão pela minha mãe. Tinham selado uma espécie de paz um com o outro a respeito de alguma desavença cujo conteúdo esconderam de mim, mas eu tinha uma queda em favor de meu pai. Durante o conflito, mamãe se tornara fria de uma forma assustadora, não só com meu pai, mas com quase todo mundo a seu redor. Depois ela se refez e superou aquilo. Tornou-se de novo interessada pela Nigéria à sua volta, o país que ela amava, mas ao qual jamais conseguiu pertencer. Quando meu pai faleceu, alguns anos depois, a vaga sensação de mágoa que eu formara durante a desavença entre ambos se tornou um pouco mais forte, embora, até onde posso lembrar, eu nunca tenha de fato culpado minha mãe pela morte de meu pai.

O Colégio Militar Nigeriano foi um marco em minha vida: o novo horário de atividades, as privações, as amizades que eu fazia e desfazia no pátio e, acima de tudo, as intermináveis lições sobre a posição que cada um ocupava na hierarquia. Éramos todos crianças, mas alguns meninos eram homens; tinham uma autoridade natural, eram atletas, ou inteligentes, ou vinham de famílias ricas. Não importava a razão, o fato é que logo ficou claro que não éramos todos iguais. Era uma vida nova e estranha.

No mês de fevereiro de meu terceiro ano no colégio, diagnosticaram que meu pai tinha tuberculose, e em abril ele morreu. Nossos parentes, em especial os parentes de meu pai, ficaram histéricos, presentes demais, ansiosos demais para nos ajudar e demonstrar sua dor, mas minha mãe e eu nos contrapúnhamos a eles com estoicismo. Isso deve ter confundido as pessoas. Mas eles não sabiam que nosso estoicismo era desunido, minha mãe e eu pouco nos falávamos, nossos olhares eram cheios de redutos escuros. Só uma vez interrompi de fato aquele silêncio. Disse para mamãe que queria ver meu pai, mas não o cadáver no necrotério. Eu pedia que ele fosse restituído a mim e à vida, fingia ter uma inocência que, aos catorze anos, já não tinha. Julius, disse ela, o que significa isso? Para minha mãe, parecia uma crueldade, aquele óbvio fingimento, e seu coração ficou duplamente ferido.

O nome Julius me ligava a outro lugar e, junto com meu passaporte e a cor de minha pele, era um dos fatores que reforçavam minha sensação de ser diferente, de ser alguém à parte, na Nigéria. Meu sobrenome do meio era iorubá, Olatubosun, e eu nunca o usava. Aquele nome me surpreendia um pouco toda vez que eu o via em meu passaporte ou na certidão de nascimento, como se fosse algo que pertencia a outra pessoa, mas que tinham deixado sob a minha guarda desde muito tempo. Assim, ser Julius na vida cotidiana confirmava em mim a sensação de não ser inteiramente nigeriano. Não sei o que meu pai pretendia ao dar ao filho um nome semelhante ao da esposa; ela não deve ter gostado da ideia, pois não gostava de nada que tivesse razões sentimentais. Seu próprio nome também devia ter sido emprestado de algum ponto de sua linhagem familiar, uma avó, talvez, ou alguma tia distante, alguma Julianna esquecida, alguma Julia ou Julietta ignorada. Aos vinte e poucos anos de idade, minha mãe tinha se desvencilhado da Alemanha e fora depressa para os Estados Unidos; Julianna Müller tornou-se então Julianne Miller.

Naquele mês de abril da morte de meu pai, seu cabelo amarelo brilhante já começara a revelar traços grisalhos. Ela adotara o hábito de usar um lenço de cabeça, que em geral ficava com as pontas jogadas para trás, de tal modo que a testa lustrosa e os primeiros centímetros de seu cabelo ficavam visíveis. Estava usando o lenço de cabeça na tarde em que resolveu me conduzir para dentro de suas memórias. Nenhum de nossos muitos ajudantes estava por perto naquele dia, nenhuma das tias e das amigas que faziam comida para nós e cuidavam da casa. Estávamos juntos na sala, nós dois. Eu estava lendo um livro e ela entrou, sentou e começou a falar sobre a Alemanha de um jeito pensativo e sem pressa. Sua voz, eu me lembro, tinha o tom de alguém que continua uma história, como se tivéssemos sido interrompidos e ela estivesse apenas retomando o fio da meada. Quando falava "Julianna" e "Julia", sem nenhuma concessão à pronúncia inglesa, de repente ela me parecia ainda mais estranha. Naquele momento, tive a sensação de que a raiva deixou meu corpo e vi aquela mulher que, com seu cabelo meio grisalho, seus olhos azuis e uma voz distante, como não podia falar sobre a morte que tinha acabado de nos abalar, passou a contar coisas de muito tempo antes.

Eu não tinha nada para pôr no lugar de minha raiva que se diluía. Eu não tinha nenhum sentimento a respeito das histórias que ela estava me contando, nem das aspirações que nelas se abrigavam. Lutei para me concentrar. Mamãe falou sobre Magdeburgo, sobre sua infância na cidade, coisas das quais eu tinha a ideia mais vaga possível, coisas que ela agora trazia para uma sombra um pouco mais clara. Como eu não estava atento, muitos detalhes me escapavam. Será que estava distraído porque me sentia constrangido? Ou era só a surpresa com aquela repentina vontade de minha mãe de pôr o passado a nu? Enquanto falava, ela sorria de leve para alguma lembrança, fechava a cara para outra. Houve uma referência à colheita de mirtilos, outra a um piano de parede que não afinava de jeito nenhum. Porém, terminado o idílio, virou uma história de sofrimento: o sofrimento de seus anos de infância, quando havia pouco dinheiro e nenhum pai. O pai só voltaria para casa depois de sua guerra prolongada. No início da década de 1950, quando os soviéticos finalmente o libertaram, um homem abatido e reservado. Depois disso, viveu menos de uma década. Mas a história de mamãe era sobre uma ferida mais profunda e, à medida que ia contando, ganhava mais confiança, dirigia-se não ao adolescente e à criança à sua frente mas, assim me parece agora, a um confessor imaginário.

Ela nasceu em Berlim alguns dias depois que os russos ocuparam a cidade, no início de maio de 1945. Não tinha nenhuma lembrança dos meses seguintes, é claro. Não poderia ter noção da absoluta privação, da mendicância e das caminhadas sem rumo em meio aos escombros de Brandemburgo e da Saxônia. Mas reteve na memória a consciência daquele início difícil: não a memória do sofrimento em si, mas a memória de saber que havia nascido naquele ambiente. A pobreza da vida em Magdeburgo, quando afinal voltaram para lá, se tornara ainda mais drástica por causa dos horrores que todos os parentes, vizinhos e amigos haviam suportado durante a guerra. A regra era evitar falar: nada sobre bombardeios, nada sobre os assassinatos e as inúmeras traições, nada sobre aqueles que participaram entusiasticamente de tudo aquilo. Só anos mais tarde, quando me interessei por tais assuntos por minha própria conta, desconfiei que minha *oma*, em gravidez avançada, teria sido uma das inúmeras mulheres estupradas pelos homens do Exército Vermelho naquele ano em Berlim, pois tal atrocidade em particular foi tão sistemática e tão abrangente que ela dificilmente poderia ter escapado.

Era inimaginável que isso fosse algo sobre o qual ela e minha mãe tivessem algum dia conversado, mas minha própria mãe teria sabido, ou suposto tal coisa. Tinha nascido num mundo indescritivelmente amargo, um mundo privado de inviolabilidade. Décadas depois, ao perder o marido, era natural que ela substituísse a dor da viuvez por aquela dor primordial e fizesse das duas dores um contínuo. Eu a escutava com uma atenção parcial, constrangido pelo tremor e pela emoção. Não conseguia enxergar por que estava me contando a respeito de seus tempos de menina, sobre pianos e mirtilos. Anos mais tarde, muito depois de nos distanciarmos, tentei imaginar os detalhes daquela vida. Era um mundo de pessoas, experiências, sensações, desejos que haviam desaparecido por completo, um mundo do qual, de um modo estranho, eu era a continuação inconsciente.

Aquele dia em casa, até onde posso lembrar, foi a última vez em que eu e minha mãe tivemos algo parecido com uma conversa íntima. A tarde foi um tempo tomado do tempo. Depois disso, o silêncio nos envolveu de novo, um silêncio mais fácil, que nos permitiu, a cada um, experimentar nossa dor particular. Porém tornou-se de novo um silêncio ruim e, com os meses que passaram, acabou se transformando numa fratura que nunca iria curar-se.

Depois do enterro de meu pai, eu quis voltar logo para a escola. Não fiz o papel do órfão desamparado, não tinha tempo para isso. Um número surpreendente de meus colegas de turma tinha passado pela mesma situação, haviam perdido pai ou mãe por causa de acidentes ou doenças. Um de meus melhores amigos tinha perdido o pai nas execuções que sucederam o fracassado golpe militar de 1976. Ele nunca falava do assunto, mas ostentava aquilo como uma espécie de condecoração. O que eu queria para mim naquele ano era algum sentimento de participação, e a perda, paradoxalmente, ajudou a reforçar essa sensação. Mergulhei de cabeça nos treinamentos militares, nas aulas, nos exercícios físicos, no ritmo dos estudos preparatórios para a faculdade e dos trabalhos braçais (capinar com foice, trabalhar nos milharais do colégio). Não que eu gostasse do trabalho em si — longe disso —, mas descobria algo de verdadeiro no trabalho, descobria nele algo de mim mesmo. Então aquela seriedade, por meio da qual eu vinha acumulando uma espécie de retidão viril, foi interrompida por um incidente que pareceu desnecessariamente trágico na época, mas que se tornou cômico, do ponto de vista dos anos que se seguiram.

Começou no refeitório, certo dia, depois do almoço, quando fomos dispensados para a sesta. Como de costume, eu tinha voltado para o dormitório. À minha frente, estavam as duas horas de tranquilidade do meio da tarde, a que eu tinha me habituado. Durante meu primeiro ano, eu passava aquelas horas de maneira agitada, sem entender por que alguém ia querer dormir de tarde, mas lá pelo terceiro ano aquele intervalo se transformou numa pausa bem-vinda que interrompia a agitação dos dias de colégio. Dormíamos em nossos beliches, sem mosquiteiros. Os calouros que batiam papo ou se recusavam a dormir eram punidos e enquadrados da maneira necessária, e um menino que achasse que a hora da sesta era o momento ideal para se masturbar seria rapidamente colocado em seu devido lugar mediante um golpe do porrete do monitor do alojamento. Todo mundo aprendia a dormir, quando a ordem era dormir. Mas naquela tarde uma comoção me obrigou a sair da cama muito antes de terminar o intervalo de duas horas. Ouvi uma voz gritando meu sobrenome e pulei de meu beliche. A pessoa que gritava meu nome era Musibau, um subtenente de segunda classe. Era nosso professor de música e morava num alojamento particular entre os dormitórios.

Agarrou-me pelo colarinho e me arrastou para o meio do largo salão. Estava enlouquecido por uma raiva cuja causa eu não conseguia identificar. Nada me vinha à mente; até onde lembrava, a semana tinha sido perfeitamente normal. Um bando se reuniu em volta. Musibau tinha um corpo franzino; os alunos do último ano, em sua maioria, eram maiores que ele e, aos catorze anos, eu me equiparava a Musibau em altura e em porte físico. Era famoso por sua raiva e, pelas costas, o chamávamos de Hitler. Por que será que acabou virando professor de música para crianças? No passado, devia ter feito parte da Banda do Exército Nigeriano. *Ell King* é um *líder* de *France Shuba*, dizia ele, referindo-se a Schubert. Suas aulas nunca incluíam ouvir música nem tocar instrumentos, e nossa educação musical consistia apenas em fatos memorizados: a data de nascimento de Händel, o aniversário de Bach, os títulos dos *lieder* de Schubert, as notas da escala cromática. Afora uma vaga ideia das respostas corretas que devíamos pôr na prova, nenhum de nós tinha a menor noção do que era de fato uma escala cromática nem como soava.

Seu civil desgraçado, disse ele. Você roubou meu jornal, seu verme mentiroso. Soaram assovios baixos em volta da sala quando a palma da mão aberta de Musibau estalou com força em minha nuca. Fiquei num silêncio perplexo. Dúzias de olhos observavam todos os meus movimentos e o terror da situação se abriu diante de mim. Mas quando Musibau disse, com sua voz injuriada, que ele tinha ouvido, que ele fora *informado*, que tinha sido eu que havia roubado seu jornal no refeitório, a tensão em meu peito se desfez. Era um caso de identidade trocada. Tudo acabaria se resolvendo logo.

Naquele instante, chegou nosso monitor do dormitório, que tinha acabado de dar uma busca em meus pertences, e vinha brandindo o jornal bem no alto. Tinha achado o jornal do lado de minha mochila, embaixo do beliche. Não era nenhuma cilada: eu mesmo havia colocado o jornal lá. Tinha passado os olhos no jornal, não tinha visto nada de interessante e larguei-o embaixo da cama. Sob o facho de luz de um interrogatório, com o colarinho apertando meu pescoço com força, nas garras de Musibau e com uma repentina sensação de isolamento, pela primeira vez associei aquele suposto roubo às minhas próprias ações. Quando o almoço terminou naquela tarde, vi um exemplar do *Daily Concord* largado sobre um banco e levei-o comigo para o dormitório. Esse foi meu erro. Minha consciência ficou turvada e comecei a suplicar e a explicar, até que outro tapa calou minha boca.

Segurando meus braços pelas costas, Musibau arrastou-me para todos os alojamentos vizinhos e, em cada um, o monitor repetiu suas acusações em voz alta, e Musibau, enquanto sua mão, semelhante a uma garra, de novo estrangulava meu colarinho, recomeçava sua ladainha: ladrão, verme, jornal, civil desgraçado. Os alunos veteranos zombavam e escarneciam. Os calouros se mostravam mais sérios, mas igualmente fascinados pelo espetáculo. É isso o que acontece com ladrõezinhos ricos, disse Musibau, enquanto sua raiva ia assumindo um padrão, são esses os vermezinhos ricos que engolem nosso país inteiro, vejam com os próprios olhos como é que eles são. Percorremos todos os seis alojamentos, seguravam meus braços pelas costas com força, minhas pernas estavam à beira de desabar e por fim todos os meninos do colégio foram apresentados a mim, o pequeno ladrão. Mas também viam a virulência de Musibau; um tenente comandava o departamento de artes, um coronel comandava o colégio, um conselho de generais governava o país. Naquela hierarquia, Musibau estava seguro e ao mesmo tempo completamente perdido. Já não era jovem; na certa ia acabar morrendo como subtenente de segunda classe. Olhou para mim, um seminigeriano, um estrangeiro, e o que viu foram aulas de natação, viagens de veraneio para Londres, empregados domésticos; e por isso sua raiva. Mas sua imaginação o iludiu.

Minha provação naquela tarde chegou ao fim e voltei para meu dormitório. Pus um uniforme limpo, engraxei as botas, ajeitei minha boina e me aprontei para as aulas da tarde. Na manhã seguinte, enquanto estava na aula de desenho técnico, Musibau reapareceu. Trocou algumas rápidas palavras com o professor, depois me convidou para ir para a frente da sala. Por um momento, ficou parado em silêncio, de frente para os meninos. Depois repetiu sua ladainha, agora aprimorada na forma de uma acusação minimalista: Este menino é um ladrão. Roubou um jornal, um jornal que, por direito, pertencia a um funcionário. Ele é uma vergonha para a República Federal da Nigéria, para as Forças Armadas da República Federal da Nigéria e para o Colégio Militar Nigeriano. Ele não pensou nas consequências e agora será castigado.

Musibau acenou para mim, indicando que eu devia abrir o fecho de metal de meu calção. Desnudei as nádegas e curvei-me, usando o quadro-negro como apoio. Ele me bateu com uma varinha. Aquilo demandava esforço e ele suava enquanto baixava a varinha metodicamente e batia em mim. Eu vacilava, mas continha as lágrimas, enquanto as vergastadas não demoravam a deixar marcas compridas e vermelhas na pele. Supus que ele fosse parar na sexta, mas apenas fez uma pausa na sexta e depois prosseguiu, até a décima segunda. Meus colegas de turma ficaram calados. Eu era um menino popular e eles ficaram sinceramente com pena de mim. Puxei meu calção de volta para a cintura. Foi difícil sentar; meu corpo inteiro queimava. O professor de desenho técnico continuou sua aula sem fazer nenhum comentário.

Quando o semestre terminou e voltei para casa, não pude contar nada daquilo para minha mãe. Se eu não tivesse me obrigado a retornar à vida normal do colégio, talvez fosse meu fim. Aprendi a não ficar com raiva quando os alunos veteranos me chamavam de Daily Concord, o nome do tal jornal. Os calouros não diziam nada na minha frente. Em troca, ganhei certo respeito e, de fato, meu desempenho sob os golpes da varinha de bambu se tornou uma pequena lenda independente. Em certas versões, tinham sido vinte e quatro golpes nas costas; em outras, o sangue havia escorrido em profusão e eu tinha dito a Musibau para ele se enforcar. Ganhei uma reputação de coragem e, por coincidência ou não, também passei a ter notas melhores. No quarto ano, eu era popular com as garotas de outros colégios da cidade e tinha desenvolvido uma espécie de autoconfiança inabalável. No meu último ano no Colégio Militar Nigeriano, fui nomeado monitor de saúde. Alguns de meus colegas diziam que, se não fosse o incidente com Musibau, eu nunca chegaria à posição de líder dos alunos.

O fim do meu curso no colégio coincidiu com o fim de meus anos na Nigéria. Minha mãe sabia que eu estava fazendo as provas para ingressar na universidade, mas não sabia que eu estava me candidatando para vagas em faculdades nos Estados Unidos; a compra de uma caixa postal ajudou a esconder meus planos de maneira perfeita. Usei minhas poucas economias para pagar as taxas de inscrição das faculdades. Não tive sorte no Brooklyn College, em Haverford nem em Bard (nomes que eu havia pinçado num livro surrado que havia na biblioteca do Serviço de Informação dos Estados Unidos em Lagos). Consegui ser aceito em Macalester, mas não me ofereceram nenhum dinheiro; porém Maxwell me aceitou e me concedeu uma bolsa de estudos integral. Meu caminho estava traçado. Com dinheiro emprestado de meus tios, comprei uma passagem para Nova York a fim de começar a vida no novo país, inteiramente por minha conta.

7.

O inverno avançava sem que o tempo ficasse consideravelmente mais frio. Eu tinha resolvido, em caráter definitivo, consumir todo meu período de férias, que chegava a pouco mais de três semanas, numa viagem a Bruxelas. Os dias de férias que eu tinha acumulado eram além da conta para permanência num hotel, e até num albergue, uma opção razoável, e então procurei na Internet e achei um apartamento para alugar por temporada num bairro central da cidade. O apartamento, como aparecia nas imagens, se limitava ao básico, a ponto de ser espartano; desse modo, era o ideal para meus propósitos. Troquei alguns e-mails com uma mulher chamada Mayken e, depois de resolvida a questão da hospedagem, comprei uma passagem para partir no fim de semana seguinte.

No voo, fiquei sentado junto a uma senhora idosa. Era mais velha do que minha mãe, mas talvez não tanto para ser minha avó. Ocupamos nossos assentos em silêncio e foi já no escuro que sua voz me alcançou pela primeira vez. Eu estava de olhos fechados: sentia-me aliviado por haver concluído o longo dia dos preparativos para a viagem, depois de ter virado a noite trabalhando no dia anterior. Eu estava num torpor de cansaço enquanto fazia as malas, viajava no metrô para o Aeroporto Kennedy, enfrentava o tumulto da multidão do feriado e controlava minha raiva em face dos atrapalhados funcionários que cuidavam do embarque no Terminal Três. Por fim, depois de me instalar em meu assento no avião, recostei a cabeça para tirar um cochilo, antes mesmo que os demais passageiros tivessem guardado suas bagagens de mão ou ocupado seus assentos.

Normalmente eu me mostraria curioso acerca da pessoa que sentaria a meu lado, uma curiosidade que quase sempre terminava em frustração. Pouco depois, me veria ansioso para pôr um fim na conversa fiada que havia começado e para voltar ao livro que eu estava lendo, uma vez restabelecida com firmeza a ausência de interesses comuns. Naquela ocasião, porém, eu já estava dormindo quando minha parceira de voo chegou. Eu usava uma máscara para dormir sobre os olhos e só quando o avião já havia decolado e ouvi o tilintar do carrinho com o serviço de bordo chegando perto voltei a mim e retirei a máscara. Mas não abri os olhos de imediato; estava tentando decidir se interrompia meu sono para comer o jantar do avião e fiquei tolhido pela indecisão. Foi aí que ouvi a voz dela, a voz medida de uma mulher idosa. Eu invejo pessoas como você, disse ela. Gostaria de ser o tipo de pessoa que tem a capacidade de adormecer em qualquer situação.

O que vi quando abri os olhos foi alguém com uma cabeça de cabelos grisalhos, um cabelo tão fino que era como se sua própria matéria, e não apenas sua cor, estivesse desbotando. O rosto abaixo daquela coroa frágil era estreito e enrugado e a pele, coberta por delicadas pintas senis. Mas havia uma firmeza em torno da boca e do queixo, uma proeminência na testa e uma agudeza nos olhos. Sem dúvida, na maior parte de sua vida, tinha sido uma mulher muito bonita. A primeira coisa que ela fez, quando pus de lado minha máscara de dormir, foi piscar os olhos, o que me deixou surpreso, mas respondi com um sorriso. Ela se vestia de maneira simples, um suéter de lã de cor castanha, calça comprida e sapatos de couro marrom, do tipo que se usa para velejar. Tinha um colar de pérolas duplo e usava brincos também de pérolas. O livro em seu colo, com a página marcada pelo dedo indicador, era O ano do pensamento mágico. Eu não tinha lido o livro, mas sabia que eram as memórias de Joan Didion sobre como enfrentou a perda do marido. A dra. Maillotte (na verdade, ela só me disse seu nome uma hora depois) usava uma aliança de casamento.

Em geral tenho grande dificuldade para dormir em lugares barulhentos, confessei, portanto é justo dizer que eu também invejo pessoas assim. Ela se animou e disse: Bem, às vezes é uma necessidade absoluta. A propósito, prefere falar em inglês ou em francês? Lembrei que os avisos do serviço de comunicação interna já estavam vindo em três idiomas quando voávamos sobre Long Island; respondi que meu francês era limitado. Ela perguntou de onde eu era. Ah, Nigéria, disse ela. Nigéria, Nigéria. Bem, conheço uma porção de nigerianos e tenho de lhe dizer uma coisa, muitos deles são bem arrogantes. Fiquei chocado com sua maneira de falar, a franqueza sem reservas, o risco de afastar a pessoa com quem estava conversando. Supus que ela estava numa idade em que fazia muito tempo que deixara de se importar com o que os outros pensavam. Essa franqueza poderia, sem dúvida, ser entendida de maneira errada, se partisse de uma pessoa mais jovem, mas naquele caso não existia tal risco.

Os ganenses, por outro lado, prosseguiu a dra. Maillotte, são muito mais tranquilos, mais fáceis de lidar. Não têm uma ideia tão exaltada do lugar que ocupam no mundo. Bem, suponho que seja verdade, respondi, somos um pouco agressivos, mas creio que o motivo é que gostamos de ficar em primeiro plano, tornar nossa presença notada. Nós nos encaramos como os japoneses da África, sem a genialidade tecnológica. Ela riu. Pôs de lado seu livro e, quando o carrinho do jantar chegou, nós dois escolhemos peixe — salmão no micro-ondas, batatas, pão seco — e comemos em silêncio. Depois perguntei o que ela fazia. Sou cirurgiã, respondeu, agora estou aposentada, mas nos últimos quarenta e cinco anos fiz cirurgias gastrointestinais na Filadélfia. Contei para ela sobre minha residência e ela mencionou o nome de um psiquiatra. Bem, antigamente ele trabalhava lá, talvez agora tenha ido embora. Na verdade, isso já faz muito tempo. Você também fez estágio no Hospital do Harlem? Balancei a cabeça e lhe disse que tinha cursado uma faculdade de medicina fora do estado. Só estou perguntando isso porque dei consultas lá algumas vezes, há pouco tempo, disse ela. Estou aposentada, mas queria participar de algum trabalho voluntário, por isso estive no Harlem. Fui um pouco injusta antes, acrescentou. Devo dizer que os residentes nigerianos são excelentes. Ah, não se preocupe com isso, respondi. Já ouvi coisas muito piores. Mas, me diga uma coisa, não há muitos residentes americanos no Hospital do Harlem, não é? Ah, tem alguns poucos, mas, sim, há uma porção de africanos, indianos, filipinos, e na verdade é um ambiente bom. Alguns desses recém-formados são muito mais capazes do que as pessoas que passaram pelo sistema americano; por um motivo: tendem a possuir uma capacidade extraordinária de fazer o diagnóstico.

Sua dicção era precisa e o sotaque era apenas vagamente europeu. Contou-me que tinha estudado em Louvain. Mas, para ser professor lá, você tem de ser católico, disse ela com uma risadinha. Não é nada fácil para uma ateísta como eu: sempre fui ateísta. De todo modo, é melhor do que a Université Libre de Bruxelles, onde ninguém consegue nada profissionalmente se não for maçom. Estou falando sério: foi fundada por maçons e continua a ser uma espécie de máfia de maçons. Mas eu gosto de Bruxelas, ainda é meu lar, depois de tantos anos. Tem suas vantagens. Para começar, é indiferente à cor da pele das pessoas, de um modo que os Estados Unidos não são. Desde que me aposentei, passo três meses por ano lá. Tenho um apartamento, sim, mas prefiro ficar com meus amigos. Eles têm uma casa grande, fica na parte sul da cidade, em Uccle. Onde você vai ficar? Ah, está bem, não fica longe de lá, é só ir para o sul, saindo de Parc Léopold, e você chega ao bairro. Se tivesse um mapa, eu lhe mostraria.

Então, como se a conversa sobre Bruxelas tivesse aberto de leve uma porta na sua memória, falou: A Bélgica foi burra durante a guerra. Estou falando da Segunda Guerra Mundial, não da Primeira. Nasci tarde demais para pegar a Primeira. Aquela foi a guerra do meu pai. Mas eu estava prestes a entrar na adolescência durante a Segunda Guerra Mundial, e aqueles malditos alemães, eu me lembro deles entrando na cidade. Na verdade, a culpa foi de Leopoldo III: ele fez alianças erradas ou, melhor dizendo, se recusou a fazer alianças, achou que seria fácil defender o país. Era um velho idiota. Havia um canal de Antuérpia até Maastricht, entende? E também uma linha de fortificações de concreto, e achavam que isso representava uma proteção perfeita. A ideia era que a água dificultaria demais a travessia de um exército numeroso. Claro, os alemães tinham aviões e paraquedistas! Bastaram oito dias e os nazistas invadiram a cidade e se instalaram como parasitas. O dia em que afinal foram embora, o dia em que a guerra terminou para a Bélgica, foi o dia mais feliz de minha vida. Eu tinha quinze anos e recordo aquele dia com perfeição. Nunca vou esquecer aquele dia enquanto viver e nunca serei mais feliz do que fui naquele dia. E então ela fez uma pausa, estendeu a mão e disse: Acho que devo me apresentar. Annette Maillotte.

Depois prosseguiu, pareceu mergulhar mais fundo ainda em suas memórias, contou-me sobre seus tempos de menina, como as coisas eram difíceis durante a guerra, como Leopoldo III negociava com Hitler para obter rações melhores, a devastação da zona rural, depois, quando vultos errantes vagavam por toda parte e iam de casa em casa mendigando comida e abrigo, a decisão dela de estudar medicina, então seus estudos para ser cirurgiã, o que na época era incomum para uma mulher. De certo modo, enquanto falava, eu ainda podia ver nela aquela jovem decidida.

Você deve ter sido muito decidida, falei. Bem, não, não, a gente não pensa assim, disse ela, a gente apenas descobre aquilo que deve fazer, e faz. Na verdade não se tem oportunidade para parar e elogiar a si mesma, portanto eu não diria que era decidida. Fiz que sim com a cabeça. Enquanto a escutava, tinha a sensação de que o fato objetivo da sua idade — se tinha quinze anos quando a guerra terminou, ela havia nascido em 1929 — mantinha uma relação indireta com o fato da sua vitalidade mental e física. Naquele momento, os comissários de bordo vieram recolher nossas bandejas e a dra. Maillotte pegou seu livro outra vez. Baixei a luz sobre meu assento e, fechando os olhos, imaginei a noite gélida do Atlântico passando veloz embaixo de nós.

Embora estivesse cansado, só consegui dormir de forma intermitente e acordei de novo após umas poucas horas, com o pescoço dolorido. A dra. Maillotte também devia ter dormido, mas na hora em que acordei ela estava lendo de novo. Perguntei que tal era o livro. É bom, disse ela, fazendo que sim com a cabeça, e continuou lendo. Fiz sinal de que eu precisava ir ao banheiro e me desculpei por incomodá-la. Ela se levantou, ficou de pé no corredor e ainda estava de pé quando voltei. Tenho de manter a circulação em atividade, explicou ela. É importante, sobretudo quando a gente é velha feito eu. Quando nos sentamos de novo, ela disse: Você conhece Heliópolis? Fica no Egito, perto do Cairo. Heliópolis quer dizer cidade do sol. Pois bem, eu lhe disse que ia ficar com um amigo em Bruxelas. O nome dele é Grégoire Empain, somos amigos desde jovens, talvez desde que tínhamos vinte anos de idade, e foi o avô dele que construiu Heliópolis.

Se um dia tiver oportunidade de ir lá, não deixe de ir. É um lugar fantástico, e Édouard Empain, ou barão Empain, como o chamavam, foi o engenheiro que projetou e construiu a cidade. Isso foi em 1907. Era uma verdadeira capital do luxo, avenidas largas, jardins grandes. Tem um edifício chamado Qasr Al-Baron, o Palácio do Barão, inspirado no Angkor Wat do Camboja e também num templo hindu, um templo específico, mas não me lembro do nome. E, veja só, agora tudo isso é o subúrbio mais importante do Cairo; na verdade, agora fica dentro dos limites da cidade. Hoje em dia, o presidente do Egito mora lá. Mas os Empain estão numa disputa com o governo egípcio porque uma parte de Heliópolis lhes pertence e estão tentando reclamar essa propriedade, ou pelo menos obter alguma compensação. A família ainda é rica, na verdade é uma das famílias mais ricas da Bélgica. O barão Empain foi um grande industrial — além de Heliópolis, construiu o metrô de Paris, quando os belgas não permitiram que ele construísse um metrô em Bruxelas — e seu filho também foi um industrial. O neto Grégoire é modesto, não gosta de ficar em evidência. Mas Grégoire tem um irmão, Jean, e com ele a história é diferente.

Antigamente eu era louca por esquiar e meu marido também, e todos os meus filhos — e íamos todos para Mont Blanc com Grégoire, Jean, as irmãs deles e esquiávamos em Chamonix, em Megève. Não é Negev, como em Israel, mas Megève, perto de Mont Blanc, nos Alpes Suíços. E os Empain tinham um chalé grande lá e aparecia uma porção de gente, sabe? Jean-Claude Aaron, Edmond de Rothschild, dos Rothschild franceses. E sempre me divirto quando penso nisso, mas uma vez a rainha da Suécia apareceu lá e, coitada, foi com o marido e, sabe, eu acho que ela não tinha a menor ideia de que o homem era a maior bicha do mundo. Era uma coisa óbvia para qualquer um, só que ela era muito desligada e os dois iam levando a vida assim mesmo. Na verdade, nós íamos para lá não porque toda essa gente ia lá, era só porque gostávamos de esquiar. E também eu precisava sair dos Estados Unidos de vez em quando, esse país terrível e hipócrita, esse país que se faz de santo. Na verdade, às vezes eu não consigo suportar esse país. Entende o que quero dizer?

Mas deixe-me contar a respeito do irmão de Grégoire, o Jean. Ele não é sossegado como o Grégoire, bem ao contrário: gosta de aparecer, gosta da vida da alta sociedade. Foi ele que herdou o título. Agora ele é o barão de Empain e vive com carros esporte, famílias reais, amigos bilionários, esse tipo de coisa. Mas, coitado, imagine, ele andou em todos os jornais no final da década de 1970. Acho que foi em 1978 que ele foi sequestrado, entende? Ficou sequestrado por dois meses. Grégoire e a família inteira ficaram desesperados, é claro. Os sequestradores eram franceses e pediram alguma coisa em torno de oito ou nove milhões de dólares, uma soma inacreditável de dinheiro, mas não era nada impossível para os Empain. A família estava disposta a pagar. Mas naquela época havia um monte de sequestros, durante toda a década de 1970, e o governo francês tinha uma política rigorosa de não negociar, não pagar. E assim aqueles sequestradores, acho que um deles se chamava Duchâteau — é engraçado eu me lembrar disso, mas você deve compreender, nós acompanhávamos aquele caso com enorme atenção nos jornais, dia a dia —, o que Duchâteau e seus comparsas disseram foi: Dinheiro traz liberdade. Veja, é ridículo, eles pareciam uns filósofos, mas o pior é que estavam falando sério e, como o dinheiro não saía, eles cortaram o dedo mindinho de Jean, puseram num envelope e mandaram para a esposa dele pelo correio. Cortaram o dedo com uma faca de cozinha, sem anestesia, e ameaçaram amputar outros dedos para cada dia de atraso do pagamento. Mas os negociadores recusaram e por algum motivo os sequestradores não levaram adiante sua ameaça. No fim a polícia conseguiu encurralar os criminosos, matou um deles, capturou os outros dois e Jean foi libertado.

Pode acreditar, aqueles dois meses foram um inferno para a família. E Duchâteau, o sequestrador, escreveu em algum lugar: São só pequenas tiras de papel, mas elas significam tudo, dinheiro traz liberdade. Se você vir o Jean agora, tem assim um calombinho no lugar onde ficava o dedo. Mas o pior, se você perguntar para ele, não foi a amputação, foi o frio. Acho que ele passou um frio terrível durante aqueles dois meses: obrigaram-no a dormir numa barraca, num quarto sem aquecimento. A privação da luz, para que não pudesse reconhecer seus raptores. O frio e o escuro. Por causa daquelas tirinhas de papel, não é?

Já era de manhã. Estávamos voando com uma camada de nuvens acima de nós e outra camada de nuvens embaixo, e a Europa estava perto. Pedi à dra. Maillotte que me falasse mais a respeito de seus filhos. São todos médicos, respondeu, todos os três, assim como eu e meu marido. Acho que é o que eles queriam, mas quem pode saber? Meu filho mais velho, bem, ele tinha trinta e seis no ano passado, quando morreu. Tinha acabado de terminar sua residência em radiologia. Câncer no fígado e uma piora rápida. É uma coisa impossível de suportar, ver um filho morrer. Era casado e tinha uma filha de três anos. Foi insuportável; ainda é. Os outros dois: um está na Califórnia, o outro está em Nova York. São os mais jovens. E meu marido mora comigo na Filadélfia, bem, nós moramos nos arredores da Filadélfia e ele é cardiologista e também acabou de se aposentar.

Um silêncio baixou sobre nós. E você, disse ela, me conte,

por que Bruxelas? É um lugar estranho para passar férias no inverno! Sorri. A outra possibilidade era Cozumel, respondi, mas não sei mergulhar. Bem, disse ela, aqui está o telefone de Grégoire. Pessoa simpática, sabe, não anda de nariz empinado. Vou ficar lá umas seis, talvez oito semanas. Você devia dar uma passadinha lá e jantar com a gente. Agradeci o convite e disse que ia resolver depois. E quando olhei para o número que ela havia anotado para mim, pensei no metrô de Paris, naquela expressão de otimismo e progresso, e na antiga cidade no Egito que também era conhecida como Heliópolis antes de o barão Empain construir sua própria versão, e na viagem subterrânea, milhões de pessoas se deslocando em cidades embaixo da terra, habitantes de uma era em que, pela primeira vez, viajar grandes distâncias por baixo da terra se tornou algo normal para seres humanos. Pensei também nos inúmeros mortos, nas cidades esquecidas, necrópoles, catacumbas. Em inglês, francês e flamengo, o piloto anunciou que iam começar os procedimentos de aterrissagem, e quando rompemos a camada de nuvens inferior, vi a cidade se estender na paisagem baixa.

8.

Mayken, a proprietária do apartamento de Bruxelas, se ofereceu para me apanhar no aeroporto em troca de um pagamento adicional de quinze euros. As outras opções, explicou-me ela no telefone, eram pegar um táxi por trinta e cinco euros ou pegar o transporte público e correr o risco de ser assaltado. E assim, quando cheguei no voo noturno, ela estava me esperando na sala de desembarque, com um cartaz que trazia meu nome escrito. Seu cabelo descolorido envolvia sua cabeça como um algodão-doce amarelo e parecia que ia se erguer e sair voando se um vento soprasse sobre ele. Despedi-me da dra. Maillotte e fui em frente, acenando com a mão até Mayken me avistar. Tinha cinquenta e poucos anos, era simpática, mas com um jeito profissional um pouco brusco que, mais tarde, quando fomos tratar dos documentos do aluguel por temporada — páginas e páginas com insignificantes detalhes jurídicos —, se tornou, junto com seu cabelo bufante, a única parte visível de sua personalidade.

A ideia original de Bruxelas, disse ela enquanto deixávamos o aeroporto de carro, era ser distribuída em partes iguais entre flamengos e valões. Claro que já não é mais assim, prosseguiu ela, agora é noventa e cinco por cento de valões e outros falantes da língua francesa, um por cento de flamengos e quatro por cento de árabes e africanos. Ela riu, mas acrescentou rapidamente: Esses são os números reais. E os franceses são preguiçosos, disse ela, detestam trabalhar e têm inveja dos flamengos. Estou lhe dizendo isso para o caso de você não ser informado por mais ninguém.

Olhei pela janela e, em minha mente, comecei a vagar pela paisagem, recordando minha conversa durante a noite com a dra. Maillotte. Eu a vi aos quinze anos, em setembro de 1944, sentada numa barricada sob o sol de Bruxelas, delirante de felicidade com a retirada dos invasores. Vi Junichiro Saito naquele mesmo dia, aos trinta e um ou trinta e dois anos de idade, infeliz, aprisionado, num quarto árido num campo cercado por arames em Idaho, muito longe de seus livros. Naquele dia, também estavam meus quatro avós, os nigerianos, os alemães. Três já haviam morrido agora, é claro. Mas e quanto ao quarto, a minha *oma*? Vi todos eles, mesmo aqueles que eu nunca tinha visto na vida real, vi todos eles no meio daquele dia de setembro, há sessenta e dois anos, de olhos abertos, mas era como se estivessem fechados, por compaixão, sem enxergar nada do brutal meio século à sua frente e, melhor ainda, quase nada daquilo que estava acontecendo em seu mundo, as cidades repletas de cadáveres, os campos, as praias e as lavouras, a indescritível desordem generalizada daquele exato momento.

O inglês de Mayken era ligeiramente modulado por ondulantes vogais alemães. Eu olhava para os dois lados do carro, que seguia em velocidade, e a Bruxelas da minha experiência voltou para mim. Era minha terceira visita à cidade, mas as visitas anteriores foram breves, a primeira tinha ocorrido mais de vinte anos antes, durante uma escala forçada numa viagem da Nigéria para os Estados Unidos quando eu tinha sete anos de idade. Na época, minha mãe não contou nada a respeito da mãe dela, embora minha *oma* já tivesse se mudado para lá na ocasião. Os detalhes daquela viagem ficaram enterrados em minha memória, até que vi o hotel Novotel perto do aeroporto, onde a companhia aérea nos hospedou. Como tudo aquilo nos pareceu ideal, na época: os Mercedes-Benz pretos que foram usados como táxis no aeroporto, a estranha comida no bufê do hotel. Foi um momento fugaz de riqueza e de sofisticação impressionantes, aquela minha primeira experiência de Europa. Do lado de fora do hotel, notei a ordem e o aspecto cinzento, o recato e a regularidade das casas, e a fria formalidade das pessoas, que comparada com a vida americana com a qual eu viria a ter meu primeiro contato real algumas semanas depois, pareceu chocante.

É fácil formar uma ideia errada de Bruxelas. Pensamos nela como uma cidade de tecnocratas e, como foi tão central na formação da União Europeia, logo supomos que se trata de uma cidade nova, ou pelo menos que se expandiu expressamente com aquele propósito. Bruxelas é antiga — um velhice europeia peculiar, manifestada em pedra —, e tal antiguidade está presente na maior parte das ruas e dos bairros. As casas, as pontes e as catedrais de Bruxelas não padeceram os horrores que atingiram as terras baixas das zonas rurais e das florestas da Bélgica, que suportaram o peso das incontáveis guerras travadas em seu território. Com uma ferocidade num grau raramente experimentado na história, morticínio e destruição grassaram em Somme, em Ypres e, antes disso, em Waterloo.

Esses foram os teatros, tão convenientemente situados na interseção de Holanda, Alemanha, Inglaterra e França, em que foram representados os trágicos combates da Europa. Mas não houve bombardeios incendiários em Bruges, ou em Ghent, ou em Bruxelas. A rendição, é claro, desempenhou certo papel nessa forma de sobrevivência, bem como a negociação com as forças invasoras. Se os governantes de Bruxelas não tivessem optado por declará-la cidade aberta e assim livrá-la de bombardeios durante a Segunda Guerra Mundial, a cidade poderia ter sido reduzida a escombros. Poderia se transformar em outra Dresden. Desse modo, conservou-se como uma imagem dos períodos medieval e barroco, uma paisagem só interrompida pelas monstruosidades arquitetônicas erguidas por toda a cidade por Leopoldo II no final do século XIX.

Durante minha visita, o ameno tempo do inverno e as pedras antigas mantinham a cidade sitiada pela melancolia. De certo modo, era como uma cidade à espera, ou numa estufa de plantas, com ônibus e bondes lúgubres. Havia muitas pessoas, muito mais do que eu tinha visto em outras cidades europeias, muitas pessoas que davam a impressão de ter acabado de chegar de algum lugar ensolarado. Vi mulheres idosas com a cabeça inteira coberta de panos pretos, só com os olhos de fora, e mulheres jovens também cobertas por véus. O islã, em sua força conservadora, era uma imagem constante, embora não estivesse claro para mim por que era assim: a Bélgica não tinha uma relação colonial forte com nenhum país do norte da África. Mas agora isso era uma realidade europeia, as fronteiras eram flexíveis. Havia na cidade uma pressão psicológica palpável.

Tenho certeza de que os "quatro por cento de árabes e africanos" de que falara Mayken tinham certa intenção irônica, mas a julgar pelo que eu via, podia ser uma estimativa modesta. Mesmo no centro da cidade, ou especialmente lá, um grande número de pessoas parecia vir de alguma parte da África, ou do Congo ou do Magreb. Em alguns bondes, como descobri rapidamente, os brancos constituíam uma pequena minoria. Mas não era esse o caso na vagarosa multidão que encontrei no metrô, alguns dias depois de minha chegada. As pessoas tinham ido a um comício no Atomium para protestar contra o racismo e a violência em geral, mas em particular contra um assassinato ocorrido muito tempo antes, em abril daquele ano. Um jovem de dezessete anos tinha sido assassinado com uma facada por dois outros jovens na Gare Centrale; o fato havia ocorrido numa plataforma lotada, em pleno horário de rush, com dezenas de pessoas em volta; o fato de ninguém ter feito nada para ajudar o rapaz se tornou um tema de debates nos dias que sucederam o crime. O rapaz assassinado era flamengo; os assassinos, pelo que diziam as notícias, eram árabes. Temeroso de uma retaliação racial, o primeiro-ministro fez um apelo em favor da tranquilidade e, em seu sermão naquele domingo, o bispo da cidade deplorou uma sociedade tão indiferente a ponto de ninguém se mostrar disposto a ajudar um rapaz ferido e agonizante. Onde estavam vocês às quatro e meia da tarde daquele dia?, perguntou ele à congregação que lotava a Cathédrale des Saints Michel et Gudule.

A exortação do bispo recebeu uma resposta rápida e ardorosa do Vlaams Belang (o partido de direita dos flamengos) e de seus simpatizantes. Colunistas bem conhecidos adotaram um tom ofendido e queixaram-se de racismo invertido. As vítimas estavam sendo vistas como culpadas, diziam: o problema não eram os passantes indiferentes, mas os estrangeiros que cometiam crimes. Era mais fácil ser punido por violar as leis da condução de bicicletas do que por roubar de fato uma bicicleta, porque a polícia tinha medo de ser vista como racista. Um jornalista escreveu em seu blog que a sociedade belga estava farta de "assassinatos, roubos, estupros praticados pelos vikings da África do Norte". E isso era citado em tom de aprovação em meios de comunicação muito conceituados. Os esforços da comunidade muçulmana em Bruxelas para cicatrizar a ferida, como a distribuição de pães assados em casa, na cerimônia religiosa pública em homenagem ao rapaz assassinado, suscitou uma reação furiosa dos direitistas. Mais tarde, nas eleições, os políticos do Vlaams Belang registraram mais avanços, consolidaram sua posição como, talvez, o maior partido político do país. Só as coalizões dos outros grupos os mantinham fora do poder. Mas os assassinos no caso da Gare Centrale, como se viu depois, não eram de modo algum árabes ou africanos: eram cidadãos poloneses. Houve algum debate em torno da possibilidade de serem ciganos do povo rom. Um deles, de dezesseis anos de idade, acabou sendo preso na Polônia: seu parceiro de dezessete anos foi preso na Bélgica e extraditado para a Polônia e, com sua partida, uma parte da tensão em torno do caso se desfez.

Mas houve outros incidentes feios. Eu estava lá no final de 2006, ano em que uma série de crimes de ódio racial recrudesceu a tensão experimentada por pessoas não brancas que moravam no país. Em Bruges, cinco skinheads deixaram um negro francês em estado de coma. Na Antuérpia, em maio, um jovem de dezoito anos de idade raspou a cabeça e, depois de berrar impropérios contra os *makakken*, partiu para o centro da cidade com um rifle Winchester em punho e desandou a atirar. Feriu gravemente uma garota turca e matou uma babá do Mali, além do bebê flamengo de quem ela estava cuidando. Mais tarde, ele exprimiu um arrependimento específico: por ter alvejado acidentalmente a criança branca. Em Bruxelas, um negro ficou paralítico e cego depois de um ataque a um posto de gasolina. O resultado paradoxal de tais crimes foi que mesmo os partidos politicamente de centro, como os Democratas Cristãos, começaram a pender para a direita, adotando a linguagem do Vlaams Belang, a fim de atrair a insatisfação dos eleitores contra a imigração. O país estava imerso em profundas incertezas — a sensação de anomia era visível até para um visitante.

Fui ao Parc du Cinquantenaire. Estava coberto pela neblina, mas isso fazia a escala dos monumentos parecer ainda maior.

A colunata, já em si gigantesca, se projetava para o alto vertigino-samente e as cabeças das colunas sumiam envoltas em sutis véus brancos, e as fileiras de árvores à frente e atrás delas, rijas como sentinelas, se esticavam rumo à eternidade. O parque, construído por um rei sem coração, também era de uma escala desumana. Um punhado de turistas, que em contraste com os monumentos se tornavam tão diminutos que, vistos de longe, pareciam brin-quedos, vagava em silêncio, tirando fotografias. Quando chega-ram mais perto, ouvi que falavam chinês.

Eram quatro e meia da tarde, a noite caía e o ar estava ne-voento e frio; a área a sudeste do parque dava para Etterbeek e para a estação de metrô de Mérode, um complexo aglomerado de ruas, trilhos de bonde e placas, mas pouca gente circulava na véspera de Natal. No parque, bem em frente aos Musées Royaux d'Art et d'Histoire, que de início achei que fossem os mais co-nhecidos Musées Royaux des Beaux-Arts, um cavalo de cabeça grande estava do lado de uma carroça com a inscrição POLITIE, mas não havia nenhum policial à vista e o museu estava fechado. Embaixo da colunata havia uma placa de bronze que expunha em relevo os retratos dos cinco primeiros reis belgas: Leopoldo I, Leopoldo II, Alberto I, Leopoldo III e Balduíno, e embaixo uma inscrição que dizia: HOMMAGE A LA DYNASTIE LA BELGIQUE ET LE CONGO, RECONNAISSANTS, MDCCCXXXI. Não o triunfo, portanto, mas a gratidão; ou gratidão pelos triunfos alcançados. Fiquei pa-rado embaixo da colunata e observei a família chinesa entrar em seu carro. Foram embora, deixando-me sozinho com o cavalo paciente. Éramos os dois únicos animais vivos naquele local e, a cada inspiração, a neblina gelada entrava em nossos pulmões. Pareceu-me que eu estava lá sem nenhum propósito, a não ser o fato de que estarmos juntos no mesmo país, como eu e minha *oma* agora estávamos (quer dizer, se ela ainda estivesse viva), era por si só um consolo.

* * *

Naqueles primeiros dias em Bruxelas, fiz alguns esforços esparsos para encontrá-la. Tinha pouca ideia de por onde devia começar. As listas telefônicas não ajudaram nada: não havia nenhuma Magdalena Müller no catálogo telefônico do apartamento, nem em outro que consultei numa cabine telefônica. Pensei por um momento em visitar asilos de idosos: e senti, de repente, uma vergonha irracional por falar francês tão mal e não falar nada de flamengo. A cinco minutos de caminhada de meu apartamento em Bruxelas, havia um serviço de Internet e de cabines telefônicas, situado no térreo de um prédio estreito. Visitei o local na esperança de fazer algumas pesquisas na Internet.

A sala abrigava uma fileira de cabines de madeira com porta de vidro para telefonemas e meia dúzia de terminais de computador. O homem atrás do balcão devia ter trinta e poucos anos. Tinha a barba raspada, rosto magro e simpático e cabelo preto escorrido. Indicou-me um terminal de computador perto dos fundos. Rapidamente encontrei o catálogo de endereços da Bélgica. O site, para minha surpresa, veio logo em inglês e logo introduzi os termos de minha pesquisa: Magdalena Müller. Os resultados mostravam muitas pessoas chamadas Magdalena M., muitas outras apresentadas como M. Müller, e duas Magdalena Müller, mas ambas com sobrenomes hifenizados.

Fechei o site e voltei para o balcão. Comuniquei-me com o homem num francês trôpego e paguei o serviço, um total de cinquenta centavos, por usar a Internet durante vinte e cinco minutos.

Entrei na lan house no dia seguinte para ver meus e-mails e paguei quando terminei. Mas dessa vez, quando saí, eu o surpreendi perguntando em inglês como se chamava. Farouq, respondeu. Apresentei-me, apertamos as mãos e acrescentei: Como andam as coisas, meu irmão? Tudo bem, respondeu, com um sorriso ligeiro e surpreso. Quando saí para a rua, me perguntei se aquela familiaridade agressiva não o deixaria chocado. Perguntei-me também por que eu havia falado daquele modo. Um toque de falsidade, concluí. Mas logo depois mudei de ideia. Eu ia frequentar aquele lugar durante algumas semanas, e era melhor estabelecer logo boas relações com ele; e aquela interação, como se viu depois, deu o tom do encontro do dia seguinte.

A lan house estava com muito movimento. Farouq, lendo um livro no balcão, fazia pausas para atender as pessoas que entravam ou saíam. Os clientes ocupavam todos os terminais de computador e eu podia ouvir as conversas que se passavam dentro das cabines telefônicas de madeira. Liguei para a irmã de meu pai, minha tia Tinu, em Lagos, e para amigos em Ohio. Telefonei também para o hospital em Nova York para aprovar e renovar algumas prescrições de medicamentos. A de V. estava entre elas: ela vinha tomando Wellbutrin e Paxil, mas nenhum dos dois estava funcionando e ultimamente eu havia começado a tratá-la com antidepressivos tricíclicos. Dei as necessárias autorizações à enfermeira-chefe, que me disse que V. tinha perguntado como poderia falar comigo. É impossível falar comigo, respondi, peça a ela que fale com o doutor Kim, o residente que está cobrindo minhas férias. Depois, sentindo o impulso de cortar itens de minha lista, também telefonei para os Recursos Humanos a fim de conferir a burocracia referente às minhas férias; disseram-me que a seção tinha fechado mais cedo e só reabriria no dia 3 de janeiro. Saí da cabine preocupado com isso e esperei que Farouq terminasse de atender outro cliente. Olhou para o registro do computador, depois olhou para mim e disse: Estados Unidos? Sim, isso mesmo, respondi, e você, de onde você é? Marrocos, respondeu. Rabat? Casablanca? Não, Tétouan. É uma cidade no norte do país. É a cidade da foto que está atrás de mim.

Apontou para uma velha fotografia colorida numa moldura de metal, um vasto aglomerado de prédios brancos e, atrás deles, grandes montanhas verdes. Falei: Acabei de ler o romance de um escritor marroquino, Tahar Ben Jelloun. Sei, eu conheço, respondeu Farouq, ele tem uma grande reputação. Ia dizer mais alguma coisa, mas naquele instante veio outro cliente para pagar o tempo que tinha ficado no computador e, enquanto Farouq fazia as contas, pegava o dinheiro e dava o troco, percebi com atraso um toque de desaprovação nas palavras "grande reputação". Percebi que o livro que Farouq estava lendo era em inglês. Ele percebeu minha curiosidade e virou-o para eu ver. Era um comentário sobre o ensaio de Walter Benjamin "Sobre o conceito de história". É difícil de ler, falou, exige muita concentração. Aqui não é um bom lugar para ter concentração, comentei. Veio outro cliente e, de novo, Farouq passou a falar francês, sem a menor hesitação, e depois voltou para o inglês. Disse: É sobre como esse homem, Walter Benjamin, concebe a história de um jeito oposto ao de Marx, embora para muita gente ele tenha sido um filósofo marxista. Mas Tahar Ben Jelloun, como eu estava dizendo, escreve a partir de certa ideia do Marrocos. Não é sobre a vida das pessoas que Ben Jelloun escreve, mas histórias que contêm um elemento oriental. Sua escrita é mítica. Não tem relação com a vida real das pessoas.

Fiz que sim enquanto ele falava e tentei relacionar o bairro sem graça de Bruxelas, o burburinho do pequeno comércio local, as caixas de doces e chicletes com embalagens espalhafatosas na prateleira na parede com o pensador sorridente e de cara séria que estava sentado à minha frente. O que eu esperava? Não aquilo. Um homem que trabalha numa lan house, sim, um homem que trabalha numa loja de Internet que fica aberta no dia de

Natal, é claro. Mas não aquilo: o linguajar intelectual direto e seguro de si. Eu admirava muito Tahar Ben Jelloun por sua narrativa flexível e vigorosa, mas não contradisse a afirmação de Farouq. Estava surpreso demais para fazer isso e apenas ofereci, debilmente, a ideia de que talvez Ben Jelloun apreendesse o ritmo da vida cotidiana em seu romance *Corrupção*. O livro era sobre um funcionário do governo e sua luta interior por causa das propinas: o que poderia ser mais próximo da vida cotidiana do que aquilo? O inglês de Farouq se manifestou numa sucessão de frases lúcidas, enquanto ele punha por terra a minha contestação. Não consegui acompanhar seu argumento. Não estava dizendo que Ben Jelloun bajulava os editores ocidentais, propriamente, mas sugeria que a função social da sua ficção era algo suspeito. Mas quando me fixei nessa ideia, ele a pôs de lado também e disse apenas: Há outros escritores cuja obra está ligada à vida cotidiana e à história do povo. E isso não significa que eles tenham ligação com ideais nacionalistas. Às vezes eles sofrem ainda mais nas mãos dos nacionalistas.

Pedi-lhe então que me recomendasse algo diferente, algo mais de acordo com a ideia de uma ficção autêntica. Farouq, com ar sério, pegou um pedaço de papel na mesa e anotou numa letra cursiva lenta e irregular: "Mohamed Choukri — *O pão nu* — traduzido por Paul Bowles". Examinou o pedaço de papel por um instante, depois disse: Choukri era um rival de Tahar Ben Jelloun. Os dois tiveram desentendimentos. Veja, gente que como Ben Jelloun leva a vida de um escritor no exílio e isso lhes dá certo — aqui Farouq fez uma pausa, se esforçou para encontrar as palavras corretas —, dá a eles certa *poeticidade*, se posso dizer assim, aos olhos do Ocidente. Ser um escritor no exílio é uma coisa ótima. Mas o que é o exílio hoje em dia, quando todo mundo viaja para lá e para cá livremente? Choukri ficou no Marrocos, viveu junto com seu povo. O que mais gosto nele é ter sido um autodidata, se for correto empregar essa palavra para o caso. Foi criado nas ruas e aprendeu sozinho a escrever o árabe clássico, mas nunca deixou as ruas.

Farouq falava sem o menor traço de agitação. Eu não conseguia captar com rigor todas as distinções que ele estava traçando, mas fiquei impressionado com a sutileza que havia nelas. Ele tinha o ardor dos jovens, porém sua objetividade era desenvolta e parecia pertencer (foi a imagem que me veio na hora) a alguém que tinha feito longas viagens. Aquela calma toda me deixava desestabilizado. Por fim, falei: É sempre uma coisa difícil, não é? Quero dizer, resistir ao impulso de orientalizar. Para aqueles que não cedem ao impulso, quem é que vai querer publicá-los? Qual é o editor ocidental que vai querer um escritor marroquino ou indiano que não se coloque no âmbito da fantasia oriental, ou que não satisfaça o desejo de fantasia? Afinal de contas, é para isso que servem a Índia e o Marrocos, para serem orientais.

É por isso que Said é tão importante para mim, disse ele. Veja, Said era jovem quando ouviu a declaração feita por Golda Meir de que não existia um povo palestino e, quando ouviu isso, se engajou na questão palestina. Entendeu então que a diferença nunca é aceita. Você é diferente, muito bem, mas essa diferença nunca é vista como algo que contém seu próprio valor. Diferença como entretenimento orientalista é permitida, mas diferença com seu próprio valor intrínseco, não. Pode ficar esperando a vida toda que ninguém vai lhe dar esse valor. Vou lhe contar uma coisa que aconteceu comigo na sala de aula.

Farouq abriu a caixa registradora. Eu gostaria que os clientes parassem de nos interromper. Pensei também, por um momento, que eu devia corrigir sua citação inexata de Golda Meir. Mas eu não estava seguro e ele prosseguiu como se não tivesse havido nenhuma interrupção. Fizeram uma pergunta, disse ele, durante uma discussão sobre filosofia política. Devíamos escolher entre

Malcolm x e Martin Luther King e eu fui o único que escolheu Malcolm x. Todo mundo na sala discordou de mim e disseram: Ah, você escolheu Malcolm x porque ele é muçulmano e você também é muçulmano. Certo, tudo bem, eu sou muçulmano, mas o motivo não é esse. Escolhi Malcolm x porque estou de acordo como ele, filosoficamente, e discordo de Martin Luther King. Malcolm x descobriu que a diferença contém seu próprio valor e que a luta deve ser para promover esse valor. Martin Luther King é admirado por todos, quer que todos se unam, mas aquela ideia de que a gente deve oferecer a outra face para que batam, isso não faz nenhum sentido para mim.

É uma ideia cristã, comentei. Ele era um pastor, veja bem, seus princípios provinham da concepção cristã. É exatamente isso, disse Farouq. Essa não é uma ideia que eu possa aceitar. Existe sempre a expectativa de que é o Outro vitimizado que deve cobrir a distância que o separa, que ele é que tem os ideais nobres. Discordo dessa expectativa. É uma expectativa que às vezes funciona, falei, mas só se o inimigo não for um psicopata. É preciso ter um inimigo que tenha a capacidade de sentir vergonha. Às vezes me pergunto até que ponto Gandhi teria chegado se os ingleses tivessem sido mais brutais. Se estivessem dispostos a matar massas de manifestantes. A recusa nobre só pode nos levar até certo ponto. Pergunte aos congoleses.

Farouq riu. Olhei para meu relógio, embora não tivesse que ir a nenhum lugar. O Outro vitimizado: que estranho, pensei, o fato de ele usar uma expressão como essa numa conversa comum. E no entanto, quando ele a pronunciou, provocou uma ressonância mais profunda do que aconteceria numa situação acadêmica. Ocorreu-me, ao mesmo tempo, que nossa conversa tinha acontecido sem a costumeira troca de palavras triviais. Ele continuava a ser apenas um homem que trabalhava numa lan house. Também era um estudante, ou tinha sido, mas de quê?

Aqui estava ele, como o anônimo Marx em Londres. Para Mayken e inúmeros outros como ela na cidade, Farouq era apenas mais um árabe, sujeito a rápidos olhares de desconfiança no bonde. E sobre mim, ele também não sabia nada, só que eu tinha dado telefonemas para os Estados Unidos e para a Nigéria e que tinha ido àquela loja três vezes em cinco dias. Os detalhes biográficos eram irrelevantes para o nosso encontro. Estendi a mão e disse: Espero que possamos continuar esta conversa em breve, paz. Eu também espero, disse ele, paz.

Pensando melhor nas afirmações de Mayken, concluí que eu estava enganado. O que Farouq recebia no bonde não eram rápidos olhares desconfiados. Era um medo fervilhante e mal contido. A clássica visão contra os imigrantes, que os encarava como inimigos que competiam por recursos escassos, estava convergindo com um renovado temor do islã. Quando Jan van Eyck retratou a si mesmo num grande turbante vermelho na década de 1430, deu um testemunho do multiculturalismo da cidade de Ghent no século XV, onde o estrangeiro nada tinha de incomum. Turcos, árabes, russos: todos faziam parte do vocabulário visual da época. Mas o estrangeiro continuou um estranho e se converteu num alvo para novos descontentamentos. Ocorreu-me também que eu não estava numa situação tão radicalmente diversa da de Farouq. Meu aspecto — o estrangeiro de pele escura, solitário, que não sorri — fazia de mim um alvo para a raiva sem forma dos defensores de Vlaanderen. Num lugar errado, eu poderia ser visto como um estuprador ou um "viking". Mas os que levavam a raiva consigo nunca poderiam saber como ela é vulgar. Eram insensíveis ao fato de sua violência, praticada em nome de uma identidade monolítica, ser algo banal e inútil. Tal ignorância era um traço que jovens revoltados e seus campeões da retórica politicamente poderosa compartilhavam em todas as situações. E assim, depois daquela conversa, por precaução, reduzi a extensão de minhas caminhadas noturnas em Etterbeek. Decidi também que não ia mais visitar bares e restaurantes familiares só para brancos, nos bairros mais sossegados da cidade.

Esperava, em minha próxima visita à loja de Internet, poder conversar com Farouq a respeito do Vlaams Belang e sobre como era viver na esteira de tantos atos de violência. Mas no dia em que fui lá de novo, Farouq estava conversando com alguém, um marroquino mais velho, que parecia ter quarenta e poucos anos. Cumprimentei ambos com um aceno de cabeça, entrei numa das cabines telefônicas e fiz uma ligação para Nova York. Quando saí, os dois ainda conversavam. O mais velho registrou na caixa minha conta e Farouq disse: Meu amigo, meu amigo, como vão as coisas? Mas de repente me ocorreu que, mesmo que estivesse sozinho, eu não teria querido falar com Farouq. Ele também estava sob o domínio da raiva e da retórica. Percebi aquilo, por mais atraente que fosse o seu lado do espectro político. Uma violência cancerosa havia roído a fundo todas as ideias políticas, havia tomado conta das ideias em si e, para muita gente, o que importava de fato era a disposição de fazer alguma coisa. Ação leva à ação, livre de todas as amarras, e a maneira de ser alguém, a maneira de chamar a atenção dos jovens e recrutá-los para uma causa, era ficar enraivecido. Parecia que o único jeito de evitar aquele fascínio da violência era não ter causa nenhuma, manter-se majestosamente isolado de todas as lealdades. Mas não seria isso um lapso ético mais grave do que a própria raiva?

Um euro, exatamente, disse em inglês o homem mais velho. Paguei e saí para a rua.

9.

Os dias passavam devagar, e minha sensação de estar inteiramente sozinho na cidade aumentou. Na maior parte dos dias eu ficava em casa, lendo, mas lia sem prazer. Nas ocasiões em que ia para a rua, vagava a esmo pelos parques e no bairro do museu. As pedras da pavimentação da rua estavam encharcadas, líquidas debaixo dos pés, e o céu, nublado havia dias, exalava um cheiro de umidade.

Fui a um café em Grand Sablon um dia à tarde, pouco depois da hora do almoço. Eu era um dos dois clientes, pois a cidade andava muito sossegada na semana entre o Natal e o Ano-Novo. A outra pessoa no café era uma turista de meia-idade que, notei logo que entrei, estava examinando um mapa com toda a atenção. No ambiente pequeno, iluminado pela luz difusa que vinha de fora, ela parecia pálida e a luz batia em seu cabelo grisalho com um brilho opaco. O café era velho, ou tinha sido feito para parecer velho, com forro de madeira escura e lustrosa nas paredes e algumas pinturas a óleo em desbotadas molduras folheadas a ouro. As pinturas eram paisagens marinhas, mares encrespados em que navios de guerra ou da marinha mercante adernavam perigosamente. O mar e o céu estavam sem dúvida muito mais escuros do que eram quando os quadros foram pintados, e as velas, brancas naquela época, tinham amarelado com o tempo.

A garota alta que trouxe meu café tinha um jeito mais parisiense que bruxelense. Colocou o café diante de mim e, para minha surpresa, sentou-se ela mesma à minha mesa por um momento e perguntou de onde eu era. Tinha uns vinte e dois anos de idade, calculei, olhos de pálpebras escuras e sorriso cativante. Fiquei lisonjeado com aquela abordagem e com seu óbvio interesse por mim; sem dúvida ela estava habituada a produzir um efeito forte e imediato sobre os homens. Porém, por mais lisonjeado que me sentisse, não estava interessado, e minhas respostas para ela foram educadas e até um pouco secas, e quando ela se levantou de novo, com sua bandeja, foi menos com desprazer do que com perplexidade.

Uns quinze minutos depois, paguei para o homem no balcão. Ao mesmo tempo, a turista pálida veio pagar sua conta. Falava um inglês claudicante, com forte entonação da Europa Oriental. Quando saímos os dois para a rua, debaixo da chuva, agora pesada, e ficamos parados sob o toldo do café, vi que era mais loura que grisalha, com pesadas olheiras e um sorriso gentil. Eu estava de guarda-chuva e ela não. Havia uma simpatia serena em suas maneiras, talvez houvesse certa expectativa. Virei-me para ela e perguntei se era polonesa. Não, respondeu, tcheca.

Aos cinquenta anos, idade que calculei ser a dela, a aparência de uma mulher muitas vezes exige um esforço. Para alguém da idade da garçonete, uma jovem de vinte e poucos anos, basta apenas ser um pouco bonita. Naquela idade, tudo o mais colabora: a pele é firme, a postura é ereta, o passo é seguro, o cabelo é saudável, a voz é clara e constante. Aos cinquenta anos, há uma luta. E por tais motivos a tarde foi uma surpresa — uma surpresa para a turista, no interesse que começou a manifestar por mim, um interesse expresso com clareza, ainda que em larga medida sem palavras, e uma surpresa também para mim, por seus olhos grandes, verde-acinzentados, com sua inteligência tristonha, sua sedução sexual intensa e totalmente imprevista. A tarde havia assumido a feição de um sonho, um sonho que agora se estendia à sua mão que tocou de leve nas minhas costas por um momento, enquanto eu movia minha mão para que o guarda-chuva a protegesse por inteiro da chuva. Ficamos ali parados um momento e observamos a chuva que continuava a cair em ondas. Em seguida caminhamos juntos por um tempo, pelas ruazinhas calçadas de paralelepípedos, subimos a movimentada rue de la Régence, quase sem falar, usando o guarda-chuva compartilhado como pretexto, até onde podíamos. Mas quando a mulher propôs uma bebida no hotel dela, o toque ambíguo nas minhas costas deu lugar à nitidez e minha determinação se tornou igualmente forte. Eu ia levar adiante aquela loucura, disse para mim mesmo, enquanto meu coração disparava, eu iria até onde ela quisesse me levar. E a nitidez deu coragem para nós dois. Eu a segui para o quarto, subindo a escada, meus olhos cravados na barra de sua saia cinzenta, que tinha um corte na altura da panturrilha.

No quarto em falso estilo Luís xv, sua timidez se havia dissolvido. Abraçou-me e o abraço se tornou um beijo no rosto. Beijei seu pescoço — um beijo longo, uma surpresa — e sua testa, coroada por aquela juba, que se havia tornado de novo quase toda cinzenta, sob a luz do quarto, e depois, por fim, beijei sua boca. Tinha a cintura grossa, flexível; ficou rapidamente de joelhos e deu um suspiro. Puxei-a para cima de novo, balançando a cabeça. Depois nós dois fizemos sexo oral juntos, ao lado da cama barroca, ambos dobrados contra suas imposturas de cetim, e puxei sua saia de linho para cima da cintura.

Depois, ela me disse seu nome — Marta? Esther? Esqueci

na mesma hora — e explicou, com certa dificuldade, que cuidava das reservas de viagens para a Corte Constitucional de Brno. Tinha uma filha adulta que era instrutora de esqui na Suíça. Nada disse a respeito do marido, nem eu perguntei. Apresentei-me como Jeff, um contador vindo de Nova York; aquela falsidade sem imaginação pareceu uma coisa meio esfarrapada, mas também continha um toque de comédia que apreciei, e me resignei a apreciar aquilo sozinho. Depois puxamos os lençóis sobre a cama sem vincos e dormimos. Quando acordamos, duas ou três horas depois, a noite havia caído. Sem palavras, me vesti, mas dessa vez o silêncio foi entremeado por sorrisos. Beijei-a no pescoço de novo e fui embora.

As luzes no parque estavam acesas e a chuva havia parado. As pessoas tinham saído aos pares, em famílias, iam a espetáculos ou a restaurantes. Sentia-me leve e agradecido. Poucas vezes tinha visto Bruxelas tão generosa. Um vento rumorejava nas folhas e me perguntei se conseguiria me lembrar do rosto dela; era pouco provável. Mas ela havia facilitado tudo para mim, minha primeira vez desde Nadège, algo indispensável que eu havia menosprezado e deixado de fazer. Agora estava feito e não poderia desejar que fosse diferente. O melhor de tudo, concluí, foi o prazer que ela sentiu; éramos apenas duas pessoas longe de casa, fazendo aquilo que duas pessoas queriam fazer. À minha leveza e gratidão veio somar-se uma ligeira dor. Dali, eram uns poucos quilômetros para voltar a Etterbeek e, caminhando, voltei para minha solidão. Isso não pode acontecer de novo, foi o que eu quis dizer para ela, mas achei que não era exatamente o que eu queria dizer e que não era necessário dizer nada, na verdade. Voltei para o apartamento e, no dia seguinte, não saí. Fiquei na cama e li *A câmera clara*, de Barthes. Depois, naquela tarde, Mayken apareceu, entreguei-lhe o dinheiro.

Na noite seguinte, ou na outra, achei o pedaço de papel em

que a dra. Maillotte havia anotado seu número de telefone e aquilo me atiçou a ir à lan house. Farouq não estava. O cara mais velho, sério, de pele desbotada, estava trabalhando na escrivaninha. Tinha um bigode comprido e olhos saltados. Cumprimentei-o com um aceno de cabeça e entrei numa cabine telefônica. Um homem atendeu o telefone, mas quando falei em inglês ele foi chamar a dra. Maillotte.

Ela atendeu o telefone e disse: Alô, quem fala? Ah, sim, como é que vai? Mas, desculpe, me conte de novo como foi que nos conhecemos. Eu contei. Ah, sim, é claro. Você vai passar um mês na Bélgica, três semanas, não é? Quando vai embora? Ah, tão cedo. Entendo. Bem, por que não me visita na segunda-feira? Podemos sair para jantar ou fazer alguma outra coisa, antes de você ir embora do país.

Quando desliguei o aparelho e saí para pagar, Farouq tinha chegado e o homem sério conversava com ele. Farouq me viu. Meu amigo, disse ele, como vai? Insistiu para que eu não pagasse nada pelo telefonema, que na verdade tinha sido muito breve e uma ligação local. O colega se afastou e uma cliente entrou. Farouq a cumprimentou, *Ça va? Alhamdulíllah*, respondeu a mulher. Farouq se virou para mim e disse: Está muito movimentado, como você está vendo. Não só por causa de todas as pessoas que mandavam seus cumprimentos de Feliz Ano-Novo, mas também por causa de uma porção de gente que ligava para casa no dia do Eid.* Ele apontou para o monitor do computador atrás dele e ali estava um registro dos telefonemas em andamento em todas as doze cabines: Colômbia, Egito, Senegal, Brasil, França, Alemanha. Parecia ficção o fato de um grupo de pessoas tão reduzido poder fazer ligações para um espectro de locais tão vasto.

---

* Eid al-Fitr, festa que marca o fim do jejum do Ramadã, para os muçulmanos. (N. T.)

Estava assim já fazia dois dias, disse Farouq, e isso é uma das coisas que me agradam no fato de trabalhar aqui. É uma comprovação daquilo em que acredito; as pessoas podem viver juntas e continuar mantendo intactos seus próprios valores. Ver esse bando de pessoas oriundas de lugares diferentes estimula o meu lado humano, e o meu lado intelectual também.

Eu trabalhava como zelador, disse Farouq, numa faculdade americana em Bruxelas. Era o campus no exterior de uma universidade dos Estados Unidos, e para eles eu era só o zelador, entende, o homem que fazia a faxina das salas depois que as aulas terminavam. E eu era simpático, sossegado, como deve ser um zelador; fingia que não tinha nenhuma ideia própria. Mas um dia eu estava limpando um dos escritórios e o diretor da faculdade, o chefe dos professores, chegou perto e por alguma razão começamos a conversar, e de repente me veio a ideia de falar de verdade, como se fosse eu mesmo, não como o zelador, mas como alguém que tem ideias próprias. Aí comecei a falar e usei um pouco do meu jargão. Falei sobre Gilles Deleuze e, é claro, ele ficou surpreso. Mas estava disposto a me ouvir e fui em frente, conversamos sobre o conceito de Deleuze de ondas e dunas, sobre como são os espaços entre essas duas formas, os espaços necessários que lhes confere suas definições como ondas e dunas. O diretor se mostrou muito receptivo àquela conversa e, no seu jeito americano e generoso, falou: Venha ao meu gabinete um dia desses para conversarmos mais tempo.

Quando Farouq falou aquilo, imaginei o tom de voz do homem. Era como um braço sobre o ombro, um gesto que desarma, uma promessa de cumplicidade: Venha ao meu gabinete um dia desses, vamos nos conhecer melhor. Porém, disse Farouq, prosseguindo sua história, quando o vi depois disso, ele não só se recusou a conversar comigo como na verdade fingiu que nunca tinha me visto na vida. Eu era só o zelador, o homem que esfregava o chão, nada mais do que uma peça do mobiliário. Eu o cumprimentei, tentei por um momento recordá-lo de nossa conversa sobre Deleuze, mas ele não falou nada. Havia uma fronteira, e eu estava perdendo meu tempo tentando atravessá-la. Enquanto Farouq falava, as pessoas entravam e saíam depressa das cabines telefônicas e ele cumprimentava todas elas, mas, me pareceu, o nível de familiaridade era determinado pela frequência com que as pessoas haviam aparecido na loja antes. Farouq falava francês, árabe, inglês, conforme o caso; com o homem que telefonou para a Colômbia, trocou algumas palavras em espanhol. Sua decisão sobre que língua falar com cada pessoa era ágil e seu jeito era tão simpático que me perguntei por que eu, quando o conheci, fiquei com a impressão de que Farouq era uma pessoa distante.

Tenho dois projetos, disse Farouq. Um que é prático e o outro, mais profundo. Perguntei se o prático não seria seu trabalho na lan house. Não, respondeu Farouq. Nem mesmo isso; a coisa prática, a longo prazo, são meus estudos. Estou estudando para ser tradutor de árabe, inglês e francês e também estou fazendo cursos de tradução para a imprensa e para legendas de filmes, esse tipo de coisa. É assim que vou arranjar um emprego. Mas meu projeto mais profundo tem a ver com aquilo de que falei na última vez, a coisa da diferença. Acredito nisso com muita força, acredito que as pessoas podem viver juntas, e quero compreender como é que isso pode acontecer. Acontece aqui, em escala reduzida, nesta loja, e quero compreender como pode acontecer numa escala maior. Mas eu já lhe disse, sou um autodidata, portanto não sei que forma esse outro projeto vai tomar.

Perguntei-lhe se achava que podia ser escritor, e respondeu que até isso era uma coisa que não estava clara para ele. Primeiro ia estudar, disse, e chegar a alguma compreensão, e só depois ia decidir que forma sua ação tomaria. Fiquei impressionado com a pureza de seu propósito, seu idealismo e seu radicalismo antiquado, e a certeza com que ele o exprimia, como se fosse algo que ele havia alimentado durante muitos anos; e dei crédito àquilo, contra mim mesmo. Mas também pensei na sua alusão à nossa conversa anterior, quando ele disse que havia se referido a si mesmo como um autodidata. Era uma coisa sem importância, é claro, mas (e eu tinha certeza de que minha memória não estava me traindo) Farouq usara a palavra apenas em referência a Mohamed Choukri, e não a si mesmo. Era um exemplo insignificante, não de falta de fidelidade, mas de certa imperfeição na memória de Farouq, que, por causa da segurança absoluta de sua atitude, era fácil deixar passar em branco. Em todo caso, aquilo me levou a rever minha impressão anterior sobre sua veemência, ainda que só moderadamente. Aqueles pequenos lapsos — houve outros, e eram lapsos irrelevantes, de fato, nem mesmo eram dignos de ser chamados de *erros* — fizeram com que me sentisse menos intimidado por ele.

Minha experiência na faculdade americana, disse Farouq, combinou-se em minha mente com a ideia de Fukuyama sobre o fim da história. É impossível, e é arrogante, pensar que a realidade presente dos países ocidentais é o ponto culminante da história humana. O diretor falava com todos aqueles termos — caldo de cultura, salada mista, multiculturalismo —, mas eu repudio todas essas expressões. Acredito na diferença acima de tudo. Lembre o que eu disse sobre Malcolm x: é isso que os americanos não compreendem, que os iraquianos jamais serão felizes sob um governo estrangeiro. Mesmo que o Egito invadisse a Palestina para salvar os palestinos de Israel, eles não poderiam aceitar isso, não iam querer um governo egípcio. Ninguém gosta de domínio estrangeiro. Você tem noção de como a Argélia e o Marrocos se odeiam mutuamente? Então pode imaginar como é ruim quando o poder ocidental pratica uma invasão. Acho que Benjamin me ajuda a compreender isso melhor e acredito que suas sutis revisões de Marx me servem para compreender a estrutura histórica que torna possível a diferença. Mas acredito também no princípio divino. Existem coisas que o islã pode oferecer ao nosso pensamento. Conhece Averróis? Nem todo pensamento ocidental provém só do Ocidente. O islã não é uma religião: é uma maneira de viver que tem algo a oferecer ao nosso sistema político. Digo tudo isso não para me apresentar como um representante do islã. A rigor sou um mau muçulmano, entende, mas um dia vou voltar à minha prática. No momento, não pratico muito bem.

Fez uma pausa e riu, avaliando minha reação ao que tinha acabado de dizer. Não dei a menor indicação de meus pensamentos. Limitei-me a fazer que sim com a cabeça, indicando que estava escutando. Três ou quatro clientes haviam se reunido diante da escrivaninha e, com um sorriso, Farouq prosseguiu. A questão, porém, é que sou um pacifista. Não acredito em coação violenta. Sabe, mesmo que apareça alguém aqui, na minha frente, com uma arma na mão apontada para minha família, não posso matar essa pessoa. Estou falando sério, portanto não fique tão admirado. Mas, meu amigo, disse ele num tom que indicava que estava chegando a uma conclusão, vamos nos encontrar depois de amanhã. Você é um homem de filosofia, mas é também americano e quero conversar mais com você sobre algumas questões. No sábado, eu saio do trabalho às seis horas. Por que não me encontra ali, do outro lado da rua? Naquele restaurante português, Casa Botelho, bem ali na esquina — apontou para o outro lado da rua —, vamos nos ver ali, no sábado à noitinha.

No sábado, subi o morro íngreme de Chaussée d'Ixelles e fui até Porte de Namur, e de lá atravessei a multidão de consumidores de fim de semana até a Avenue Louise e depois até o Palácio Real. De vez em quando, fitando o rosto das mulheres aglomeradas nas paradas de bonde, imaginei que uma delas poderia ser minha *oma*. Era uma possibilidade que me ocorria toda vez que eu estava na rua, poder vê-la, quem sabe, estar percorrendo caminhos que ela trilhou durante anos, que ela pudesse de fato ser uma daquelas tantas velhas, com seus sapatos ortopédicos e suas sacolas de compras enrugadas, que de vez em quando parava para imaginar o que o filho de sua filha única andaria fazendo na vida. Mas logo eu conseguia enxergar a nostálgica fantasia da realização de um desejo em ação. No entanto eu não tinha quase nada em que me apoiar, e minha busca, se é que meus pobres esforços podiam ser chamados assim, se tornou sem substância e só se exprimia como a tênue memória do dia em que ela visitou a Pedra de Olumo conosco na Nigéria e massageou meu ombro sem falar nada. Foi naqueles pensamentos que comecei a me perguntar se Bruxelas não teria, de algum modo, me atraído por razões mais obscuras do que eu desconfiava, que os caminhos que eu seguia desatento pela cidade obedeciam a uma lógica irrelevante para a história de minha família.

O tempo ficou úmido outra vez, mas como uma neblina sutil, não como chuva propriamente. Eu não tinha trazido o guarda-chuva, portanto fui aos Musées Royaux des Beaux-Arts, mas quando estava lá dentro me dei conta de que não me encontrava de maneira nenhuma no estado de ânimo de ver pinturas. Voltei para fora de novo, para a neblina. A partir daí, simplesmente vaguei sem rumo pelo Egmont Park e por sua taciturna galeria de estátuas de bronze, depois desci a Grand Sablon, com seus antiquários, que pairavam com olhares desconfiados por trás de suas moedas velhas e sem valor, passei pelo pequeno café que eu tinha visitado antes, dando um rápido olhar lá para dentro a fim de ver se minha garçonete alta estava ali (não estava), e de lá fui à Place de la Chapelle. A catedral era como o casco riscado de um navio naufragado, e as poucas pessoas em redor eram minúsculas e insignificantes, como mosquitos. O céu, já sombrio, começara a escurecer bem depressa. Havia um restaurante indiano que eu tinha visto ali uma vez e pensei que seria bom encontrá-lo e comer lá. Quando passei antes pelo restaurante, tinha notado um cardápio que incluía peixe de Goa ao curry, e comecei a sentir muita vontade de comer aquele prato; mas acabei simplesmente me perdendo, vagando numa região de casas do governo degradadas, em que não havia parede sem pichações. Meu casaco de lã estava encharcado àquela altura. Como não havia nenhuma estação de metrô nas proximidades, voltei para a Porte de Namur e peguei um ônibus para Philippe. Fui depressa para meu apartamento e tirei o casaco encharcado, depois saí imediatamente a fim de encontrar Farouq na Casa Botelho.

Três homens estavam sentados, jogando cartas, num canto do café. Suas roupas desmazeladas, a lentidão calculada de seus movimentos e o monte de garrafas sobre a mesa criavam, de forma cumulativa, uma perfeita pintura de Cézanne. Era exata até no mínimo detalhe do espesso bigode de um dos homens, que eu podia jurar já ter visto numa tela no Museu de Arte Moderna. A sala estava movimentada, mas assim que entrei vi Farouq numa mesa mais no fundo, perto da janela. Ele ergueu a mão e sorriu. Havia um homem sentado a seu lado e, quando me aproximei, os dois levantaram. Julius, disse Farouq, gostaria de apresentar Khalil. É um de meus amigos, na verdade posso dizer que é meu melhor amigo. Khalil, este é Julius: é mais do que cliente. Apertei a mão de ambos e nos sentamos. Já estavam bebendo — os dois tinham garrafas de cerveja Chimay — e também fumavam. Atrás de Khalil, e quase invisível atrás da névoa de nicotina, havia uma placa avisando que era proibido fumar no restaurante. Era uma lei nova; tinha começado a valer poucos dias antes, com o ano novo, e ninguém, funcionários ou clientes, parecia ter o menor interesse em cumpri-la. A garçonete, com quem os dois pareciam familiarizados, veio pegar meu pedido. Ela fala inglês, disse Khalil em inglês, mas eu não. Rimos, mas era verdade: aquilo foi o máximo que ele conseguiu falar comigo em inglês fluente. Pedi uma cerveja Chimay.

Khalil, de cara redonda e conversador, me fez perguntas em francês. Perguntou de onde eu era; respondi em inglês. Ele queria saber o que eu estava fazendo em Bruxelas; dei-lhe uma versão da verdade. Este homem aqui acabou de casar, disse Farouq. Dei os parabéns e perguntei a Farouq se também era casado. Os dois riram, ele balançou a cabeça e respondeu: Não, ainda não. Khalil me disse alguma coisa que me pareceu mais ou menos o seguinte: Os Estados Unidos são um grande país que não é um grande país. Pedi que falasse um pouco mais devagar, porque meu francês era só um pouco melhor do que o inglês dele. Os Estados Unidos tinham mesmo uma esquerda?, perguntou. Khalil é marxista, entende, disse Farouq, num leve tom jocoso. Sim, respondi. Os Estados Unidos têm uma esquerda, e atuante. Khalil se mostrou sinceramente surpreso. A esquerda de lá, disse ele, deve ser mais de direita do que a direita daqui. Farouq teve de traduzir isso para mim, porque Khalil falava depressa demais para que eu compreendesse. Não exatamente, falei, as questões recebem uma ênfase distinta. Existem os democratas, que compartilham o poder político, mas existe também uma esquerda autêntica, que concordaria com você em muita coisa. Quais são as questões importantes lá?, perguntou Khalil. Em que a esquerda e a direita discordam? Quando começava a responder e enumerava as questões que dividiam, me senti um pouco embaraçado ao ver como os temas eram de mau gosto: aborto, homossexualidade, controle de armas — Khalil pareceu confuso com esta última expressão e Farouq disse *des armes*. A imigração também é

143

uma questão, falei, se bem que não da mesma forma que na Europa. Bem, disse Khalil, e quanto à Palestina? Acho que democratas e republicanos estão unidos nessa questão.

A garçonete, cujo nome era Paulina, por fim trouxe minha cerveja e erguemos nossos copos num brinde. A cerveja desceu fácil e, com ela, me senti num relaxamento novo e agradável. Falei: Não é simples. Há um forte apoio de esquerda às causas palestinas nos Estados Unidos. Muitos amigos meus em Nova York, por exemplo, acham que Israel tem feito coisas horríveis nos Territórios Ocupados. Mas em termos práticos, em termos de nosso governo, bem, o apoio a Israel é bastante sólido nos dois partidos. Acho que isso tem a ver com a religião, porque os cristãos acompanham em larga medida as ideias dos judeus no que diz respeito a Jerusalém, mas também tem a ver com o forte lobby a favor de Israel. Pelo menos é isso que as revistas de esquerda dizem. E existe ainda a noção de que compartilhamos elementos de nossa cultura e de nosso governo com Israel.

É isso que é estranho, disse Farouq. Eles dizem que Israel é democrático, mas a rigor é um Estado religioso. Funciona com base numa ideia religiosa. Traduziu isso para o francês, para Khalil entender, o qual fez que sim com a cabeça. Os dois fumavam sem parar. Um maço por dia?, perguntei. Para mim, dois maços, disse Khalil. Mas espere, isso me interessa, acrescentou ele, essa obsessão pelo comunitarianismo que há nos Estados Unidos. Perguntei a Farouq o que significava aquela palavra, se era algo semelhante à política de identidade, mas ele respondeu que não, não era isso, exatamente. Khalil começou a falar sobre comunitarianismo, sobre como aquilo dava um poder injusto aos interesses da minoria, sobre como aquilo era logicamente defeituoso. Branco é uma raça, disse ele, preto é uma raça, mas espanhol é uma língua. Cristianismo é uma religião, islã é uma religião, mas judaísmo é uma etnia. Não faz nenhum sentido. Suni é uma religião, xiita é uma religião, curdo é uma tribo, entende? Continuou nessa linha por alguns minutos e perdi a sequência de seus argumentos, mas não pedi a Farouq para traduzir. Tomei minha cerveja. Khalil ficou muito agitado com o tema. Era mais fácil fazer que sim com a cabeça de vez em quando e dar algum sinal de que eu o estava acompanhando.

Comecei a ficar com fome e, quando Paulina se aproximou de novo, pedi uma salada e costeletas grelhadas. Khalil pareceu ter tirado do peito o peso daquela história de comunitarianismo. Deixe-me perguntar uma coisa, disse ele, com malícia nos olhos. Os negros americanos — usou a expressão inglesa — são mesmo como mostram na MTV: os cantores de rap, os dançarinos de hip-hop, as mulheres? Porque é só isso que a gente vê por aqui. É assim mesmo? Bem, respondi devagar e em inglês, deixe-me responder assim: muitos americanos supõem que os muçulmanos europeus andem cobertos da cabeça aos pés, se são mulheres, ou que usam barba grande, se são homens, e que só se interessam em protestar contra aquilo que acham ser ofensas ao islã. O homem da rua — compreende a expressão? —, o americano comum provavelmente não imagina que os muçulmanos na Europa sentam em cafés e tomam cerveja, fumam cigarros Marlboro e discutem filosofia política. Da mesma forma, os negros americanos são como quaisquer outros americanos: são como qualquer pessoa. Têm os mesmos empregos, moram em casas normais, mandam os filhos para a escola. Muitos são pobres, é verdade, por razões históricas, e muitos gostam de hip-hop e dedicam a vida a isso, mas também é verdade que alguns são engenheiros, professores universitários e generais. Os dois últimos secretários de Estado eram negros.

São vítimas das mesmas representações que nós, disse Farouq. Khalil concordou. A mesma representação, falei, mas o poder é assim mesmo, quem tem o poder controla a representação. Eles fizeram que sim com a cabeça. Minha comida chegou e convidei-os a unir-se a mim. Os dois pegaram algumas batatas fritas sem protestar e pediram mais cervejas.

Por falar em representações, disse Khalil, Saddam é o menor dos ditadores do Oriente Médio. O menor. Virei-me para Farouq a fim de me certificar de que havia entendido o que ele dizia. É verdade, disse Farouq, também acho que Saddam era o mais moderado. Só foi morto porque desafiou os americanos. Mas em minha opinião devia ser admirado porque defendeu o direito de seu país contra o imperialismo. Não penso assim de maneira nenhuma, falei. O homem era um açougueiro e você sabe disso. Matou milhares. Farouq balançou a cabeça e disse: Quantos milhares a mais morreram sob os americanos agora? Saddam foi condenado por matar só cento e quarenta e oito, disse Khalil. O rei do Marrocos é pior, posso lhe garantir; Kadafi na Líbia, Mubarak no Egito, e a gente pode ir em frente, um por um, todos eles — Khalil fez um gesto largo com a mão —, toda a região está cheia de ditadores, e não só ditadores, mas ditadores terríveis. E permanecem no poder porque vendem os interesses nacionais de seus países aos americanos. Odiamos o rei do Marrocos, alguns de nós o odiamos de verdade. Esse homem, quando os comunistas estavam em ascensão na década de 1970, fazia apelos ao islamismo; mas quando os islamitas começaram a ganhar força política, ele se aliou a facções capitalistas e secularistas. Milhares de pessoas morreram sob seu governo e milhares desapareceram. O que tem isso diferente de Saddam? Mas uma coisa posso lhe dizer: eu apoio o Hamas. Acho que estão cumprindo o papel da resistência.

E o Hezbollah, falei, você também os apoia? Sim, respondeu, o Hezbollah, o Hamas. São a mesma coisa. É a resistência, é simples. Todos os israelenses têm armas em casa. Olhei para Farouq. Ele olhou para mim tranquilamente e disse: Para mim também. É resistência. E quanto a Al-Qaeda?, perguntei. Khalil disse: É verdade, foi um dia terrível, as torres gêmeas. Terrível. O que eles fizeram foi muito ruim. Mas eu compreendo por que fizeram aquilo. Este homem é um extremista, falei, está me ouvindo, Farouq? Seu amigo é um extremista. Mas eu estava fingindo uma ofensa maior do que de fato sentia. Naquele jogo, se é que se tratava de um jogo, a mim cabia o papel do americano ofendido, embora o que eu sentia fosse mais dor do que raiva. Raiva e o emprego meio sério da palavra *extremista* eram coisas mais fáceis de lidar do que com a dor. É assim que os americanos pensam a respeito dos árabes, falei para os dois. Isso me deixa triste de verdade. E você, Farouq, o que acha? Também apoia a Al-Qaeda?

Ficou calado por um momento. Pôs cerveja no copo e bebeu e, durante o que pareceram longos segundos, ficamos em silêncio. Então ele falou: Vou lhe contar uma história de nossa tradição, uma história do rei Salomão. Certa vez o rei Salomão deu um ensinamento sobre a cobra e a abelha. A cobra, disse o rei Salomão, se defende matando. Mas a abelha se defende morrendo. Você sabe que a abelha morre depois de dar a ferroada, não é? Pois então. Ela morre para defender. Portanto cada criatura tem um método adequado à sua força. Não concordo com o que a Al-Qaeda fez, usaram um método que eu não usaria, portanto não posso usar a palavra *apoio*. Mas não condeno de forma categórica. É como disse antes, Julius, e acho que você devia compreender isto: na minha opinião, a questão palestina é a questão central de nosso tempo.

O rosto de Farouq — de repente, me pareceu, mas eu já devia estar processando a questão de modo subconsciente — se esclareceu e vi uma semelhança espantosa: ele era a imagem exata de Robert De Niro, especificamente quando De Niro representou o papel do jovem Vito Corleone em *O poderoso chefão II*. As sobrancelhas retas e finas, a expressão elástica, o sorriso que parecia uma máscara de ceticismo ou de timidez, e também a beleza magra. Um famoso ator ítalo-americano de trinta anos antes e um desconhecido filósofo político marroquino do presente, mas era o mesmo rosto. Que maravilha que a vida se repetisse daquelas maneiras triviais, e foi algo que notei só porque fazia um ou dois dias que Farouq não se barbeava e havia uma sombra em seu queixo e ao redor da boca. Porém, depois que percebi, era impossível não fazer a comparação a todo instante, ou não me distrair com aquilo, um contraponto visual irrelevante a tudo o que acontecia enquanto falávamos e bebíamos.

Qual era o significado do sorriso de De Niro? Ele, De Niro, sorria, mas ninguém imaginava por que estava sorrindo. Talvez fosse por isso que, na primeira vez em que vi Farouq, fiquei surpreso. De forma subconsciente, eu havia superinterpretado seu sorriso, associei seu rosto ao rosto de outra pessoa, li o que via como um rosto para ser apreciado, mas também temido. Tinha visto seu rosto como o do jovem De Niro, como um charmoso psicopata, por aquela razão extremamente trivial. E era aquele rosto, não tão inescrutável como eu temia antes, que agora falava: Para nós, os Estados Unidos são uma versão da Al-Qaeda. A afirmação era tão genérica que podia ser sem sentido. Não tinha força e ele a fez sem convicção. Eu não precisava contestá-la e Khalil não acrescentou nada. "Os Estados Unidos são uma versão da Al-Qaeda." A frase flutuou junto com a fumaça e morreu. Poderia ter significado mais, semanas antes, quando aquele que falava ainda era uma incógnita. Agora ele tinha aberto seu jogo em excesso e senti uma guinada na discussão, uma alteração a meu favor.

E assim Farouq mudou de rumo. Quando éramos jovens, disse ele, ou melhor dizendo, quando eu era jovem, a Europa era um sonho. Não só um sonho, era o sonho: representava liberdade de pensamento. Queríamos vir para cá e exercitar nossa mente neste espaço livre. Quando eu estava cursando a graduação na faculdade em Rabat, sonhava com a Europa; todos nós sonhávamos, meus amigos e eu. Não com os Estados Unidos, país do qual já tínhamos uma impressão ruim, mas a Europa. Porém fiquei decepcionado. Só na aparência a Europa é livre. O sonho era um espectro.

É verdade, disse Khalil. A Europa não é livre. A retórica fala em liberdade, mas é só retórica. Se você fala alguma coisa sobre Israel, sua boca é logo tapada com os seis milhões. Você não está negando isso, falei rapidamente, não está de fato questionando o número, não é? A questão não é essa, disse Khalil, a questão é que é contra a lei negar isso, e o simples fato de pôr isso em discussão é contra uma lei que nem está escrita. Farouq fez que sim com a cabeça. Se tentamos falar sobre a situação palestina, ouvimos logo seis milhões. Os seis milhões: aquilo foi uma tragédia terrível, é claro, seis milhões, dois milhões, um ser humano, isso nunca é bom. Mas o que isso tem a ver com os palestinos? Será que essa é a ideia de liberdade da Europa?

Ele não tinha erguido o tom de voz, mas a veemência de suas palavras era algo palpável. Por acaso foram os palestinos que construíram os campos de concentração?, perguntou. E quanto aos armênios? A morte deles significa menos porque não são judeus? Qual é o número mágico para eles? Vou lhe dizer por que os seis milhões têm tanta importância: é porque os judeus são o povo escolhido. Esqueça os cambojanos, esqueça os negros americanos, trata-se de um sofrimento incomparável. Mas eu repudio essa ideia. Não é um sofrimento incomparável. E os vinte milhões sob Stálin? Não é melhor quando as pessoas morrem por razões ideológicas. Morte é morte, portanto, lamento, os seis milhões não são especiais. Fico sempre frustrado porque esse número, esse número sagrado que não pode ser discutido, é usado, como disse Khalil, para pôr um fim em toda discussão. Os judeus usam o número para silenciar o mundo. Na verdade, não dou a mínima para o número exato. Toda morte é sofrimento. Outros também sofreram e a questão é esta: sofrimento.

Paulina veio retirar os pratos e pedimos mais uma rodada de bebidas. Perguntei a Farouq se ele cozinhava muito em casa ou se comia fora. Nem uma coisa nem outra, respondeu. O cigarro tira meu apetite, portanto não como muito. Deu seu sorriso de De Niro e conduziu a conversa de volta ao assunto anterior. Já leu um autor chamado Norman Finkelstein? Balancei a cabeça. Dê uma olhada, se tiver oportunidade; é judeu, mas escreveu um estudo consistente sobre a indústria do Holocausto. E ele sabe do que está falando, porque os pais dele foram sobreviventes de Auschwitz. Não é antijudeu, mas é contra a obtenção de lucros e a exploração que fazem com o Holocausto. Quer que eu anote o nome dele para você? Vai lembrar, tem certeza? Está certo, leia esse autor e depois me conte o que achou.

Um telefone celular tocou; era de Khalil. Ele atendeu e falou em árabe, depressa. Quando desligou, disse que tinha de ir embora. Ele e Farouq trocaram algumas palavras em árabe, a primeira vez que faziam aquilo em minha presença. Depois que saiu, Farouq disse: É um bom sujeito, sabe? Posso até dizer que é meu melhor amigo. Na verdade é o dono da loja de telefones, aquela do outro lado da rua, e de várias outras pela cidade. Portanto é o meu patrão. Mas acha errado ser patrão ou agir como patrão. Nós somos da mesma cidade, Tétouan. Ele é muito generoso, sabe?; na verdade, agora mesmo, ele saiu e passou no balcão para pagar tudo, nossas bebidas, sua comida. Ele é assim, dá sem pensar duas vezes.

O que penso é o seguinte, disse Farouq, a Alemanha deveria ser responsável por Israel. Se alguém deve carregar o fardo, deviam ser eles, e não os palestinos. Os judeus foram para a Palestina. Por quê? Porque viviam lá há dois mil anos? Vou lhe dar um exemplo de como é isso. Eu e Khalil somos marroquinos, somos mouros. Antigamente governávamos a Espanha. Agora, o que ia acontecer se invadíssemos a península hispânica e disséssemos: Nossos antepassados governaram este lugar na Idade Média, portanto aqui é a nossa terra: Espanha, Portugal, tudo isso. Não faz nenhum sentido, não é? Mas os judeus são um caso especial. Não me entenda mal, não sou pessoalmente contra os judeus. Há uma porção de judeus no Marrocos, mesmo hoje, e são bem-vindos e fazem parte da comunidade. Seu aspecto é igual ao nosso, embora, é claro, se saiam melhor nos negócios. Às vezes acho que talvez eu devesse virar judeu também, ainda que só por motivos profissionais. Assim eu logo conseguia resolver tudo. Sou contra o sionismo e essa reivindicação religiosa do direito a uma terra onde já tem alguém morando.

Eu quis lhe dizer que, nos Estados Unidos, somos particularmente desconfiados de críticas fortes a Israel porque podem se tornar antissemitismo. Mas não disse, porque sabia que meu próprio temor do antissemitismo, como também meu temor do racismo, mediante um prolongado exercício, se haviam convertido em algo pré-racional. O que eu apresentaria a ele não seria um argumento, mas sim um pedido para que adotasse meus reflexos, ou adotasse as crenças de uma sociedade diferente daquela em que ele foi criado, ou daquela em que agora vivia. Não adiantaria nada descrever para ele os sutis matizes de significado evocados nos ouvidos americanos quando se falava "judeus" em vez de "povo judeu". Eu também queria criticá-lo por atacar um ideal religioso quando o ideal central dele era religioso, mas o encadeamento do raciocínio estava começando a parecer uma inutilidade empilhada sobre outra inutilidade; era melhor poupar meu fôlego. Assim, em troca, pedi que me falasse a respeito de sua família em Tétouan e como andava a vida por lá. Àquela hora, o café havia ficado mais calmo e os jogadores de cartas tinham ido embora. Até a chuva parecia ter amainado e parado para a noite. Alguns clientes continuavam ali, como nós, bebendo e conversando. Quando Paulina se aproximou de nossa mesa outra vez, perguntou se eu não queria mais alguma coisa, porém agradeci e disse que estava satisfeito. Farouq pediu mais uma garrafa para si.

Sou o terceiro de oito irmãos, disse ele, e meu pai era soldado. Nossa família levava uma vida modesta. Para ser franco, era uma vida bem modesta mesmo. Soldados não ganhavam muito e não tinham um status muito alto na sociedade. Um homem duro, o meu pai, e era especialmente duro comigo, porque achava que eu não era bastante viril; agora está aposentado. Mas as coisas estão ainda piores entre mim e meu irmão mais velho, que mora em Colônia e é muito religioso. Bem, minha família inteira é religiosa e, na verdade, sou o único que se desgarrou; mas meu irmão é sério demais com a religião. Tem ele, minha irmã, depois eu, nós somos os três primeiros. Meu irmão acha que estou desperdiçando meu tempo com os estudos. É um homem de negócios e é com isso que ele se importa. Não compreende por que os estudos são importantes para mim, ele não tem a menor noção de uma vida intelectual, porém é mais do que uma incompreensão. Ele é hostil. Tenho um mau relacionamento com meu pai, mas é muito pior com meu irmão. Meu irmão era casado com uma alemã, mas depois que obteve seus documentos de residência no país, divorciou-se, voltou para sua terra, arranjou uma esposa marroquina e levou-a para lá. Será que já tinha isso tudo planejado desde o início? Não sei. O homem é um hipócrita.

Sou mais chegado ao resto da família. Problemas de dinheiro me impedem de visitar o Marrocos com frequência, mas sou próximo de minha mãe. É a pessoa mais importante na minha vida e aposto que a sua mãe também é importante do mesmo jeito para você. As mães são assim. Minha mãe anda meio preocupada comigo; quer que eu me case, tudo bem, mas está mais preocupada porque ando fumando. Claro, ela nem sabe que eu bebo. Escrevo cartas compridas para meu irmão caçula, que tem vinte anos. Essa é uma utilidade de meus estudos: não digo para meus irmãos mais novos o que devem pensar, mas quero ajudá--los a aprender a pensar; quero que saibam que podem analisar suas próprias situações e chegar a suas próprias conclusões. Eu era o filho estranho, entende? Faltava às aulas para poder ir a outro lugar e ler o que eu queria, por conta própria. Assistir às aulas nunca me ensinou nada. Tudo o que há de interessante está nos livros; os livros é que me deram consciência da diversidade do mundo. É por isso que não vejo os Estados Unidos como monolíticos. Não sou como Khalil nesse aspecto. Sei que lá existem pessoas diferentes, com ideias diferentes, sei de Finkelstein, de Noam Chomsky, e o importante para mim é que o mundo se dê conta de que nós também não somos monolíticos, no que eles chamam de mundo árabe, que somos todos indivíduos. Discordamos uns dos outros. Você acabou de me ver discordando de meu melhor amigo. Somos indivíduos.

Eu acho que você e os Estados Unidos estão prontos um para o outro, falei. Enquanto conversávamos, era difícil evitar a sensação de que travávamos uma conversa antes de começar o século XX, ou na hora em que ele havia começado a percorrer seu caminho cruel. De repente estávamos de volta à era dos panfletos, da solidariedade, das viagens em navios a vapor, dos congressos mundiais e dos jovens que davam ouvidos aos lemas dos radicais. Pensei em, décadas mais tarde, Fela Kuti em Los Angeles, os indivíduos que se formaram e se tornaram mais decididos mediante seus encontros com a liberdade americana e com a injustiça americana e que, vendo o pior que os Estados Unidos eram capazes de fazer com seus povos marginalizados, viram também algo despertar dentro de si. Mesmo nesta época tão atrasada, no regime antiterror, Farouq ainda poderia extrair algum benefício por estar dentro daquele inferno.

O momento tinha um clima de entusiasmo ingênuo, mas se eu o estava convidando de fato como um hóspede, temia a logística de tal convite, caso fosse aceito. Mas ele rapidamente respondeu: Não, eu não gosto de lá. Não tenho a menor vontade de visitar os Estados Unidos e seguramente não como árabe, não agora, não com tudo o que eu teria de suportar. Sua fisionomia ganhou um toque de aversão quando falou aquilo. Eu poderia lhe dizer que tinha amigos árabes, que eles estavam bem, que seus temores eram sem fundamento. Mas seria mentira. Eu também não teria vontade de visitar os Estados Unidos se fosse um solitário muçulmano da África do Norte com ideias esquerdistas.

Há um escritor chamado Benedict Anderson, disse Farouq, que escreveu contra os... qual é mesmo o termo? *Les Lumières?* O Iluminismo?, falei. Isso mesmo, disse Farouq, o Iluminismo. Anderson falou sobre como isso entroniza a racionalidade, mas não preenche o vazio deixado pela fé religiosa. Minha opinião é que esse vazio deve ser preenchido pelo Divino, pelos ensinamentos do islã. E digo isso como algo absoluto e central, embora no momento eu não seja um bom muçulmano.

E quanto à Charia?, perguntei. Sei que a Charia trata de mais coisas além dos castigos brutais, portanto posso prever o que você vai dizer. Vai dizer que na verdade ela trata do funcionamento harmonioso de uma sociedade. Mas eu quero saber de fato o que você acha das pessoas que cortam as mãos ou que apedrejam mulheres até a morte. O Corão é um texto, disse Farouq, mas as pessoas esquecem que o islã também tem uma história. Não é estático. Existe também a comunidade, a Ummah. Nem todas as interpretações são válidas, mas me orgulha o fato de que é a religião mais mundana que existe. Ela se preocupa com a maneira como vivemos no mundo, com a vida cotidiana.

Sabe, a questão (e, de uma hora para outra, o rosto de Farouq ganhou um ar beatífico, uma expressão que até então eu não tinha visto nele), a questão é que tenho um amor muito profundo pelo Profeta. Sinceramente, amo esse homem e a vida que ele viveu. Faz pouco tempo, uma revista fez uma enquete: as pessoas votaram no homem mais influente da história. Sabe quem foi o número um? Maomé. Diga-me, por que é assim?

Mas você acha que poderia viver em Meca ou em Medina? O que acontece com os direitos individuais nesses lugares? Se você for morar nas cidades centrais da fé islâmica, o que vai acontecer com seus cigarros e com sua cerveja Chimay?

Meca e Medina são casos especiais. Sim, eu conseguiria viver na Terra Santa. Eu a veria como uma *paysage moralisé*. Há uma energia espiritual na topografia, graças a ela é possível suportar as restrições físicas. Agora estou bebendo isto — apontou para a garrafa de cerveja — e sei que é uma opção que fiz e que a consequência dessa opção é que o vinho do paraíso não me será servido. Tenho certeza de que você sabe o que Paul de Man diz a respeito de percepção e de cegueira. Sua teoria tem a ver com uma percepção que a rigor pode obscurecer outras coisas, que pode ser uma cegueira. E o inverso também, aquilo que parece cego pode abrir possibilidades. Quando eu penso na percepção que é uma forma de cegueira, penso na racionalidade, no racionalismo, que é cego para Deus e para as coisas que Deus pode oferecer aos seres humanos. Essa é a falha do Iluminismo.

E De Man, por coincidência, foi estudante em Bruxelas, na mesma universidade onde fui estudar quando cheguei do Marrocos, há sete anos. Me candidatei para fazer mestrado em Teoria Crítica, porque o departamento aqui era conhecido por causa disso. Aquele era meu sonho, desse jeito como os jovens podem ter sonhos bem precisos: eu queria ser o próximo Edward Said! E ia conseguir isso estudando literatura comparada e usando esse tema como base para uma crítica social. Tive de começar tarde, porque o processo de meus documentos para permanência no país estava em andamento e a universidade me obrigou a fazer todos os trabalhos do curso em oito meses, de janeiro de 2001 a agosto do mesmo ano. Então escrevi minha tese, que foi sobre *A poética do espaço*, de Gaston Bachelard.

O departamento recusou minha tese. Com base em quê? Plágio. Não deram nenhuma explicação. Apenas disseram que eu tinha de apresentar outra em doze meses. Fiquei arrasado. Larguei a faculdade. Plágio? A única possibilidade é que eles se recusaram a acreditar no meu domínio do inglês e da teoria, ou então, e acho que isso é mais provável, que estavam me castigando pelos acontecimentos mundiais, nos quais eu não tinha exercido nenhum papel. A banca da minha tese se reuniu no dia 20 de setembro de 2001 e, para eles, com tudo o que estava acontecendo nas manchetes dos jornais, ali estava um marroquino escrevendo sobre diferença e revelação. Foi o ano em que perdi todas as ilusões sobre a Europa. Teoricamente, a Europa devia ser a resposta perfeita para a opressão praticada pelo rei do Marrocos. Fiquei decepcionado.

Meu tolo sonho de infância era terminar meu doutorado aos vinte e cinco anos de idade. Terminei a graduação em Rabat aos vinte e um e sabia com exatidão qual era meu caminho. Bem, agora tenho vinte e nove anos. Me transferi para a universidade de Liège e estou fazendo um mestrado, em meio período, em tradução. Vou lá duas vezes por semana, às vezes três vezes por semana, mas bem lá no fundo eu sei que é um curso que não tem nada a ver comigo. Meu destino era ser um pesquisador. Talvez me candidate a um doutorado em tradução. Quero escrever sobre a Torre de Babel, como as inúmeras línguas proviéram de uma só — uma ideia religiosa, pode ser, mas posso fazer um estudo acadêmico sério sobre o assunto. Não é minha primeira opção, mas o que posso fazer? Agora a outra porta está fechada.

Os olhos de Farouq estavam brilhando. A ferida tinha sido profunda. Quantos supostos radicais, exatamente como ele, tinham sido formados sob o efeito de uma ofensa parecida? Estava na hora de sairmos do restaurante. Ele me havia levado para perto demais de sua dor e eu não o via mais. Em seu lugar, o que eu via era o jovem Vito Corleone, que se movia às escondidas pelos telhados de Little Italy, a caminho da casa do chefão local prestes a ser destronado; aquele Vito cuja determinação o levaria muito além do que ele podia imaginar ou desejar, cujo futuro pareceria totalmente desproporcional para aquele jovem pequenino que deslizava agilmente de um telhado para outro, com uma única ação assassina em mente e mais nada.

Farouq esvaziou seu copo. Havia algo poderoso nele, uma inteligência em ebulição, algo que desejava acreditar-se indomável. Mas ele era um dos frustrados. Seu roteiro se manteria na mesma medida.

10.

Eu estava atravessando Lagos com minha irmã. Estávamos correndo uma maratona e tínhamos de empurrar para fora de nosso caminho vagabundos e cachorros sem dono. Mas não tenho irmã; sou filho único. Quando acordei, de repente, a escuridão era total. Meus olhos tentaram se adaptar. No calor da cama, o barulho do trânsito chegou aos meus ouvidos. Como sempre acontece quando alguém acorda desse jeito, é impossível dizer que horas são. Porém um terror mais profundo imediatamente tomou conta de mim: eu não conseguia lembrar onde estava. Uma cama quente, escuridão, o barulho do trânsito. Que país é este? Que casa é esta e com quem estou? Estiquei a mão para o lado: não havia ninguém na cama. Será que eu estava sozinho porque não tinha nenhuma parceira ou porque minha parceira estava fora de casa? Flutuei no escuro, anônimo para mim mesmo, perdido na sensação de que o mundo existia, mas eu já não fazia parte dele.

A primeira pergunta que encontrou resposta foi a respeito da parceira: eu não tinha parceira nenhuma, estava sozinho. O dado chegou e me tranquilizou na mesma hora. A aflição era não saber. Veio a outra informação: eu estava em Bruxelas, Bélgica, num apartamento alugado, o apartamento ficava no térreo do prédio e o barulho lá fora era dos caminhões de lixo. Os caminhões passavam na sexta-feira, antes do raiar do dia. Eu era uma pessoa, não um corpo sem um ser. Lentamente, vindo de longe, eu havia retornado para mim mesmo. O esforço de reunir os elementos para formar esse lastro para minha identidade, um lastro trivial, à primeira vista, sem o qual meu coração poderia se extinguir, me deixou esgotado. Tombei de novo num sono sem sonhos e os caminhões continuaram a fazer barulho lá fora. Quando acordei outra vez, era quase meio-dia. A luz natural que enchia o quarto estava diluída pela chuva. Era o sétimo dia de chuva, que irritava, gotejava, caía sem nenhuma grandiosidade bíblica. Mas sua longevidade me fazia lembrar a única outra chuva que eu conseguia lembrar que tinha durado vários dias. Deve ter havido outras, mas só aquele incidente solitário sobressaía na memória: eu tinha nove anos na época, portanto foi um ano antes de ser mandado para o colégio interno.

Aquele dia havia começado com o tempo claro, quente, como qualquer outro dia na interminável sequência de dias quentes que é normal para nós em todos os meses do ano. Eu tinha chegado em casa às duas horas, vindo da escola, havia almoçado e tirado um cochilo, o que era raro comigo. Quando acordei, minha mãe tinha saído. Fora ao mercado, ou ao banco. Meu pai só ia voltar do trabalho dali a algumas horas e só minha avó, a mãe de meu pai, estava em casa. O quarto dela ficava nos fundos da casa, no térreo, onde ficava o escritório. Fui vê-la, mas estava dormindo. A casa estava sem luz, se não fosse assim eu poderia ver televisão. Não tinha permissão de fazer aquilo nos dias de aula e as únicas coisas de interesse nos fins de semana eram os programas de resenha esportiva. Futebol inglês nas noites de sábado e a liga italiana nos domingos. E assim a regra da televisão era uma das que eu violava de vez em quando, caso minha mãe estivesse fora de casa, na tarde de um dia de semana. Vovó não ouvia bem. Se ela estava no térreo, eu podia muito bem dizer que ia subir para fazer meu dever de casa e ficar vendo televisão durante duas horas, até a buzina do carro de minha mãe tocar no portão. Sem luz, a televisão estava fora de questão e eu me vi perdido. Voltei para o térreo da casa, fui à cozinha e abri a geladeira. O motor não fazia barulho nenhum e a luz interna não acendeu. As garrafas ali dentro estavam começando a suar: a água fervida que bebíamos, o *ogi* fermentado do café da manhã, a coca-cola e os refrigerantes estavam lá, para o caso de recebermos visitas.

Os refrigerantes eram para festas e acontecimentos especiais. Quando outras famílias vinham nos visitar com suas crianças, servíamos refrigerantes, e as crianças sempre brigavam para decidir quem ia tomar fanta — a mais desejada — ou 7-up ou, na base da hierarquia, coca-cola. Era um ranking absurdo. Algumas crianças acreditavam que a coca-cola ia deixá-las mais pretas. As crianças menores choravam se tivessem tomado toda a fanta que havia e só restasse para elas a coca-cola. Na condição de mestiço, eu não tinha a menor noção do que significaria ser mais escuro; era a menor das minhas preocupações. E na condição de filho único, eu havia formado meus gostos de maneira simples, com base naquilo que me atraía. Gostava de coca porque nada tinha aquele sabor. A efervescência das outras bebidas nunca se mostrava tão convincente e a fanta era enjoativa de tão doce. Mas em nossa casa, como acontece com todas as coisas boas da infância, a coca-cola era uma substância controlada. Para mim, era tão difícil pegar uma garrafa de coca na geladeira quanto abrir o armário de uísque de meu pai. E assim me veio a tentação naquele dia quente: eu queria tomar coca-cola. Não bati os pés no chão, não cerrei os punhos: não havia ninguém presente para testemunhar minha manifestação insolente. Vovó estava dormindo e, em todo caso, ela não tinha autoridade na questão da coca. Movi a porta da geladeira para trás e para a frente.

Só minha mãe podia me dar permissão. Eu podia esperar que ela voltasse, mas meu desejo nada tinha de racional; seria o mesmo que lhe pedir permissão para pôr minhas roupas sujas na pilha de roupas que iam para a lavanderia, em vez de lavá-las eu mesmo. Minha mãe olharia para mim, perplexa, e me diria que eu já não era criança e que eu devia pensar em como eu era felizardo em comparação com outras crianças. Na hora em que perguntasse, eu ficaria constrangido com a natureza infantil de meu pedido; a fingida surpresa dela seria insuportável para um menino orgulhoso como eu. Mas aquelas regras eram todas de meu pai. Ele tinha ideias claras sobre como uma criança acabava ficando mimada. A fiscalização do cumprimento das regras, porém, cabia a minha mãe e, se as regras me aborreciam — o que só raramente acontecia, pois elas eram a única ideia que eu tinha de infância —, se em raras ocasiões as regras porventura me aborreciam, era por culpa de minha mãe, e eu nunca levava em conta a participação de meu pai no assunto. Desse modo, criei em minha mente um tipo de inocência para ele. No entanto, aos poucos, o sonho de escapar das regras dos pais se cristalizou em minha mente como um ideal da vida adulta. Não havia nenhum ponto de partida para a rebelião, mas eu podia escolher um ponto de modo arbitrário: um adulto era alguém que, acima de tudo, podia tomar coca à vontade. E assim fechei a porta da geladeira e abri de novo. Apanhei uma das garrafas pegajosas e coloquei sobre a pia com um barulho intencionalmente alto (o quarto da vovó ficava bem ao lado).

Coloquei a coca de novo na geladeira e fui para fora da casa. Estava mais escuro e mais frio e as nuvens começavam a se mexer. Jurei que nunca ia esquecer a força do que eu estava sentindo naquele momento. Prometi a mim mesmo, com toda a solenidade, eletrificada pela vergonha de fazer um juramento, que assim que eu ficasse adulto iria beber coca impunemente. Em minha imaginação, o ato de beber ocorreria em nossa cozinha: eu via uma versão aumentada de mim mesmo andando descontraído até a geladeira e abrindo a porta. Aquela personificação adulta de mim mesmo para pra pensar naquilo que deseja beber, e ela quer uma coca, sempre. Pega a garrafa, tira a tampinha com um abridor de garrafa e serve o conteúdo efervescente num copo cheio de gelo. Esse eu mais velho, esse adulto, faz isso uma vez por dia. Todo santo dia: a ideia de uma tal constância quase me deixou louco de entusiasmo. Meu coração disparou em face do pensamento de tamanha vingança e eu desejava dar cabo da minha infância já, de uma vez por todas. Porém eu não podia violar as regras. Andei para os fundos da casa.

Retirei a chapa de aço que cobria a boca do poço e espiei lá dentro. Eram mais de vinte e sete metros até a superfície da água. Será que os espíritos ainda estavam lá? Os cavadores de poço tinham dado para eles bebidas alcoólicas, que meu pai pagou. Será que os espíritos tinham sido apenas aplacados ou foram banidos de uma vez por todas? A superfície da água ficava bem no fundo, longe demais para ser visível. Eu olhava com força, mas não enxergava nada, por isso peguei uma pedra, segurei-a bem no centro e deixei cair. Bateu no lado do poço com um barulho surdo e depois rebateu com um som de água espirrada. Pensei que talvez devesse ir para o primeiro andar e fazer minhas compridas contas de dividir. Peguei uma pedra maior e joguei com força. Ela ricocheteou algumas vezes até que a água invisível a engoliu com um barulho forte. Tirei minhas sandálias de borracha e sentei na beirada do poço, primeiro com os pés para o lado de fora, depois, um de cada vez, com os pés para dentro, assim as duas pernas ficaram penduradas, balançando no escuro. Senti o frio e o perigo; mas e se um espírito do lado de fora me castigasse? O poço ficava perto da cerca. Uma coisa que eu tinha visto na televisão pouco tempo antes me havia convencido de que os espíritos se reuniam nos cantos da cerca, e assim aqueles quatro cantos eram a única parte do condomínio que eu temia. Com todo cuidado, trouxe as duas pernas de volta para um lugar seguro, recoloquei a chapa de aço no lugar, tampando o poço, e fui para dentro da casa.

No primeiro andar, as compridas contas de dividir pareciam fora de questão. Enfiei a mão curioso dentro do calção. Tirei o calção e a cueca e tirei também a camiseta. Deitei de costas e me acariciei, mas não tinha imaginação nenhuma, não tinha a menor ideia do que ia fazer. Meus órgãos genitais jaziam molengas na palma da mão. De repente lembrei que tinha olhado uma revista, um dia, anos antes, quando eu tinha seis ou sete anos, talvez. A excitação tremenda me deixou sufocado, assim como a noção de que a revista ainda podia estar em algum lugar da casa. Vesti-me de novo às pressas e desci para o escritório, comecei a procurar com afobação, mas sem fazer barulho, nas pilhas de revistas velhas. Devia ser alguma coisa que um tio extravagante tinha deixado ali, uma revista de papel lustroso (minha memória não poderia ter inventado esses detalhes), e o que ela mostrava era o que eu agora precisava desesperadamente ver outra vez. Revirei com muito cuidado os papéis que havia no escritório, as velhas pastas com folhas impressas, gráficos de engenharia dos anos que meu pai estudou na faculdade, os relatórios anuais das empresas nigerianas de que meus pais tinham comprado ações na Bolsa. Fiquei ali quase uma hora. Folheei um livro de bolso empoeirado com o título *Linguagem corporal*, um livro de psicologia popular da década de 1970, mas nele não havia nada daquilo que me interessava. Vasculhei todas as pastas de papelão nas prateleiras de baixo das estantes, depois desisti e voltei para o primeiro andar. Aí a ideia me voltou de novo, pressionada por um desejo quase exterior a mim, e olhei embaixo dos colchões, o meu, o de meu pai e o de minha mãe. Não achei nada; arrumei as camas de novo. O esforço me deixou ofegante e agitado.

Desci para a cozinha, peguei uma garrafa de coca e fui para fora da casa, de novo para os fundos. O céu parecia ter clareado outra vez. Sentei na chapa de aço que tampava o poço, abri a garrafa com os dentes e sorvi o conteúdo tão depressa que a garganta chegou a arder. Enxuguei a boca, levei a garrafa para a despensa, peguei uma garrafa de coca quente e pus na geladeira. Era um anoitecer de dia de semana e meu dever de casa não estava pronto, portanto me dediquei a essa questão e, enquanto fazia meu dever no primeiro andar, ouvia a vovó se movimentando no térreo. Foi aí que começou a chover e, não muito tempo depois, ouvi a buzina do carro. Corri para baixo a fim de abrir o portão. A chuva caía torrencial e eu estava quase ensopado quando abri o cadeado e fiz girar para trás as grandes portas de metal. O carro entrou, trazendo minha mãe, a fiscalizadora das regras contra a qual, sem nenhuma palavra, eu dirigi toda a raiva daquela tarde. Perdi certo tempo fechando o portão. Inclinei a cabeça para trás e a chuva diluiu a doçura pegajosa que ainda perdurava em minha boca. Depois corri ao encontro de minha mãe para levar para dentro as sacolas de comida que ela havia trazido. Eu teria preferido ficar na chuva, beber as gotas e ficar brincando na chuva. Mas entrei e troquei as roupas molhadas. A luz não tinha voltado, mas acabou voltando em algum momento, antes de meu pai e seu motorista retornarem para casa, às oito horas.

A partir daquele começo repentino, a chuva prosseguiu pela noite e durante o dia seguinte, e no outro também. A chuva causava confusão e alarme com sua constância e sua intensidade. Nós conhecíamos a chuva, mas nunca tínhamos visto nada assim. Até a pista de concreto da entrada para os carros parecia estar amolecendo. Nossas calhas largas drenavam a água para fora, mas lá nas ruas a vida era uma desordem lamacenta. Muitos carros quebravam nas ruas inundadas e a viagem diária para a escola e para casa levava o dobro do tempo. Fiquei mais mal-humorado. Não contei para ninguém qual era o problema e ninguém perguntou. O poço, que não visitei mais, devia estar com o nível da água drasticamente mais elevado, e os reflexos deviam ter ficado visíveis na água preta. Seria estranho pensar — eu não pensava assim na ocasião, mas agora me ocorreu — que aquela inundação não ocorria no mundo inteiro. Parecia não ter fronteiras e estava destinada a durar três dias completos, antes de afinal se extinguir.

A chuva em Bruxelas não era nem de longe tão pesada, embora a previsão do tempo dissesse que ia virar uma tempestade de grandes proporções no fim de semana. Em meu pensamento, ela se tornara uma espécie de eco remoto e persistente daquela chuva da infância distante. Mas a história associada àquela chuva da infância já estava encerrada e não tinha a menor importância no presente. Uma parte daquilo — o desejo exacerbado, o juramento — era boa para uma brincadeira particular, uma lembrança que, ao passar de lampejo pela minha mente, me divertia. Eu não conseguia mais suportar coca-cola, nem o seu sabor, nem a companhia gananciosa que a produzia ou os gritos ubíquos de sua publicidade. Por muitos anos, fui tentado a superinterpretar os outros eventos daquele dia, mas o que aconteceu depois, entre mim e minha mãe, se deveu tanto a qualquer outro dia de minha juventude quanto àquele dia em que a chuva começou.

Quando olhei para fora de meu apartamento, para o outro lado da rua, vi uma lâmpada quebrada e um jornal jogado numa poça de chuva. A calçada pulsava com as gotas que caíam e, na parede, alguém tinha pichado a palavra ZOFIA e, em letras menores, JE T'AIME.

11.

Cheguei cedo demais a Aux Quatre Vents, onde eu ia jantar com a dra. Maillotte. Depois de sete dias, o céu estava piorando e fiquei parado embaixo do toldo do restaurante, tentando consertar a mola da ponta de meu guarda-chuva. Do outro lado da rua, ficava a elevada fachada oeste da Notre Dame de la Chapelle. O vento torturava tudo por onde passava, derrubava latas de lixo, sacudia as folhas das árvores, empurrava os pedestres a ponto de desviá-los de seu caminho, mas nada conseguia com a catedral propriamente dita. A massa de pedras era chicoteada pela chuva, e só isso. Como a dra. Maillotte ia demorar mais meia hora, atravessei a rua na direção da igreja.

As portas estavam abertas e a primeira impressão ao entrar foi de um silêncio total. Mas logo depois meus ouvidos se adaptaram ao silêncio do espaço e pude ouvir o órgão, tocado com suavidade. Olhei para o fundo da nave, mas não havia ninguém visível. Andei pela nave lateral do lado sul da catedral, embaixo dos arcobotantes frios e ascendentes. Não se ouvia nada da chuva lá fora e, enquanto eu me aproximava da frente da igreja, a música se tornou mais clara. Em geral, naquelas igrejas, havia uma ou duas pessoas encarregadas de cuidar do prédio, e de vez em quando também um bando de turistas. Portanto fiquei surpreso ao ver-me completamente sozinho em tamanha caverna, exceto pelo organista invisível; era um lugar desolador, mesmo para uma tarde chuvosa de sexta-feira. Então me dei conta de uma dissonância no som do órgão. Havia algumas claras notas fugitivas que atravessavam a textura da música, como feixes de luz refratados através de um vidro quebrado. Eu tinha certeza de que era uma peça barroca, não era uma composição que eu já tivesse ouvido, mas tinha toda a ornamentação típica daquele período, e no entanto havia adquirido o espírito de alguma outra coisa — o que me veio à mente foi "O God Abufe", de Peter Maxwell Davies —, uma sensação de fratura, dispersão. Tocava num volume tão baixo que, embora eu ouvisse o semitom nitidamente perturbador de um trítono repetido na música, a melodia em si era difícil de apreender.

Então vi que não havia nenhum organista tocando. A música era gravada e tocada em pequeninos alto-falantes presos nos colossais pilares que ficavam no ponto onde os corredores da igreja formavam uma cruz. Aí vi também a fonte da fratura no som: um pequeno aspirador de pó amarelo. O zunido agudo do aparelho havia se erguido e se misturado com a música de órgão gravada para criar o *diabolus in musica*. A mulher que estava fazendo a limpeza não levantou o olhar de seu trabalho. Usava um lenço verde e brilhante no pescoço e um casaco que chegava ao chão. Andava entre as cadeirinhas de madeira da nave lateral do lado norte, avançando rumo ao altar. A mulher prosseguia seu trabalho, inteiramente absorvida, e a peça de órgão se entremeava no zunido ondulante e isolado do aspirador de pó.

Algumas semanas antes, eu teria imaginado que a mulher era congolesa. Eu tinha chegado a Bruxelas com a ideia de que todos os africanos na cidade vinham do Congo. Eu conhecia a relação colonial, tinha uma noção básica da história do Estado escravo no Congo, e aquilo havia afastado qualquer outra ideia de minha mente. Mas aí, certa noite, fui a um restaurante e boate na rue du Trône, um lugar chamado Le Panais. Passei a noite sozinho na minha mesa, bebendo e vendo os jovens congoleses, muito bem-vestidos, chiques, flertando uns com os outros. As mulheres usavam penteados afros ou apliques de cabelo, e muitos homens vestiam camisa de manga comprida enfiada para dentro da cintura da calça jeans e pareciam particularmente africanos, como se fossem recém-chegados. A música era o hip-hop americano e a idade média era vinte e cinco ou trinta anos. Era uma cena como a que se veria em qualquer cidade da África ou do Ocidente: uma noite de sexta-feira, pessoas jovens, música, bebidas. Depois de quase três horas, paguei pelas bebidas e estava prestes a sair, quando o garçom veio conversar comigo. Perguntou de onde eu era e tivemos uma conversa breve; ele era meio maliano e meio ruandês. Mas e quanto à multidão, eu quis saber, eram todos congoleses? Ele balançou a cabeça. Todo mundo aqui é de Ruanda.

A descoberta de que na verdade eu estava com cinquenta ou sessenta ruandeses mudou o caráter da noite para mim. Era como se o espaço tivesse de repente ficado pesado, com todas as histórias que aquelas pessoas carregavam consigo. Que perdas, imaginei, existiam atrás de seus risos e de seus flertes? A maior parte daquelas pessoas devia ser adolescente durante o genocídio. Entre os presentes, perguntei a mim mesmo, quem será que matou ou testemunhou mortes? Os rostos tranquilos seguramente mascaravam alguma dor que eu não conseguia enxergar. Quem entre eles havia procurado a salvação na religião? Na mesma hora mudei de ideia quanto a ir embora e, em vez disso, pedi mais uma bebida. Observei os casais, observei os grupos de quatro e de cinco, observei os homens jovens que ficavam em trios, que estavam obviamente concentrados nos corpos em movimento das lindas jovens. A inocência em exposição era inescrutável e nada tinha de excepcional. Eram exatamente iguais a outros jovens em qualquer parte. E senti um pouco daquela constrição mental — às vezes imperceptível, mas sempre presente — que ocorria toda vez que eu era apresentado a homens jovens da Sérvia ou da Croácia, de Serra Leoa ou da Libéria. Aquela dúvida que dizia, esses também podem ter matado muitas vezes e só mais tarde aprenderam como aparentar inocência. Quando afinal saí do Le Panais, era tarde e as ruas estavam em silêncio, e percorri a pé os cinco quilômetros e meio até minha casa.

Agora, olhando para a mulher na igreja, enquanto ela recolhia sem pressa o tubo retrátil do aspirador de pó, pensei que também ela podia estar ali na Bélgica como um ato de esquecimento. Sua presença na igreja podia representar duplamente um meio de fuga: um refúgio das exigências da vida familiar e um esconderijo daquilo que talvez tivesse visto em Camarões ou no Congo, ou talvez até em Ruanda. E talvez sua fuga não fosse de nada que ela mesma tivesse feito, mas daquilo que tinha visto. Era só especulação. Eu nunca ia descobrir, pois ela era a senhora absoluta de seus segredos, como acontecia com as mulheres que Vermeer havia pintado sob aquela mesma luz cinzenta, de terras baixas; a exemplo delas, o silêncio da mulher parecia absoluto. Dei a volta pelo coro e, quando passei por ela na nave lateral norte, limitei-me a cumprimentá-la com um movimento de cabeça, antes de sair de novo. Mas perto da entrada, de repente, apareceu outra pessoa. Levei um susto. Não tinha visto aquela pessoa andando atrás de mim: um homem de meia-idade, de barba grande. Um vigário ou sacristão, imaginei. Ele me ignorou e seguiu seu caminho pela nave lateral sul, com passos que não faziam ruído.

* * *

Na entrada do restaurante, estava passando o noticiário na televisão, com o volume baixo. Na tela, havia uma tomada aérea de águas revoltas, com uma legenda que identificava o local como *La Manche*, o Canal da Mancha. Só consegui entender que um navio cargueiro, um porta-contêineres, havia sofrido avarias durante uma tempestade e todos os vinte e seis tripulantes tinham abandonado o navio em balsas de salvamento. O navio, retangular e de cor laranja, parecia um brinquedo, adernando perigosamente no mar agitado, e em redor de sua forma inundada pequeninas balsas de cor laranja sacudiam sobre a água. A câmera cortou para uma previsão do tempo, que disse que a tempestade estava se espalhando pela Europa e se deslocando rapidamente para leste. Já havia sérios problemas na Alemanha: uma ponte desabou, fileiras de árvores tombadas e carros esmagados. Então alguém tocou no meu braço. Era a dra. Maillotte. Deu um beijo no meu rosto e disse: Nunca foi tão ruim como agora, este é o inverno mais estranho que vi em muitos anos; venha, vamos comer alguma coisa. E em seguida acrescentou: Espere, esqueci, você prefere falar inglês, não é? Está certo, vou lembrar, vamos conversar em inglês.

Sentamos perto de uma janela grande que chegava ao chão, por trás da qual a chuva caía como um lençol. Ela disse que acabara de ter uma reunião a respeito de uma fundação com a qual estava envolvida. Detesto reuniões, disse ela, algumas coisas são muito mais fáceis se uma pessoa toma as decisões sozinha. Era fácil imaginar qual era seu estilo numa sala de cirurgia ou numa reunião executiva. Partiu um pão, mastigou depressa, enquanto examinava o cardápio, e disse, quase ao acaso: Nós conversamos sobre jazz no avião? Acho que foi isso, não foi? Vou lhe falar sobre Cannonball Adderley. Ele foi meu paciente.

Suas mãos de veias finas rompiam o pão com perícia. Parecia muito mais velha do que quando nos conhecemos, pensei. Na verdade, prosseguiu ela, foi o irmão dele, Nat Adderley, que foi meu paciente na Filadélfia. Tive de retirar alguns cálculos da vesícula dele e foi por intermédio de Nat que conheci Cannonball, e depois o próprio Cannonball se tornou meu paciente. Tinha pressão alta, entende? De todo modo, por causa dos irmãos Adderley, nós — meu marido e eu — conhecemos muitos jazzistas notáveis dos anos 60. Chet Baker.

O garçom, um homem igualzinho ao Obelix, veio pegar nossos pedidos: *waterzooi* para ela, carne de vitela para mim. Ela perguntou se eu gostava de vinho, respondi que sim, e ela pediu uma jarra de Beaujolais. Philly Joe Jones, o baterista, e Bill Evans também. Conhece Art Blakey? Cannonball gostava de apresentar as pessoas umas para as outras e assim conhecemos uma porção de gente por intermédio dele. Assistimos a tantos concertos que nem dá para contar. Já foram menos depois que Cannonball morreu, em meados da década de 1970. Teve um ataque do coração e, a exemplo dos outros, era incrivelmente jovem. Quarenta e dois ou quarenta e seis anos, alguma coisa assim.

Eu me sentia feliz de estar ali e gostava da maneira como ela puxava os assuntos como quem tira um coelho da cartola. Os nomes dos artistas de jazz que a dra. Maillotte agora enumerava não significavam nada para mim, mas eu percebia que ela havia obtido algo de extrema importância por ter participado daquele meio, ou melhor, por ter ido parar ali por acaso.

Eu me dei conta de como é efêmero o sentimento de felicidade e como é frágil seu fundamento: um restaurante aquecido depois de sair da chuva, o cheiro de comida e de vinho, conversa interessante, a luz do dia que cai suave sobre a madeira de cerejeira das mesas. Para mudar o estado de ânimo de um nível para outro era preciso tão pouco quanto é preciso para um jogador de xadrez mover as peças sobre o tabuleiro. Apenas estar consciente disso, no meio de um momento de felicidade, era o mesmo que mover uma daquelas peças no tabuleiro e tornar-se ligeiramente menos feliz. E o seu marido, perguntei, ele não vem a Bruxelas tanto quanto você? Não, respondeu, ele é muito mais feliz nos Estados Unidos. Acho que aos poucos ele perdeu sua ligação com a Bélgica. Para mim, são meus amigos que me fazem voltar para cá. E também o fato de que não consigo suportar a moralidade pública americana. E você, vai muito para a Nigéria? Não, respondi. Minha última visita foi há dois anos, e depois de um intervalo de quinze anos; e ainda assim foi uma visita breve. Estar ocupado durante tantos anos pesou bastante nisso, além de eu ter perdido a ligação, como você disse. E, além disso, meu pai morreu pouco antes de eu sair de lá, e não tenho irmãos.

Nossa comida chegou. Portanto imagino que o inglês seja apenas sua segunda língua, disse ela. Qual é a primeira? Por um segundo pensei que devia dizer que o alemão, e não o inglês, era minha primeira língua, a língua particular entre mim e minha mãe, até os cinco anos de idade, a língua que mais tarde esqueci completamente. Porém, ainda agora, ouvir uma criança gritar numa loja de departamentos *Mutter, wo bist du?* ainda me parte o coração; devia ser o tipo de coisa que eu mesmo falava naquele tempo. O inglês só veio mais tarde, na escola. Mas eu não queria entrar nos meandros da história, por isso lhe disse que o iorubá era minha primeira língua. É a segunda das principais línguas nativas da Nigéria, falei. Eu só falava iorubá até começar a escola primária.

Você ainda é fluente no idioma? Sim, respondi, consigo me virar, se bem que agora meu inglês é muito mais forte. Mas quero lhe perguntar uma coisa, falei. A senhora está longe de seu país há muito tempo, portanto não é de maneira nenhuma uma belga típica, mas eu queria saber como interpreta algo que um amigo meu disse há poucos dias. Ele descreveu a Bélgica como um lugar difícil para um árabe viver. O problema específico de meu amigo diz respeito a ficar aqui e preservar sua singularidade, sua diferença. A senhora acha que isso é verdade? Não sei se a senhora se lembra, mas no avião descreveu a Bélgica como indiferente à cor das pessoas. Mas não parece ter sido essa a experiência de Farouq — é o nome do meu amigo — nos sete anos que viveu aqui. Acho que ele teve até sua tese de mestrado rejeitada na universidade, supostamente porque escreveu sobre um tema que deixou a banca incomodada.

Ela não havia sequer tocado no *waterzooi*. Continuou a mastigar o pão e falou com ar de isenção, em resposta à minha pergunta. Veja, eu conheço esse tipo de gente, disse ela, esses jovens que andam por aí como se o mundo fosse uma ofensa contra eles. É perigoso. As pessoas terem a sensação de que só elas sofreram, isso é uma coisa muito perigosa. Ter tal grau de ressentimento é receita para encrenca. Nossa sociedade se abriu para tais pessoas, mas quando elas entram, tudo o que fazem é reclamar. Por que uma pessoa vai querer morar em outro lugar só para mostrar como é diferente? E por que uma sociedade assim vai querer dar as boas-vindas a essa pessoa? Mas quando você tiver vivido tanto tempo quanto eu vivi, vai ver que existe uma variedade infinita de dificuldades no mundo. É difícil para todos. Fiz que sim com a cabeça. Mas seria diferente, falei, se ao menos a senhora o ouvisse falar. Ele não é uma pessoa queixosa e não creio que esteja cheio de ressentimento, não acredito mesmo. Acho que a dor é autêntica. Bem, eu tenho certeza de que é, disse ela, mas se você for leal demais ao seu próprio sofrimento, acaba esquecendo que os outros também sofrem. Existe uma razão, disse ela. Tive de deixar a Bélgica e tentar a vida em outro país. Não me queixo e, para ser franca, tenho pouca paciência com pessoas que vivem reclamando. Você não é assim, é?

Eu estava comendo e meus pensamentos se desviaram para o filho dela, o que havia morrido. Queria ouvi-la falar sobre ele e sobre a fundação que fora criada com o nome dele, mas não me atrevi a perguntar. Por fim, ela pôs a colher no prato cremoso à sua frente. O restaurante estava quase vazio; era uma hora do dia incomum para comer, muito tarde para almoçar e algumas horas antes de pensar em jantar. E então, disse ela, quanto tempo vai ficar aqui? Vou embora amanhã de manhã, respondi. Ela disse que ainda ia ficar mais algumas semanas, que estava planejando comprar um carro esporte pequenino, uma antiguidade. Algo para ela usar nos períodos cada vez mais longos que pretendia passar na Bélgica; e depois voltou a falar sobre jazz. Nossa tarde passou de maneira sossegada. Eu torcia para que ela não tentasse pagar a refeição, e não tentou. Ela disse: Você deve me telefonar, se algum dia for à Filadélfia. Temos uma casa perto do bosque, no subúrbio, que é uma maravilha no verão, e melhor ainda no outono. De novo, enquanto ela falava, tive a sensação de uma onda de bem-estar dentro de mim, uma sensação que, mesmo então, eu não consegui harmonizar com seu repúdio à história de Farouq. E não deixe de comprar *Something else*, de Cannonball, disse ela. É o melhor disco dele, um verdadeiro clássico. Prometi que ia comprar.

Enquanto caminhava pela Place de la Chapelle e subia a Sablon rumo aos museus, imaginava se não ia topar com a mulher tcheca, embora soubesse ser improvável que ela continuasse na cidade. A chuva tinha amainado um pouco, mas o vento se levantou de repente e virou meu guarda-chuva pelo avesso. Uma das hastes estalou e tirou do lugar a mola que eu havia tentado consertar mais cedo, deixando apenas metade do guarda-chuva em condições de uso. E, embora eu estivesse resolvido a sair da chuva e chegar logo em casa, fui tolhido por um pequeno monumento instalado num jardim ao lado da rue de la Régence, onde ela cruzava com a rue Bodenbroek. Eu tinha visto o monumento antes, com o tempo melhor, mas nunca havia parado para olhar com cuidado. Era um busto de bronze do poeta Paul Claudel, fixado sobre um pedestal, na beira da rua, como se fosse um santuário de Hermes.

Claudel foi embaixador francês na Bélgica na década de 1930, e mais tarde ganhou fama como autor de peças teatrais católicas e como direitista. Seu apoio aos colaboracionistas e ao marechal Pétain durante a guerra lhe renderam muito desprezo, mas o próprio W. H. Auden, um esquerdista agnóstico, falava sobre ele com simpatia. Auden escreveu: "O tempo perdoará Paul Claudel, o tempo o perdoará por escrever bem". E parado debaixo das rajadas de chuva e de vento, me perguntei se de fato seria assim tão simples, se o tempo era tão livre com a memória, tão generoso com os perdões, se escrever bem podia tomar o lugar de uma vida ética. Mas Claudel, tive de recordar a mim mesmo, estava longe de ser a única figura problemática entre as centenas de estátuas e monumentos na cidade. Era uma cidade de monumentos, e a grandeza estava consolidada em pedra e em metal por toda Bruxelas, réplicas empedernidas a perguntas incômodas. Em todo caso, estava na hora de ir para casa, deixar Claudel com sua cabeça de bronze molhada, deixar, no museu ao lado, o Bruegel de Auden com seu Ícaro cadente, e a inesquecível pintura de um artista anônimo que representa uma jovem com um pardal morto.

Fiquei esperando no ponto de ônibus na frente da requintada fachada de ferro do Musée des Instruments de Musique, e o ônibus, quando chegou, estava quase lotado. Dentro, estava quente e úmido e todo mundo tinha dificuldade para respirar. Atravessamos a cidade naquele ambiente embaçado, enxergando com dificuldade as ruas lá fora, onde o vento corria. Desci em Flagey. Meu guarda-chuva era inútil nessa altura e joguei-o fora.

Quando cheguei à rue Philippe, me vi andando atrás de uma mulher que empurrava um carrinho de bebê. Estávamos andando em fila indiana entre os prédios e algumas barreiras temporárias, tapumes de plástico duro firmados sobre blocos de concretos, postos ali para cercar alguma obra em andamento. Uma repentina rajada de vento levantou os tapumes, que estavam todos amarrados uns aos outros, e os derrubou na nossa direção. Na mesma hora pulei para a frente e escorei sua queda com as mãos e com o corpo. Cambaleei, mas não perdi o equilíbrio. A mulher, que era jovem e com aspecto mediterrâneo, em jeans muito apertados, conseguiu desviar o carrinho de bebê para longe do perigo. Não vi a criança, nem de relance, enrolada e protegida da chuva por um plástico transparente. A jovem mãe me agradeceu várias vezes, ofegante. Parecia aturdida com a rapidez com que tudo havia ocorrido. Rejeitei os agradecimentos, orgulhoso.

O vento persistiu em sua fúria uivante. A ruazinha em que estávamos, ou tínhamos estado, fora um riacho cem anos antes, e não uma rua. Tinha sido coberta por urbanistas, e as casas de beira-rio de repente se viram de frente para o trânsito. Mas a água continuava a correr por baixo, em toda a extensão da rua, e aquela água agora estava voltando, em forma de chuva, águas pesadas por cima e água corrente por baixo.

Ao salvar instintivamente o bebê, uma pequena felicidade; ao passar um tempo com os ruandeses, os que sobreviveram, uma pequena tristeza; a ideia de nosso anonimato final, um pouco mais de tristeza; o desejo sexual satisfeito sem complicação, um pouco mais de felicidade; e a lista prosseguia desse modo, assim como um pensamento sucede o outro. Como me parecia insignificante a condição humana, o fato de estarmos sujeitos a essa luta constante para modular o ambiente interior, essa existência interminável jogada para lá e para cá, como uma nuvem. De forma previsível, a mente registrava também aquele julgamento e classificava sua posição: um pouco de tristeza. A água que no passado correra pela rua onde estávamos andando tinha afluído para um poço artificial no meio de Flagey, um poço que depois fora removido para criar uma ilha de tráfego, repetindo a criação de terra nos mitos da Antiguidade, como uma separação das águas.

A noite havia caído. Entrei no apartamento, tirei as roupas com movimentos bruscos e deitei na cama no quarto escuro, nu. Gotas pesadas batiam na janela. A previsão do tempo estava correta: em círculos cada vez maiores, a partir do ponto onde eu estava, a chuva açoitava a terra. Caía pesada em todo o bairro português, no santuário de Pessoa e na Casa Botelho. Caía na loja de Internet de Khalil, onde Farouq talvez tivesse acabado de começar seu turno de trabalho. Caía na cabeça de bronze de Leopoldo II, em seu monumento, em Claudel, no monumento dele, nas lajes de pedra do Palais Royal. A chuva não parava de cair no campo de batalha de Waterloo, nos arredores da cidade, no monte do Leão, em Ardennes, nos implacáveis vales repletos de ossos de rapazes, que envelheceram, nas cidades preservadas mais a oeste, em Ypres e no aglomerado de cruzes brancas que pontuava os campos de Flandres, o canal turbulento, o mar intoleravelmente gelado ao norte, na Dinamarca, França e Alemanha.

PARTE II

Eu procurava a mim mesmo

12.

Fiz um esforço para criar em mim um espírito de inverno. Mais tarde, naquele ano, de fato disse para mim mesmo, de forma audível, como acontece quando faço esses juramentos, que eu tinha de aceitar o inverno como parte do ciclo natural das estações. Desde que parti da Nigéria, tive uma relação difícil com o tempo e quis pôr um ponto final nesse assunto. O esforço alcançou um sucesso surpreendente e, ao longo do mês de outubro, novembro e dezembro, eu estava muito bem preparado para ventos e neve. Uma coisa que ajudava era meu hábito de usar roupas em excesso. Sem conferir a previsão do tempo diária, eu vestia ceroulas compridas, meias grossas, cachecol, luvas de lã, um casaco comprido azul-escuro e sapatos pesados. Mas aquele seria um ano sem um inverno de verdade. As nevascas para as quais me havia preparado nunca vieram. Houve alguns dias de chuva fria e um ou dois picos de frio, mas a neve pesada nem chegou perto. Em meados de dezembro, tivemos uma série de dias ensolarados e fiquei irritado com aquela brandura, e quando afinal caiu a primeira neve da estação, eu estava em Bruxelas, me encharcando na chuva de lá. A neve, em todo caso, teve vida curta, havia derretido quando voltei para Nova York, em meados de janeiro, e assim a impressão de um calor fora de época e um pouco misterioso persistiu em minha mente, mantendo à distância o mundo tal como eu o conhecia.

Esses pensamentos tinham voltado antes mesmo de eu regressar à cidade propriamente. A voz do piloto estalando no sistema de som do avião — *Agora estamos fazendo os procedimentos para a aterrissagem* — aumentou ainda mais a ansiedade da chegada, porque aquelas palavras comuns e, agora, banais pareciam comportar algum presságio fantasmagórico. Rapidamente meus pensamentos se embaralharam, de modo que, além dos pensamentos mórbidos costumeiros que nos ocorrem num avião, eu me vi oprimido por estranhas transposições mentais: que o avião era um caixão, que a cidade lá embaixo era um vasto cemitério, com mármore branco e lajes de pedra de várias alturas e tamanhos. Porém, assim que rompemos a última camada de nuvens e a cidade em sua forma verdadeira surgiu trezentos metros abaixo de nós, a impressão que tive não foi nem um pouco mórbida. O que experimentei foi o perturbador sentimento de que eu tinha visto antes exatamente aquela imagem da cidade, acompanhada pela sensação da mesma forma forte de que não tinha sido do ponto de vista de um avião.

Então me veio a lembrança: eu estava recordando algo que tinha visto mais ou menos um ano antes: a vasta maquete da cidade que havia no Museu de Arte do Queens. A maquete fora construída para a feira mundial de 1964, havia custado uma fortuna e depois tinha sido atualizada periodicamente, a fim de mantê-la em dia com as mudanças da topografia e com as novas construções da cidade. Mostrava a forma verdadeira da cidade, em detalhes impressionantes, com quase um milhão de pequeninos prédios, pontes, parques, rios e marcos arquitetônicos. A atenção aos detalhes era tão meticulosa que era impossível não pensar nos cartógrafos de Borges, que, obcecados pela exatidão, tinham feito um mapa tão grande e tão minuciosamente detalhado que se igualava com o império na mesma escala, numa razão de um por um, um mapa em que cada coisa coincidia com seu ponto no mapa. O mapa se revelou tão difícil de manejar que acabou sendo enrolado e foi abandonado para apodrecer no deserto. Nossa visão a partir do avião, quando nos inclinamos de lado, acima do Queens, me trouxe tudo isso de volta à mente e, nesse caso, era a cidade verdadeira que parecia se igualar, ponto por ponto, à minha memória da maquete, que eu tinha observado durante muito tempo, de uma rampa no museu. Até a luz oblíqua do entardecer que caía sobre a cidade lembrava a iluminação dos refletores usados no museu.

No dia em que vi o Panorama, fiquei impressionado com os inúmeros detalhes que apresentava: as ruas que serpenteavam como riachos por um Central Park aveludado, o bumerangue do Bronx se arqueando ao norte, o elegante espigão bege do Empire State Building, as tabuletas brancas dos atracadouros do Brooklyn e o par de blocos cinzentos na ponta oriental de Manhattan, cada um com cerca de trinta centímetros de altura, representando a subsistência, no modelo, das torres do World Trade Center, que na realidade já haviam sido destruídas.

Um dia depois de meu regresso, ainda sob a névoa mental da mudança de fuso horário, e sabendo que às sete horas da noite eu ia começar a sentir sono, tentei manter longe do pensamento qualquer ideia sobre a segunda-feira. Era inevitável que meus colegas se mostrassem hostis comigo, porque eu tinha tirado minhas quatro semanas de férias de uma só vez. Era permitido tirar as férias desse modo, segundo o regulamento do programa, mas não era comum e era considerado ruim, porque deixava os outros residentes sob pressão extra. Era o tipo de coisa que apareceria numa futura carta de recomendação, disfarçada na linguagem de um elogio moderado. No curso das quatro semanas de minha ausência, muitos casos teriam sido transferidos, exceto os casos extremamente graves. Era certo que haveria alguns pacientes novos.

As semanas pela frente iam ser difíceis.

Ainda faltava um dia. No domingo, fui ao International Center of Photography, perto do centro da cidade. A atração principal era uma exposição de Martin Munkácsi. O ingresso tinha desconto para estudantes, assim menti, mostrando minha carteira da faculdade de medicina, já vencida, e quando fiz isso lembrei a seriedade com que Nadège condenava aquele costume. Sempre me defendi dizendo que ganhava pouco mais do que um estudante, ainda que a rigor eu já não estivesse mais na faculdade. Tinha começado a usar a carteira vencida com mais frequência, de início como uma forma de irritá-la e depois pelo simples hábito. Nadège me veio à memória porque tinha me escrito enquanto eu estava fora, em viagem. Na pilha de impressos que haviam chegado pelo correio e que estavam à minha espera no apartamento quando cheguei, havia um envelope verde-limão, endereçado com a letra dela. O cartão era uma enjoativa cena da Natividade, e por dentro Nadège havia escrito uma simples saudação de Natal.

A exposição estava muito cheia e as fotos pareceram inesperadamente animadas. O jornalismo de Munkácsi era dinâmico; ele gostava de poses de esporte, de jovens, de pessoas em movimento. Naqueles instantâneos — que eram tão cuidadosamente compostos, mas sempre pareciam ter sido tirados em movimento — eu pude perceber a vivacidade que ele havia conferido a suas outras obras-primas, como a fotografia de três meninos africanos correndo de encontro às ondas na Libéria. Foi a partir dele, e dessa foto em particular, que Henri Cartier-Bresson desenvolveu a ideia do momento decisivo. Enquanto eu estava ali, na galeria branca com suas fileiras de fotografias e sua prensa de espectadores murmurantes, a fotografia me pareceu uma arte mais misteriosa do que qualquer outra. Um momento, em toda a história, foi captado, mas os momentos que vieram antes e depois dele sumiram na avalanche do tempo; só aquele momento selecionado foi privilegiado, salvo, pelo único motivo de ter sido captado pela lente de uma câmera.

Munkácsi se mudou da Hungria para a Alemanha, onde viveu até 1934. Trabalhou no *Berliner Illustrirte Zeitung*, uma publicação semanal de fotografias e anúncios; foi para esse periódico que ele fez sua foto dos meninos da Libéria, em 1930. O *Illustrirte Zeitung* tinha feito a cobertura da Primeira Guerra Mundial e, depois da partida de Munkácsi, iria cobrir também a Segunda Guerra. Na exposição do ICP, exemplares da revista que continha fotos de Munkácsi tinham sido postos em expositores, protegidos por acrílico, na altura da cintura. Um homem de sessenta e poucos anos estava observando o mesmo expositor que eu e ficamos lado a lado, debruçados sobre o plástico duro. Seu rosto estava relaxado e ele vestia um casaco corta-vento amarelo. Notando que eu observava a revista com muita atenção, falou, sem virar-se para me olhar, que havia um erro de ortografia no alemão — o que vinha impresso na revista era *illustrirte* e não *illustrierte*, disse ele — e tinha sido assim desde o primeiro número da revista. Naquele primeiro número, disse o cavalheiro, tinha acontecido um erro, mas depois virou uma espécie de marca registrada da revista e deixaram sem correção. Aquilo era algo familiar para ele, contou, pois se lembrava da revista desde os tempos de infância. Chegava à sua casa semanalmente quando era criança, em Berlim.

Percebendo meu interesse, o homem continuou a falar e, enquanto falava, nossos olhos se deslocavam pela superfície das fotos de Munkácsi. Havia uma que mostrava um campo de jovens alemães deitados sob o sol e que devia ter sido tirada de um zepelim. Os corpos, preenchendo todos os espaços possíveis, criavam um desenho abstrato e uniforme, vasto, contra o fundo formado pelo campo. O homem falava com a lentidão de alguém que estava penetrando em suas memórias, mas não eram memórias nebulosas, e ele falava sobre aquilo de maneira clara, como se fossem coisas que tivessem acabado de acontecer. Eu tinha treze anos quando parti de Berlim, em 1937, falou, e Nova York foi meu lar desde então.

Errei em muito minha estimativa de sua idade, e no entanto ele não parecia nem um pouco um homem de oitenta e quatro anos. Era forte, e a maneira como movimentava o corpo não era em nada tolhida pela idade. Havia também uma leveza na forma como falava sobre a infância, quase como se estivesse falando de outra coisa, algo menos assustador, algo menos saturado de desastres. Foi só muito mais tarde, disse o homem, que eles finalmente adotaram *illustrierte*, com o *e* adicional. Mas essa é a grafia que conheci naquele tempo. O senhor já esteve em Berlim? Respondi que sim e que tinha apreciado muito a cidade. Nunca mais voltei, disse ele, mas gostava bastante quando morava lá. Naquele tempo, devia ser um lugar incrivelmente diferente, falei. Não contei para ele que minha mãe e minha *oma* tinham vivido lá também, como refugiadas, perto do final da guerra e depois, e que eu mesmo, nesse sentido remoto, também era berlinense. Se continuássemos a conversar, teria apenas contado a ele que eu era da Nigéria, de Lagos. Aconteceu então que sua esposa, ou uma senhora que supus ser sua esposa, veio ficar a seu lado. Parecia muito mais velha que ele e usava um andador. Com um sorriso e um cumprimento com a cabeça para mim, o homem foi adiante com a mulher rumo a outra parte da exposição.

O clima das fotografias de Munkácsi se tornou mais sombrio quando passaram dos anos 20 para os anos 30, e os jogadores de futebol e os modelos de modas deram lugar às frias tensões de um Estado militar. Aquela história, contada inúmeras vezes, conserva seu poder de acelerar o coração; sempre alimentamos a esperança secreta de que as coisas caminhem de forma diferente e que o registro daqueles anos revelem malfeitos numa escala mais próxima ao restante da história humana. A enormidade do que de fato aconteceu, a despeito de como nos pareça familiar, a despeito de quantas vezes é reiterado, sempre provoca um choque. E foi isso o que aconteceu quando, entre as fotografias de tropas e de paradas no início dos trabalhos no Reichstag em 1933, apareceu a fotografia, ao mesmo tempo esperada e inesperada, do novo chanceler da Alemanha, um pouco à frente de uma fileira de soldados. Caminhando logo atrás dele, com seu rosto de pesadelo meio contorcido, vinha Goebbels. Por acaso eu estava olhando para essa fotografia na mesma hora em que um jovem casal também olhava. Eu estava à esquerda e eles, à direita. Eram judeus hassídicos. Eu não tinha nenhuma noção razoável do que podia significar para eles estar ali naquela galeria; o ódio insolúvel que eu sentia pelas pessoas fotografadas era, no casal, transformado em quê? O que era mais forte do que o ódio? Eu não sabia e não podia perguntar. Tinha de sair dali imediatamente, precisava descansar meus olhos em outro lugar e ficar ausente daquele encontro silencioso em que eu havia esbarrado de modo inadvertido. O jovem casal estava muito junto, os dois bem próximos, não falavam. Não suportei mais olhar para eles nem para aquilo que estavam olhando.

A exposição deu uma guinada nesse ponto. Transformou-se numa exposição sobre outra coisa e não havia como salvá-la. Havia outras fotografias, imagens da carreira bem-sucedida de Munkácsi em Hollywood na década de 1940, fotos elegantes de mulheres da alta sociedade e de atores: Joan Crawford, Fred Astaire. Mas a tarde estava envenenada e eu só queria ir para casa e dormir, e começar meu ano de trabalho. Abri caminho pela multidão em direção à saída e, quando passei pela loja do museu, vi de relance, pela última vez, o velho berlinense e sua esposa. Sua história do *illustrirte*, guardada fazia tanto tempo, havia encontrado a hora e o lugar certos para ser mencionada; nem se podia imaginar quantas pequenas histórias as pessoas desta cidade inteira levavam consigo. Foi só então que me dei conta de que Munkácsi, o fotógrafo do chamado *Dia de Potsdam*, por meio de cuja câmera um momento à primeira vista banal da Berlim em 1933 foi preservado para espectadores futuros, era ele mesmo um judeu.

Caminhei para o norte pela Sexta Avenida até a rua 59. Depois dobrei a esquina e segui pela Broadway na direção da Times Square e passei pelo Iridium Jazz Club. Já não tinha vontade de ir para a cama e tentava me desviar da sensação causada pela diferença de fuso horário. Telefonei para um amigo e perguntei se não queria ver o guitarrista que ia tocar ali naquela noite. Ele exprimiu um choque sarcástico por eu estar disposto a pagar para ver alguém tocar jazz, mas disse que já tinha um compromisso. Portanto fui para casa com a ideia de telefonar para Nadège: na Califórnia, deviam ser quatro horas da tarde e ela já teria voltado da missa. Mas ainda não estava na hora de abrir as linhas de comunicação. Passaram-se meses, mas ainda não estava na hora. Que estranho o efeito produzido sobre mim por aqueles poucos meses com ela. O cartão de Natal de Nadège significava, talvez, que as coisas estavam relaxando, do seu ponto de vista, mas eu, de minha parte, ainda não estava pronto. E agora, pensando nisso, vejo que também não estava preparado para admitir para mim mesmo que eu tinha exagerado a importância de nosso breve relacionamento. Quando cheguei em casa, tomei um banho de chuveiro, senti uma sonolência embaixo da água quente e fui para cama; mas logo depois me levantei e, apesar de tudo, telefonei para ela.

Experimentamos a vida como uma continuidade e só depois que ela fica para trás, depois que se torna passado, enxergamos suas descontinuidades. O passado, se tal coisa existe, é em sua maior parte um espaço vazio, uma vasta área de nada, em que flutuam pessoas e acontecimentos importantes. A Nigéria era assim para mim: quase esquecida, a não ser pelas poucas coisas de que me lembrava com uma força desproporcional. Eram essas as coisas que se haviam consolidado em minha mente, por efeito de reiteração, e recorriam em sonhos e em pensamentos diários: certos rostos, certas conversas, que tomadas em conjunto representavam uma versão segura do passado que eu vinha construindo desde 1992. Mas havia outra sensação das coisas do passado, uma sensação invasiva. O repentino encontro, no presente, de algo ou de alguém esquecido havia muito tempo, uma parte de mim mesmo que eu havia relegado à infância e à África. Uma velha amiga me aparecia de repente, vinda daquele passado remoto, uma amiga, ou melhor, uma conhecida, a quem a memória agora tornava conveniente encarar como amiga, de modo que aquilo que parecia ter evaporado de todo voltava a existir. Ela apareceu (aparição foi exatamente o que me veio à mente) para mim num mercado em Union Square, no fim de janeiro. Não a reconheci e ela me seguiu por um tempo, acompanhou meus passos pelos corredores entre as estantes de produtos para me dar a oportunidade de fazer o primeiro gesto de reconhecimento. Só quando me dei conta de que estava sendo seguido, e comecei a adaptar o corpo àquela percepção cética, foi que ela veio direto para o lugar onde eu estava, na frente de uma bancada de cenouras e rabanetes. Ela me disse um alô muito animado, acenou com a mão e se dirigiu a mim pelo meu nome completo, sorrindo. Estava claro que esperava que eu me lembrasse dela. Não lembrei.

Parecia iorubá, com os olhos ligeiramente puxados e uma curva elegante no queixo, e pelo sotaque ficou claro que era por ali que eu devia procurar uma ligação entre nós. Mas não consegui encontrar tal relação. No mesmo instante em que eu ia confessar não lembrar de modo algum quem era ela, acusou-me exatamente disso, uma acusação grave, mas expressa de maneira jocosa. Ela não conseguia acreditar que eu tinha me esquecido e disse meu nome várias vezes seguidas, bem depressa, como que para me repreender. Minhas desculpas alegres mascaravam a irritação que senti de repente. Por um momento, temi que ela fosse prolongar em excesso aquela charada e me obrigar a convencê-la a dizer quem era, mas logo se apresentou e a memória foi recuperada: Moji Kasali. Era a irmã mais velha (uma diferença de um ano) de um amigo da escola, Dayo. Eu a havia encontrado duas ou três vezes em Lagos, quando visitava Dayo nas folgas da escola. Dayo e eu fomos muito amigos durante o ensino médio, mas ele não ficou muito tempo no Colégio Militar da Nigéria, saiu no início do terceiro ano e se transferiu para um colégio particular em Lagos. Fizemos um esforço para manter contato nas férias de Natal seguintes, mas quando o visitei em sua casa, o porteiro me mandou embora e, quando ele foi me visitar na semana seguinte, eu não estava em casa. Já não tínhamos mais a ligação do Colégio Militar e eu estava certo de que ele fizera novas amizades. Nossa amizade se apagou. Mais ou menos um ano depois, eu o encontrei nas quadras de tênis da Apapa. Ele estava com uma garota, fazia o papel de homem que só vai a lugares chiques, e nossa conversa foi artificial.

Naquela altura, eu era muito mais alto que Dayo, mas ele era mais corpulento e tinha os primórdios penugentos de uma barba. Mais uma vez prometemos manter contato, e lembro que lhe disse que eu estava pensando em ir para os Estados Unidos, se conseguisse encontrar um meio de fazer isso, no entanto, como se viu depois, só consegui partir alguns anos mais tarde. Dayo, naquele dia, estava de óculos escuros, que não tirou da cara, embora o céu estivesse encoberto; sua namorada usava uma camisa polo branca e calção curto, parecia entediada e, assim, tornou-se o imediato objeto de minha inveja. Não importava que eu tivesse minha própria namorada. A garota de Dayo me impressionou e parecia incrivelmente chique.

Peguei o endereço e o telefone dele — Dayo anotou para mim, me lembro, nas costas de um folheto religioso que alguém tinha espetado na cerca de arame — e, pouco depois, telefonei para ele. Tinha havido uma festa na sua casa, uma festa louca, com muita bebida. A garota não estava lá naquela altura — tinham rompido — e eu também tinha rompido com minha garota. Depois perdi seu endereço e, em todo caso, quando cheguei aos Estados Unidos, três anos depois, não tinha a menor intenção de escrever para ele, nem para ninguém. A promessa de escrever fora apenas um gesto de consideração, um reconhecimento do fato de que, um dia, quando éramos adolescentes, tínhamos sido amigos e até, por um momento, melhores amigos.

Duvido que eu teria reconhecido Dayo treze anos depois, num mercado, muito menos sua irmã. Mas agora a certeza com que ela me identificou pelo nome, a naturalidade com que o repetiu, me fez pensar que ela pensava em mim, mas nunca imaginou que me veria outra vez. E me fez pensar que eu talvez fosse o alvo inconsciente da paixão juvenil de uma adolescente: o amigo do irmão, o sofisticado *aje-butter*,* um adolescente seguro de

---

* Termo popular na Nigéria para designar crianças ou jovens mimados. (N. T.)

si. Nas primeiras vezes em que fui à casa de Dayo, também estavam lá um ou dois outros colegas de colégio, e ela nos havia ignorado, é claro. Talvez estivesse mais interessada em nós do que deixava transparecer. Quem sabe essa recordação permanecesse viva agora, quando Moji Kasali estava na minha frente, com uma caixa de *müsli* debaixo do braço, e foram as cinzas dessa recordação que a levaram a me fitar nos olhos, a cravar seu olhar em mim, enquanto me fazia as perguntas já esperadas: casamento, filhos, carreira. Depois que respondi, respostas simples que tomei o cuidado de não exprimir de maneira brusca demais, julguei que seria educado lhe perguntar as mesmas coisas.

Trabalhava com investimentos no banco Lehman Brothers, disse ela. Mostrei-me devidamente impressionado e fiz alguns sons vagos para exprimir como ela devia ser uma pessoa ocupada. Mas eu não queria que aquela conversa banal durasse muito, por isso olhava de vez em quando para a cesta de compras em minha mão e fazia que sim com a cabeça enquanto Moji falava. O irmão dela estava na Nigéria naquele momento, disse. Tinha ido estudar no Imperial College, na Inglaterra, mas voltou para a Nigéria a fim de casar. Moji disse que estivera em estreito contato com o irmão durante os seis anos em que ele vivera em Londres. Agora já não nos falamos muito, disse Moji, ele tem um filho, é diretor da sua própria empresa de engenharia civil. Mas ele passou por umas situações estranhas. Sofreu um acidente em 1995, pouco antes de concluir o mestrado. Suponho que isso foi, na verdade, a coisa mais séria que aconteceu com ele, depois que você saiu da Nigéria. Ele estudava no leste, na época, em Nsukka, e estava num ônibus que sofreu um acidente na estrada à noite. O ônibus bateu num motociclista que estava com o farol apagado e acabou tombando para fora da estrada. Dez dos catorze passageiros a bordo morreram na hora; outros três ficaram com ferimentos graves e um deles morreu mais tarde. Só Dayo saiu sem nenhum ferimento. Acho que ele pode ter deslocado o ombro ou algo assim, mas nada de grave. Quando a gente sofre uma experiência dessas, disse Moji, todo mundo logo pensa que a gente vai se tornar mais religioso. Mas não foi esse o efeito no caso dele. Tornou-se mais pensativo, eu acho. Nos anos seguintes, ele passou pela vida numa espécie de atordoamento confuso. Só uma vez falou a respeito do acidente, depois que voltou para Lagos — foi aí que soubemos o que havia acontecido. Talvez fosse mais uma de tantas notícias perdidas no meio dos jornais — dez mortos em acidente em Nsukka, ou algo assim —, por isso talvez a gente tivesse ouvido falar do caso, mas nunca poderíamos imaginar que ele estava envolvido. Dayo simplesmente guardou o segredo consigo até voltar para casa nas férias do semestre; ele é assim, meio estranho. Meus pais, é claro, o levaram para a igreja a fim de rezar uma missa especial de agradecimento. Ele foi e fez o que queriam. Depois tirou o assunto da cabeça, apagou o caso como se tivesse sido apenas um pesadelo e, se por acaso voltava ao assunto, não o fazia em público. Eu, é claro, fiquei curiosa e no início o atormentava com perguntas, mas ele se limitava a ficar calado e nada acontecia. Já vi pessoas mortas num local onde tinha ocorrido um acidente — acho que todo mundo que mora na Nigéria já viu isso —, mas tenho certeza de que é diferente quando você mesmo está envolvido no acidente, ou quando o corpo estirado na beira da estrada podia muito bem ser o seu. Assim, durante muito tempo, todo mundo tratou o Dayo como se fosse a pessoa mais sortuda do mundo, mas acho que a atitude dele era de quem achava que sorte mesmo seria estar num lugar bem distante do acidente. De todo modo, para ele, quase tudo isso já ficou para trás, e além do mais, já faz tanto tempo. Tenho certeza de que dei mais detalhes do que você queria ouvir.

Havíamos esgotado o que tínhamos em comum e parecia

não ter sobrado nada para continuar nosso bate-papo. Moji me garantiu que eu receberia notícias dela e se admirou mais uma vez, de um jeito que já se tornara muito irritante, com o fato de termos nos encontrado ali. Na verdade, não acredito em coincidência, disse ela. As coisas ou acontecem ou não acontecem, não têm nada a ver com coincidência.

13.

No início de fevereiro, fui a Wall Street para encontrar-me com Parrish, o contador que estava cuidando de meus impostos, mas esqueci de levar meu talão de cheques. Ao falar com ele pouco antes de sair de casa, perguntei se eu devia levar alguma coisa e ele respondeu que tinha de levar um cheque para pagar seus serviços. Tirei o talão de cheques da gaveta e coloquei sobre a mesa, junto com minhas luvas e as chaves. Mas depois deixei o talão para trás, e só me dei conta de que tinha feito isso quando o trem 2 chegou à estação. Fiquei constrangido por ter de encontrá-lo de mãos vazias. Mas devia pagar-lhe apenas duzentos dólares, e estava com meu cartão do banco. Podia sacar o dinheiro. Parecia vagamente ilícito pôr o dinheiro dentro de um envelope e entregar para alguém, do outro lado da mesa, mas era melhor do que não lhe pagar na hora.

Quando desembarquei na estação de Wall Street, olhei em volta, em busca de um caixa eletrônico. Eu não ia àquela parte da cidade desde minha caminhada por lá em novembro. Agora, à luz do dia, com o sol penetrando nas profundas fendas formadas pelas laterais dos arranha-céus, o caráter sinistro da rua estava atenuado. Tinha se transformado numa rua comum, um local de trabalho, degradado da maneira normal por tapumes e cercas de obras que faziam na rua, nada nem de longe parecido com a visão dantesca de corpos sem rosto amontoados que eu havia experimentado alguns meses antes. Depois de uma breve caminhada, encontrei um caixa eletrônico dentro de uma farmácia, mas não consegui sacar o dinheiro porque digitei a senha de meu cartão de maneira errada. Tentei de novo e não deu certo. Tentei cinco vezes, com números diferentes, todos errados. Não fiquei alarmado — teria ficado, se achasse que o cartão havia sido bloqueado —, mas fiquei bastante triste: o fato é que havia esquecido minha senha. Um pensamento passou ligeiro pela minha mente: como seria terrível perder a memória desse jeito, na hora em que eu estivesse cuidando de um paciente. Era o cartão magnético que eu usava havia mais de seis anos e sempre com a mesma senha. Tinha usado o cartão em minha recente viagem a Bruxelas e, de fato, tinha sido completamente dependente dele durante as férias.

Agora, parado numa pequena farmácia na esquina da Water Street com a Wall Street, minha mente ficou vazia, dominada por um estado nervoso; foi a expressão que me veio à cabeça, enquanto estava ali, como se eu tivesse me transformado num personagem secundário de um romance de Jane Austen. Tal fraqueza mental repentina, pensei (enquanto a máquina perguntava se eu gostaria de tentar mais uma vez, e tentei, e errei de novo), era oriunda de uma versão simplificada da personalidade, uma zona de simplicidade onde as coisas no passado tinham sido mais sólidas. Aquilo também era verdade no caso de uma perna quebrada: a pessoa de repente se retraía, caminhando com uma compreensão incompleta do que era caminhar.

Eu já estava atrasado para minha reunião com Parrish, que

me fora recomendado por um colega. Mas saí da farmácia e fiquei vagando pela região, tentando me acalmar. Fazia frio, a luz do sol não transmitia nenhum calor, enquanto uma brisa soprava constante, vinda do East River, a dois quarteirões dali. As nuvens no céu brilhante eram pequenas e numerosas, e revoltas como ondas que quebram. Eu tremia e tentava ignorar o nervosismo, torcendo para que aquilo simplesmente fosse embora. Desci para a Hanover Square e, vinte minutos depois, sem nenhum número definido em minha mente, fui a outro caixa eletrônico, dessa vez na entrada de um banco. Tentei fazer o saque outra vez, torcia para que a memória em meus dedos, sua familiaridade com a sequência numérica, pudesse me salvar afinal, como às vezes acontecia no caso de números de telefone. Fiquei surpreso com o fato das máquinas permitirem tantas tentativas. Em todo caso, todas deram errado e fiquei com um monte de recibos impressos na mão. Continuava achando que o número era 2046. Mas não era: aquele número vinha do título do filme de Wong Kar Wai. O número que eu procurava era algo semelhante, tinha sido escolhido antes de o filme ser produzido, mas era o número 2046 que continuava a ecoar dentro de minha cabeça.

Quando afinal me sentei diante de Parrish, contei que tinha me distraído e não trouxera o talão de cheques. Nada falei sobre o caixa eletrônico. Ele era austero e, enquanto ajeitava suas abotoaduras, tive a impressão de que havia perturbado um universo cuidadosamente calibrado. Pedi desculpas e lhe garanti que poria o cheque no correio logo depois. Deu de ombros e assinei os documentos dos impostos que ele havia preparado para mim. Fiquei pasmo com aquela insuspeitada zona de fragilidade que havia em mim. Era um insignificante presságio da idade, o tipo de coisa de que eu sorria quando ocorria com outras pessoas, o tipo de coisa que eu encarava como sinal de vaidade. Pensei nos poucos cachinhos brancos que haviam brotado na massa negra de meu cabelo, onde estavam agora aninhados. Eu dizia gracejos por causa daquilo, mas também sabia que, um dia, todo o cabelo de minha cabeça ia mudar de cor, que os fios brancos se multiplicariam e, mais cedo ou mais tarde, caso eu chegasse à velhice, como mamãe, dificilmente restaria algum fio preto.

Desci pela Broadway, passei pela antiga Alfândega e segui até o Battery Park. Fazia um dia claro e eu podia enxergar até o Brooklyn, até Staten Island e até o vulto esverdeado e reluzente da Estátua da Liberdade. A linha dos edifícios, semelhante ao jogo eletrônico Tetris, se estendia no ar parado da tarde. O parque transbordava com o barulho das crianças pequenas demais para irem à escola. As mães se movimentavam atarefadas em redor delas no parque de recreação. O rangido dos balanços, pensei, era um sinal para recordar as crianças de que estavam se divertindo; se não houvesse nenhum rangido, elas se sentiriam confusas. Aquela tinha sido uma zona mercantil da cidade em meados do século XIX. O comércio de escravos nos Estados Unidos se tornara, em 1820, um crime cuja pena era a morte, mas Nova York continuou sendo, por muito tempo, o mais importante porto para construção, aprovisionamento, seguros e lançamento de navios de escravos. Boa parte da carga humana daqueles navios seguia para Cuba; lá, africanos trabalhavam nas plantações de cana-de-açúcar.

No que se refere aos lucros com a escravidão, o City Bank de Nova York nada tinha de diferente com relação a outras empresas fundadas por comerciantes e banqueiros naquele mesmo período — as empresas que mais tarde se transformaram na AT&T e na Con Edison nasceram no mesmo ambiente. Moses Taylor, um dos homens mais ricos do mundo, passara a integrar o conselho de diretores do City Bank em 1837, após uma longa e bem-sucedida carreira de comerciante de açúcar. Em 1855, tornou-se presidente do banco e ocupou esse cargo até 1882. Taylor ajudou a financiar o esforço de guerra no lado da União; mas também obteve lucros enormes como intermediário na venda de açúcar cubano no porto de Nova York, investindo os lucros dos plantadores de açúcar, facilitando o processo de carga e descarga na Alfândega do porto de Nova York e ajudando a financiar a aquisição de "força de trabalho". Noutras palavras, ele tornara possível que os donos das plantações pagassem pela compra de escravos; fazia isso, em parte, operando seus próprios navios. Era dono de seis navios que navegavam pelo alto-mar. Taylor e outros banqueiros como ele sabiam exatamente o que estavam fazendo, e seu otimismo era bastante compensador. As margens de lucro eram irresistíveis: um navio de escravos inteiramente equipado, ao custo de treze mil dólares, podia levar uma carga humana de um valor superior a duzentos mil dólares. O *New York Times* assinalou em 1852, quando o City Bank auferiu seus maiores lucros, que se as autoridades alegavam não poder interromper aquela exploração, estavam simplesmente confessando sua própria imbecilidade e que, se fosse uma questão de vontade, a culpa moral em que estavam incorrendo era equivalente à dos próprios mercadores de escravos.

O percurso da antiga Alfândega até Wall Street e de lá ao porto marítimo de South Street dava uma distância de menos de mil e seiscentos metros. A Alfândega era em frente ao Bowling Green, local que no século XVII tinha sido usado para a execução de pobres e de escravos. Numa área coberta de asfalto no parque, ao longo de uma avenida margeada por olmos robustos e de copas densas, mulheres chinesas dançavam em sincronia. Havia oito mulheres, todas em roupas informais. Uma era jovem, de trinta e poucos anos, talvez. Todas as demais tinham cabelo grisalho e havia uma que era especialmente velha e de aspecto sensato. Seus movimentos de ginástica eram acompanhados por uma música pop meio marcial, que um rádio tocava aos berros.

A dançarina mais jovem comandava o grupo. Seus movimentos eram exagerados. Toda vez que fazia um movimento largo com os braços, as mangas compridas demais de seu folgado jaleco cor-de-rosa esvoaçavam de forma caligráfica. As outras mulheres acompanhavam com facilidade, por meio de pontas, curvaturas, quartos de voltas numa direção, meias-voltas na direção oposta. A mais jovem era graciosa e linda. Mas quando a música parou e as dançarinas se detiveram, ela não pareceu mais linda. A beleza estava toda em seu movimento.

A pausa das dançarinas me permitiu ouvir um outro som presente, o de um instrumento que estavam tocando na extremidade oposta do parque. Eu quis chegar mais perto, por isso caminhei por baixo do caramanchão formado pelos olmos, passando por filas de mesas com tabuleiros de xadrez feitas de concreto, que eram oásis de ordem e convites para uma solidão a dois. Mas não tinha ninguém sentado às mesas nem jogando xadrez. Em redor das mesas, no ponto onde seus pés afundavam na terra, crescia o musgo, que se espalhava subindo pelo concreto e penetrando na terra, de um modo que parecia que os tabuleiros de xadrez tinham criado raízes. Caminhei por baixo das árvores, passei pelo rangido dos balanços das crianças e, quando cheguei mais perto do final do arvoredo, consegui distinguir o som de um violino chinês de duas cordas, o *erhu*. A melodia era saltitante e ágil, a agilidade precisa de uma coisa antiquada. Como soava claro seu som no parque, como era diferente o gemido do mesmo instrumento quando tocado por um artista de rua dentro do metrô, competindo com os guinchos dos trens.

Ao chegar à outra extremidade do parque, vi que havia na verdade dois tocadores de *erhu*, e não um só. Tocavam em uníssono, sentados juntos numa beirada de pedra e, de pé, de frente para eles, havia uma jovem cantando. Um pequeno grupo perto dos músicos, três mulheres e um homem, todos já de idade mais avançada, conversavam e se alongavam. Uma das mulheres levava nos braços uma criança, brincava com ela, e quando andava lentamente em redor, ela apontava o pé para a grama na sua frente, primeiro um, depois o outro. Seus movimentos vagarosos eram como uma sombra em câmara lenta das dançarinas. Fiquei muito tempo sentado na grama ouvindo os tocadores de *erhu* e a cantora. Fazia frio. A cantora cantava com suavidade, seguindo nota por nota as cordas vibradas com arcos. Os instrumentistas faziam que sim com a cabeça um para o outro nas modulações. Pensei em Li Po e em Wang Wei, nos portamentos das canções de Harry Partch e na ópera *Os consolos de uma bolsa de estudos*, de Judith Weir, que eram as melhores associações que eu conseguia fazer com aquela música chinesa. A canção, o dia claro e os olmos: poderia ter sido qualquer dia dos últimos mil e quinhentos anos.

O *Times* tinha dito, no obituário que li naquele dia, que V. escrevia sobre atrocidades sem hesitar. Podiam ter dito: sem hesitar de forma visível, pois aquilo a havia afetado muito mais profundamente do que qualquer pessoa podia supor. Eu não conseguia imaginar o tipo de dor bruta que sua família — seu marido, seus pais — estariam experimentando. Voltei para o outeiro no parque, onde eu havia entrado. As dançarinas tinham recomeçado. Muitas delas, notei então, se vestiam de vermelho ou cor-de-rosa. Eu não consegui lembrar se, na cultura chinesa, o vermelho era a cor da sorte. O som suave do *erhu* ainda se infiltrava entre os tambores do toca-fitas das dançarinas e, em minha mente, parecia evocar os antigos espíritos que V. tinha tanto interesse em reverenciar em suas obras. Desviando-me das dançarinas e contemplando de novo atentamente a vastidão da baía, sentei num banco verde de madeira. Um passarinho curioso, com a metade de cima preta e a de baixo branca, saltitava junto aos meus pés. Era miúdo e logo fugiu depressa. Havia outro homem no banco, vestia um terno de linho, sapatos engraxados com esmero e chapéu de palha: roupas de verão num dia de inverno. A camisa era amarela e a gravata, marrom-escura — a sequência de meus pensamentos foi de repente interrompida pela risada das mulheres chinesas atrás de nós. O bigode dele era branco e caprichosamente aparado. O homem lia *El Diario*, com ar sério e devagar. Ficamos ali, os dois, e eu olhava para o parque verde. Não demos sinal de notar a presença um do outro, embora eu sentisse uma vontade repentina de falar com ele a respeito a vida de V., da profundidade de sua obra, de sua morte trágica. Ficamos sentados lado a lado e mais nada, o dia rolava colina abaixo à nossa frente e se dispersava pela grama, através da água, com suas barcas atarefadas cujos caminhos se cruzavam, e seguia para o sul, rumo à Estátua da Liberdade.

Quando cheguei em casa, ainda sem lembrar minha senha do cartão magnético, me recusei a conferir o número nos documentos do banco. Tranquilizei-me dizendo para mim mesmo que a senha ia voltar a seu tempo. Depois esqueci tudo a respeito do incidente. No dia seguinte, o Citibank telefonou para me avisar que haviam registrado doze tentativas frustradas de sacar dinheiro de minha conta. Mostrei-me jovial com a atendente e lhe garanti que a responsável era minha senilidade abusada, e não um ladrão; meu cartão estava normal, não precisavam se preocupar. Mas quando desliguei o telefone, fiquei sentado na cama, no silêncio do apartamento. Eu tinha esquecido o incidente, mas aí ele voltou de forma bem viva, e dessa vez mais pesado, dessa vez como testemunho de um registro oficial. A sensação estranha foi mais difícil de suprimir, a recordação de estar sozinho, em Wall Street, com minha memória apagada, o jovem-velho patético, vagando para lá e para cá, dominado por algum nervosismo, enquanto à minha volta a alta sociedade fechava negócios, falava no celular e ajeitava as abotoaduras. Lembrei-me de ter visto um policial com uma arma automática brilhando no coldre e de como fui dominado por uma estranha espécie de inveja daquela arma, de sua completa falta de ambiguidade, de sua promessa de perigo. Imaginei que tinha esquecido não só o número da senha, mas todos os números, bem como todos os nomes, e também até por que eu estava ali em Wall Street. Levantei da cama e fui verificar o forno.

Mais tarde, naquele mesmo dia, nevou, a primeira neve que eu via na estação. Uma feroz sensação de desequilíbrio tomou conta de mim, enquanto observava os flocos caírem e desaparecerem em contato com o solo. Quase uma semana inteira depois, quando a frente fria havia se retraído mais uma vez para as sombras de nosso inverno atípico, eu continuava sem lembrar a senha de quatro dígitos do cartão do banco. Por fim fui conferir os algarismos no meio de meus documentos e relembrei aquilo que até então, sem nenhum motivo razoável, pairava fora do meu alcance.

14.

Passamos maus bocados por aqui, disse o professor Saito, ao me dar as boas-vindas. Tenho dormido aqui na sala, neste catre. Tivemos uma infestação de percevejos. Antigamente, nesta região do país, chamavam os percevejos de casacos vermelhos, conhece esse nome? Achávamos que os inseticidas tinham dado cabo dos bichos, mas oito dias depois voltaram piores ainda e tive de fazer uma escolha desagradável entre esta sala, com suas aberturas de ventilação barulhentas, ou ser devorado pelas criaturazinhas. Ele fez um gesto na direção das ripas acima da janela. Eles mordem. Assim, um, dois, três; café da manhã, almoço, jantar, pelo braço da gente; mas receio que minha reserva de sangue esteja muito baixa. Cruzou as mãos e disse que aguardava a volta dos exterminadores de insetos, dali a alguns dias.

Mas meu estado de ânimo anda muito bom e assim você chegou numa hora ótima. Hoje saí mais cedo para ver a Chamber Music Society no Lincoln Center. Tocaram uma das cantatas de Bach, aquela do café. Conhece? Foi tão bem tocada que parecia uma composição nova. É sobre um pai que se aflige com as escolhas da filha. Portanto, pelo menos sabemos que nada mudou ao longo dos séculos. O café era uma grande novidade na época e os mais velhos tinham desconfiança dessa droga, e mais ainda do entusiasmo que os jovens manifestavam a respeito. Ficariam surpresos de ver como hoje o café é comum. E, vou lhe dizer uma coisa, enquanto eu estava na sala de concerto, me ocorreu que era exatamente igual ao problema da maconha hoje em dia. Café, café, cantava a jovem, eu só quero tomar mais café. Três vezes por dia, senão vou definhar!

Eu estava sentado numa cadeira sem braços, de frente para o professor Saito. Era bom vê-lo vigoroso, animado. Deixava-me feliz. Em suas mãos finas e frias, as veias eram muito saltadas, e então estendi as mãos, segurei as dele e fiz uma massagem. Na luz cinza-amarelada do inverno que havia em seu apartamento, no profundo inverno da vida do professor Saito, aquele gesto com as mãos me pareceu a coisa mais natural a fazer. Desculpe por ter ficado tanto tempo sem vir, falei. Tenho andado com muito trabalho. Ele perguntou se eu tinha acabado de voltar da Europa. Não, respondi, voltei em meados de janeiro e desde então estou pensando no senhor. Mas os plantões têm sido extraordinariamente puxados. Nos próximos meses o senhor vai me ver com mais frequência, agora as coisas estão voltando ao normal.

É tão barulhento, e agora acho que podemos diminuir a calefação, se você não se incomodar. Chamou a auxiliar de enfermagem. Você acha que podemos diminuir a calefação, Mary? Na verdade, acho melhor até desligar por enquanto, disse ele, ajeitando o cobertor sobre os joelhos. Ficou muito seco de novo, o calor deixa tudo muito seco. O que o senhor quiser, disse ela. Parecia ter ganhado muito peso nos meses que passaram desde a última vez que a tinha visto. Mas então me dei conta de que estava grávida e a barriga começava a ficar visível. Tive a impressão de que ela já não era tão jovem que estivesse em condições de ter um filho, pois eu havia calculado que tinha mais de quarenta anos. Mas a idade limite está sempre aumentando. Ter um bebê aos quarenta anos já não é nenhuma raridade, e mesmo aos cinquenta não é uma coisa inédita. Percebi que olhava para mim, inclinei a cabeça apontando para sua barriga e sorri. Ela sorriu em resposta.

Mary, o jornal de domingo chegou? Ah, sim, ótimo, quem sabe o Julius não gostaria de ler para um velho? Respondi que adoraria fazer aquilo e fui até a mesa de jantar, onde o jornal estava sobre uma pilha de outros jornais. O apartamento parecia abarrotado com as variadas coleções da interminável diversidade de máscaras dos Mares do Sul penduradas nas paredes, algumas em madeira com verniz escuro, outras pintadas em cores vivas, com os jornais diários de alguns meses empilhados sobre a mesa e, perto da porta, as prateleiras de livros sobrecarregadas, das quais centenas de volumes tentavam chamar a atenção, e com as pequeninas estatuetas e bonequinhos amontoados na escrivaninha de frente para a entrada. Ocorreu-me que o que estava faltando ali eram fotografias: de familiares, de amigos, do próprio professor Saito.

Li as manchetes do *Times* e os dois primeiros parágrafos de cada matéria na primeira página. A maior parte tratava da guerra. Ergui os olhos do jornal e disse: É coisa demais para pensar, todas as consequências planejadas e não planejadas dessa invasão. Acho que é uma terrível confusão e não consigo parar de pensar no assunto. Pois é, disse o professor Saito, mas eu tinha a mesma sensação a respeito de outra guerra. Em 1950 ficamos preocupadíssimos com a situação coreana. Era uma tensão interminável, uma coisa que achávamos que nunca ia terminar. Aí muita gente foi convocada para o exército e, na verdade, tinha passado bem pouco tempo da Segunda Guerra Mundial. Havia dúvidas sobre até onde iria, quanto tempo duraria o impasse, quem mais acabaria se envolvendo. Havia um temor nuclear tácito e a situação piorou mais ainda, veja bem, quando a China entrou na guerra. Aquele temor tácito passou a ser declarado. Nós, americanos, começamos a pensar se não era o caso de usar as armas nucleares outra vez. Mas a guerra terminou, todas as guerras, mais cedo ou mais tarde, terminam: se esgotam. Na época em que começou o Vietnã, foi uma pressão diferente, pelo menos para aqueles, entre nós, que tinham investido psicologicamente na Coreia. O Vietnã foi uma batalha mental para os jovens, para a geração que veio depois da nossa. Só se vive essa experiência uma vez, a experiência de como uma guerra pode ser inútil. Você se apega aos nomes de todas as cidades, a todas as notícias. Não aconteceu comigo na Segunda Guerra Mundial, foi uma experiência diferente, muito mais isolada, muito mais difícil. Mas na condição de homem livre, em 1950, como parte do cenário do campus, vivenciei a guerra da Coreia de maneira mais intensa. Em meados dos anos 60, a confusão da guerra já não era nenhuma novidade para mim. E hoje, no caso desta guerra, é uma batalha mental para uma geração diferente, a sua geração. Há cidades cujos nomes evocam um horror real, porque vocês aprenderam a relacionar esses nomes a atrocidades. Mas, para a geração que vai suceder a sua, esses nomes não vão significar nada: para esquecer, não é preciso muito tempo. Fallujah, para eles, vai ser tão sem sentido quanto Daejeon é para você. Mas olhe, eu me desviei do nosso assunto, como sempre faço. Bach fez meu sangue correr mais depressa nas veias, de verdade. Desculpe minhas divagações. Por que não lê para mim o resto das manchetes?

Manifestei meu grande prazer com suas divagações. Mas enquanto eu lia matérias sobre o rádio via satélite e as uniões civis em Nova Jersey, era como se fosse alguém que não está mais presente de fato. Minha mente retomou um fio anterior da conversa. Quando o professor Saito me pediu para não parar no segundo parágrafo, mas ler até o fim a matéria sobre as uniões civis, eu li, compreendendo perfeitamente as palavras impressas, mas sem me envolver com o que diziam. Depois, conversamos sobre a matéria e também isso eu fiz mantendo certa distância. Era uma espécie de truque social, continuar uma conversa desse tipo e permanecer o tempo todo completamente alheio. Era como um filme em que a trilha sonora e as imagens estivessem fora de sincronia. O professor Saito manifestou a opinião de que o avanço nos direitos civis para gays eram bem-vindos e que, encarado da perspectiva do seu longo tempo de vida acompanhando tais avanços, o processo parecia inexorável. Havia muito a comemorar. Porém, disse ele, foi vagaroso. Embora me sinta feliz por esses casais de agora, tenho a impressão de que houve um desperdício de luta. Foi difícil demais aprovar esse tipo de legislação. As futuras gerações talvez se admirem ao ver como demoramos tanto. Perguntei para ele por que o estado de Nova York não tomou a liderança na aprovação dessas leis. Há conservadores demais em Albany, respondeu, a vontade política de lá não quer que isso aconteça. A questão é toda aquela gente nas regiões rurais do estado, Julius, eles encaram essas coisas de maneira diferente.

Eu sabia que o professor Saito gostava muito de um parceiro que viveu com ele durante muito tempo, um homem que mais tarde morreu. Cheguei a essa informação não por meio de uma conversa com ele, mas sim num perfil biográfico que vi na revista de ex-alunos de Maxwell. Eu havia conversado com ele durante três anos e não tinha a menor ideia dessa parte crucial de sua vida e, quando por fim descobri, não havia nenhum motivo para levantar a questão. Mas nunca tive a impressão de que o professor Saito estava tentando evitar conversar a respeito de sua sexualidade. De fato, houve duas ocasiões em que o assunto veio à tona. Uma vez, ao falar sobre outra coisa, ele mencionou que tinha conhecimento de sua orientação sexual desde os três anos de idade. A segunda vez, agora que parei para pensar melhor no assunto, foi uma espécie de complemento da primeira: contou-me que sua prostatectomia tinha liquidado quaisquer desejos sexuais que houvessem sobrevivido às outras devastações da velhice. Mas o que ele achou estranho, me contou na ocasião, foi que aquilo o liberou para ter relacionamentos pessoais mais afetuosos e sem complicações.

O professor Saito ficou assim especialmente depois de sua aposentadoria: uma curiosa mistura de discrição e franqueza. Eu gostaria de ter perguntado qual o nome de seu companheiro falecido. Ele teria me dito. Talvez alguns dos objetos expostos no apartamento — talvez as porcelanas de Meissen na cristaleira, as bonecas japonesas, as fileiras de livros de poesia moderna — fossem o legado daquele outro homem, com quem o professor Saito passara tanto tempo de sua vida. Ou talvez houvesse existido uma série de parceiros, cada um importante à sua maneira. Mas contra minha própria vontade, incapaz de me manter inteiramente presente em nossa conversa, não consegui conduzi-lo naquela nova direção. Eu me limitava a fazer que sim com a cabeça, sorria e falava de outros assuntos. Talvez ele tenha notado que minha atenção estava afrouxando e, como se estivesse acordando alguém que tinha adormecido, falou: Você ainda é jovem, Julius. Deve ter cuidado de não fechar portas demais. Eu não tinha a menor ideia do que ele estava falando e me limitei a fazer que sim com a cabeça quando ele disse aquilo, e observei suas mãos, cobertas por linhas semelhantes a teias de aranha, dançando em volta uma da outra, naquela sala sombria.

Os percevejos ficaram na minha cabeça. Nova York, nos últimos dois anos, tinha passado a falar com mais frequência acerca daquelas minúsculas criaturas. As conversas permaneceram reservadas, como convinha para uma circunstância constrangedora da esfera privada, e graças a isso os percevejos estavam alcançando um êxito imprevisto. Eram o inimigo invisível que executava seu trabalho, mesmo quando surgiam alarmes falsos sobre o vírus do Nilo ocidental, a gripe aviária e a síndrome respiratória aguda grave. Na era das epidemias trágicas, o percevejo era algo fora de moda, um minúsculo soldado de casaco vermelho ao qual nada intimidava. Claro, outras doenças eram muito mais sérias e bem mais danosas às finanças públicas. A aids continuava a ser um problema devastador, sobretudo para os pobres e para os que viviam em países mais pobres. O câncer, a doença cardíaca e o enfisema não eram pandêmicos, mesmo assim tinham grande importância entre as causas de mortalidade. Ao mesmo tempo que os termos dos conflitos transnacionais mudavam, uma alteração ocorria na saúde pública, na qual também os inimigos agora eram vagos e a ameaça que comportavam se modificava constantemente.

Mas os percevejos não eram mortais e se compraziam em manter-se longe das manchetes. Era difícil fumigá-los para o esquecimento e era quase impossível matar seus ovos. Não faziam discriminação de classe social e, por esse motivo, eram embaraçosos. Uma infecção numa casa rica era tão provável, e tão difícil de ser debelada, quanto numa casa pobre. Hotéis de todos os níveis de luxo sofriam por igual. Se você tinha percevejos, tinha e pronto. E era difícil livrar-se deles em caráter permanente. Naquele momento, enquanto eu ponderava tais pensamentos, de repente me senti pesaroso pelo professor Saito. Sua recente batalha contra os percevejos me abalou mais do que aquilo que ele havia sofrido de outras formas: racismo, homofobia, as incessantes privações que eram os ônus ocultos de uma vida longa. Os percevejos triunfavam sobre tudo. A sensação era subsconsciente, desprezível. Se alguém tivesse me dito aquilo na ocasião, dessa maneira nua e crua, eu teria negado. Mas ali estava, um exemplo de como uma inconveniência podia assumir um aspecto grotesco, devido à nossa proximidade com ela.

As criaturas pequeninas e banais, que haviam sugado sangue humano desde antes dos tempos de Plínio, estavam envolvidas numa espécie de operação de guerra de baixa qualidade, um conflito à margem da vida moderna, só visível na fala. No fim da tarde, quando fui embora do apartamento do professor Saito, resolvi andar para o norte pelo Central Park. A neve de três dias não tinha derretido. No ar gélido, ela havia endurecido e criado morros lisos e baixos pelos campos. Segui por uma rua coberta de neve que acompanhava um muro velho e resistente. Pegadas eram visíveis, mas não havia mais ninguém à vista. A luz era tão difusa que quase não havia sombras sobre a neve, e isso dava a sensação de que eu estava levitando: luz branca em cima e branco embaixo. Um bando de pássaros brancos — podiam ser estorninhos — rodopiava ao redor de uma árvore ao longe. Tive a clara impressão de que os galhos emaranhados, e os pássaros que costuravam agilmente para dentro e para fora das folhagens, eram feitos da mesma substância marrom pardacenta, e que os pássaros só difeririam um pouco porque estavam em movimento. A qualquer instante, pensei, os galhos pequenos e arrepiados iriam desdobrar suas asas ocultas e a copa inteira da árvore se transformaria numa nuvem viva. As árvores em redor também perderiam a cabeça, deixariam para trás os tocos, como sentinelas, e no céu acima do parque haveria um vasto dossel de estorninhos. Caminhei muito tempo por aquela reconfortante rua branca, até o frio atravessar minhas luvas e meu cachecol e me compelir a sair do parque e pegar o metrô para concluir o resto do percurso até minha casa.

Mais tarde naquela noite, ao procurar mais informações sobre percevejos em meus manuais de medicina, só encontrei escassas descrições de etiologias, ciclos de vida e terapias. A lavagem de roupas a vapor e a fumigação de gás cianeto eram discutidas em minúcias, mas nada disso levava ao que me deixava desconcertado no que diz respeito a tais criaturas. Porém, por um extraordinário acaso, encontrei entre meus livros um volume de relatos de campo sobre epidemiologia, do início do século xx, um volume numa pilha de livros superados que tinham sido descartados pelo dr. Martindale, em seu laboratório. Eu havia escolhido à toa alguns dos livros, sem nem olhar direito do que tratavam, mas agora achei o relato redigido por Charles A. R. Campbell em 1903 e, em seu texto, tive a sensação do asco e do espanto com que o *Cimex lectularius* era então encarado.

O trabalho do dr. Campbell se atinha por alto ao estilo de linguagem de um parecer médico, mas sua verdadeira força provinha de um gradual acúmulo de afirmações, que criava uma imagem veemente e opressiva da criatura em estudo. Uma das características do percevejo, escreveu Campbell, é sua natureza canibalística. Ele apresentava provas de que os percevejos inchados eram às vezes rompidos ao meio e consumidos pelos filhotes. Também descrevia meia dúzia de experiências que havia realizado, declaradamente no interesse da pesquisa científica, mas que davam a impressão de uma corrida de obstáculos destinada a comprovar a resistência e a inteligência dos percevejos. Campbell ficaria decepcionado, tive certeza disso, caso os percevejos não conseguissem superar alguma das provações a que ele os submeteu.

Nas experiências, os percevejos sobreviveram a meses de isolamento sobre uma mesa no meio de um mar de querosene, sem comida, suportaram um frio profundo que durou 244 horas sem se incomodar, e conseguiram se manter vivos debaixo da água por um tempo indefinido. A astúcia desses animais, escreveu Campbell, é assombrosa, e parece que eles têm, até certo ponto, a capacidade de raciocinar. Descreveu uma experiência feita pelo sr. N. P. Wright, de San Antonio — "um cidadão muito confiável e um observador atento" — na qual, quando Wright deslocava sua cama cada vez mais para longe da parede do quarto, os percevejos galgavam a parede só até a altura exata necessária para poder saltar e cair em cima dele. Quando deslocava a cama para mais perto, os percevejos só subiam na parede até onde era preciso. O estudo de Campbell incluía uma série de histórias desse tipo, nas quais os percevejos demonstravam uma espécie de criatividade para alcançar uma cama cujo acesso lhes tinha sido dificultado.

Pensei nos percevejos, em seus milhões incontáveis, espalhados em todos os cinco distritos da cidade, e em seus ovos invisíveis, em seu apetite, que era maior às quatro horas da madrugada. O problema começava a parecer cada vez menos científico e passei a compartilhar a inquietação de Campbell. Os objetos de preocupação eram ancestrais: o poder mágico do sangue, as horas dedicadas aos sonhos, a inviolabilidade do lar, o canibalismo, o temor de ser atacado pelo invisível. Meu eu racional ficou abalado com essas analogias superficiais, com essa inesperada rendição a um tipo de insegurança que, nos outros, era objeto de meus gracejos. No entanto, quando terminei de ler, desfiz minha cama, apaguei as luzes e, me ajoelhando, examinei com cuidado as costuras do colchão, usando uma lanterna. Não encontrei nada, mas é claro que, em si, isso não garantia uma noite de repouso.

15.

Tinha havido um bombardeio na maior feira de animais de estimação de Basra, e o cenário estava tomado por penas de periquitos, gritos de animais agonizantes, entulho sujo de sangue, um motor destroçado, uma cadeira destruída e gaiolas retorcidas como se fossem feitas de barbante. No rádio, o secretário de Estado começou a discutir a respeito da ofensiva iminente na região de Bagdá, controlada pelos xiitas. Fui à feira de animais de estimação e vi carcaças de cachorros estiradas ao lado de cadáveres humanos. Mulheres de vestido preto longo choravam e batiam no peito. Havia um pai que, morto, continuava a segurar entre os dedos o frasco de insulina que estava tentando levar para sua filha, em casa. Fiquei muito cansado: *cansado até a morte* foi a expressão que se desenrolou em minha mente. Eu usava paletó branco e minha gravata estava frouxa no pescoço. Minha mãe se encontrava no mercado de animais de estimação. Ela usava burca e Nadège estava com ela, vestida do mesmo jeito. Minha mãe perguntou: O que é pior do que bombas? Nadège respondeu:

Percevejos! As duas conversavam em iorubá. Minha mãe disse: Escute o que sua irmã disse, Julius. Eu ia corrigi-la.

Eram nove horas da manhã e eu tinha adormecido com a roupa do corpo. Tirei a gravata, troquei de roupa e bebi a água que estava no copo na mesinha de cabeceira. Antes de pegar no sono, eu estava lendo o prólogo da edição do poema *Piers plowman*. De suas descrições compridas e aliterativas, tudo o que agora eu retinha era a imagem de William Langland vagando pelo mundo, vendo os diversos trabalhos e lutas da humanidade, depois se estabelecendo nos montes Malvern e contemplando um riacho. Ele ficou sonolento, "cochilei", e em seu sonho surgiu uma visão mágica da realidade, e foi exatamente quando comecei a ler aquela seção que adormeci.

A luz de um poste na rua cintilava atrás das cortinas. Eu estava com fome, mas não tinha apetite. Havia uma costeleta de porco na geladeira e, quando comi, de pé diante da porta aberta da geladeira, a sirene de uma ambulância começou a soar dentro da noite. Abri a janela e o ar penetrou numa única rajada, como se estivesse esperando minha permissão. A pulsação em minha mente casava com o padrão de cintilação da luz do poste atrás da cortina. Lá embaixo o mundo estava nu e mostrava poucos sinais do "belo campo repleto de povo" do poema de Langland. Tomei dois comprimidos de paracetamol e voltei a dormir. O dia seguinte foi um sábado de um fim de semana inteiro de folga e pude dormir bastante, sem ser perturbado por sonhos. Quando acordei, resolvi que enviaria uma encomenda que eu tinha de mandar e, se o dia fosse propício, ia visitar o velho professor no fim da tarde.

O porteiro do prédio abriu a porta para mim. O elevador estava úmido e com cheiro de suor. Mary, em gravidez avançada, me deixou entrar no apartamento. Tudo lá dentro estava escuro e cinza. Está muito doente, disse ela. Está no quarto, venha por aqui, vai ficar contente de ver você. Mas quando entramos, vi um homem escurecer a porta e entrar na minha frente. Era o médico. Mary fez sinal para eu esperar. Fui para a sala e sentei, debaixo do círculo de máscaras da Polinésia do dr. Saito. Pude ouvir vozes no quarto. Quando o médico saiu, tinha uma expressão cordial. Seu rosto se franziu em sorrisos quando me cumprimentou com a cabeça e foi embora. Entrei para ver o professor Saito, que estava deitado e encolhido na cama, minúsculo e branco, mais fraco do que nunca. Seus olhos, embora remelentos e quase fechados, eram a única parte dele que pareciam inteiramente presentes. Sua voz parecia vir não da boca, que em todo caso pouco se movia, mas de algum outro lugar do quarto. O timbre era anasalado e ele parava muito para tomar fôlego. No entanto, falava de maneira clara.

Ah, há mais um médico aqui, disse ele. Estou me sentindo popular. Mas, Julius, não sei o que você faz na África, mas devo lhe dizer uma coisa. Estou pronto para entrar na floresta. Estou pronto para entrar. Está na minha hora de entrar na floresta, me deitar e deixar que os leões venham me pegar. Já fiz o bastante, eu acho, tive uma vida boa e agora estou passando por esta dor terrível. Quem pode dizer que noventa anos não é o bastante? Está na hora. Sentei a seu lado e segurei sua mão pequena e fria. Ele estava cansado e deixei-o para que pudesse descansar. Falei que ia voltar em breve.

Mais tarde naquele dia, sem querer ficar sozinho com a imagem da Morte pairando no quarto, com sua roupa vulgar e seus maus modos, telefonei para um amigo e fui à sua casa. A filha dele, uma menina vivaz de nove anos de idade chamada Clara, que morava com a mãe, estava de visita ao pai. Mas ela foi dar uma volta por aí, disse ele. Sua sala tinha duas janelas, uma para o oeste, que dava para a Amsterdam Avenue, a outra para o sul, que dava um pequeno pátio, fechado dos quatro lados por tijolos, concreto e pelas pequenas janelas dos apartamentos dos vizinhos. Aquelas janelas iam acendendo uma depois da outra com quentes luzes de inverno. No meio do pátio vazio havia uma árvore alta, nua e com um denso emaranhado de galhos. Eu duvidava que a árvore pegasse muito sol, mas parecia bastante saudável.

É uma árvore do paraíso, disse meu amigo. Eu sei por que também fiquei curioso com ela e fui pesquisar. Os botânicos chamam essa árvore de espécie invasora. Mas todos nós não somos isso? Uma vez, quando havia descido no pátio, senti um cheiro muito parecido com o de café, que vinha de um galho quebrado. A espécie foi trazida da China há muito tempo, por volta de 1700, eu acho, e parece que gostou tanto do solo americano que se espalhou livremente em quase todos os estados, muitas vezes desalojando espécies nativas.

Ele foi à cozinha e voltou com uma garrafa de Heineken para mim. É a sombra, entende?, disse ele. Essa árvore faz sombra nas outras plantas e bloqueia a luz do sol. Uma árvore do paraíso pode crescer em quase qualquer lugar: terrenos baldios, quintais, calçadas, ruas, praias, campos sem uso, até dentro de prédios abandonados e bloqueados com tábuas, até num pátio que não recebe sol e vive abafado por professores universitários. Bem, e o que há de tão ruim nisso?, perguntei. Uma árvore é uma árvore, não é? Não se pode mesmo ter muitas árvores na cidade. Não é tão simples assim, respondeu. A árvore do paraíso diminui a biodiversidade local. É encarada como uma praga, não serve nem para produzir madeira nem para ajudar a vida selvagem, e também não é lá grande coisa para fornecer lenha para a lareira.

Enquanto conversávamos, eu estava junto à parede, onde havia uma grande estante de livros, e eu olhava para as intermináveis filas de volumes, inclusive uma numerosa seção de literatura africana ou afro-americana. Havia um transbordamento de livros sobre o chão e, sobre a mesinha de centro, notei um exemplar dos ensaios de Simone Weil. Peguei-o. Meu amigo voltou da janela. Ela fala esplendidamente sobre a *Ilíada*, disse ele. Acho que consegue apreender o que é a força, como ela motiva a ação e como perde controle daquilo que motivou. Você devia dar uma olhada um dia desses.

Eu esperava a graça, falei, não a imortalidade. Eu esperava uma saída de cena forte, elegante, para aquele meu professor. Eu queria tanto que o velho me dissesse palavras de sabedoria, falei, e não aquele absurdo a respeito de leões. Talvez ainda seja possível. Quem sabe ele me recite algo de *Gawain*, ou algum poema da Idade Média quando o vir da próxima vez. Mas talvez eu esteja bancando o tolo. Em vez de ser grato pelo relacionamento com ele, fico tentando adaptá-lo aos meus próprios requisitos. Mas, sabe, eu esperava que, mesmo na hora em que o corpo sucumbisse, sua mente complexa, uma das melhores que já conheci, fosse prosseguir sua atividade.

Meu amigo olhou para mim e disse: Eu queria entender por que tanta gente vê a doença como prova moral. Não tem nada a ver com moralidade ou com graça. É uma prova física e em geral perdemos. Depois bateu com a mão no meu ombro e disse: Meu amigo, sofrimento é sofrimento. Você já viu o que ele provoca, vê isso todos os dias. Isso pode não ser especialmente consolador para você agora, mas o que você acabou de dizer sobre uma saída de cena elegante e vigorosa me faz lembrar, de novo, uma coisa em que penso muitas vezes. Ando pensando, há muitos anos, que a maneira e o momento da morte de uma pessoa deveriam ser uma questão de escolha. E de fato não acho que isso devesse limitar-se a situações em que uma doença terminal tornou iminentes o sofrimento e a morte. Acho que isso deveria ser estendido para épocas da vida em que a pessoa está saudável. Por que esperar o declínio? Por que não se antecipar ao destino?

Ele agora estava parado junto à janela. Eu continuava no sofá e observava o sol baixo recortar em meu amigo uma silhueta preta, de modo que era quase como fosse sua sombra quem falava comigo, ou seu eu futuro. Havia pardais voando ligeiros ao longe, tentavam encontrar um lugar para descansar e passar a noite, disparavam para dentro e para fora da rede de grutas formada pelas árvores nuas e pelos arcos entrelaçados dos prédios da universidade. Enquanto eu refletia sobre o fato de que em cada uma daquelas criaturas havia um minúsculo coração vermelho, um motor que, sem falta, fornecia os meios para suas divertidas manobras aéreas, lembrei quantas vezes as pessoas procuram se consolar, de forma consciente ou não, com a ideia de que Deus cuidava daqueles viajantes sem lar com algo parecido com um zelo pessoal; que, ao contrário das provas da história natural, Deus protegia cada uma delas da fome, do perigo e das intempéries. Para muitos, os pássaros em voo eram uma prova de que nós também estávamos sob a proteção dos Céus, que existe de fato uma providência especial na queda de um pardal.

Meu amigo esperava que eu falasse alguma coisa, mas não falei nada, e assim ele prosseguiu. A ideia é contrária à ética, para não falar das leis de nosso tempo, mas não posso deixar de pensar que, daqui a trinta ou quarenta anos, quando eu já houver extraído a alegria que esta vida tiver para me oferecer, e quando eu precisar fazer a escolha que acabei de mencionar, a questão terá se tornado, senão exatamente popular ou incontroversa, pelo menos muito mais comum. Pense na contracepção, nos remédios para fertilidade e no aborto; pense nas decisões que tomamos com tanta facilidade sobre o início da vida; pense em nossa admiração por figuras que escolheram seu próprio fim: Sócrates, Cristo, Sêneca, Catão. Suponho que você não goste da maneira como o seu professor falou sobre os leões, mas não deve encarar isso como uma ofensa aos africanos. Você sabe que não foi essa a intenção dele. O que ele parece estar dizendo é que, num mundo melhor, o delírio e a dor poderiam ser evitados. Ele poderia entrar na floresta com sua dignidade intacta, tal como havia planejado, e nunca mais ser visto.

Fez outra pausa, absolutamente imóvel, continuando a olhar para fora. Os pássaros agora estavam quase invisíveis. Então, em voz baixa, quase como se falasse para si, ou como se encarasse seu corpo de um ponto de vista póstumo, falou: A realidade, Julius, é que estamos sozinhos no mundo. Talvez seja o que vocês, profissionais do ramo, chamam de ideação suicida, e espero que isso não deixe você alarmado, mas muitas vezes pinto em minha mente um retrato minucioso de como eu gostaria que fosse o fim de minha vida. Penso em me despedir de Clara e de outras pessoas que amo, depois imagino uma casa vazia, talvez uma mansão rural grande e de formato irregular, em algum lugar perto dos brejos onde fui criado; imagino um banho no primeiro andar, na banheira que posso encher com água quente: e penso em música tocando em todo esse casarão. *Crescent*, talvez, ou *Ascension*, de John Coltrane, preenchendo os espaços não ocupados pela minha solidão, o som da música me alcança na banheira, de modo que, quando atravesso a borda num caminho só de ida, faço isso ao som do acompanhamento de harmonias modais, ouvidas ao longe.

16.

Haviam passado algumas semanas desde a última vez que eu tinha visto o professor Saito. No fim de março, telefonei para ele, e uma mulher, que não era Mary, mas outra pessoa, me disse que o professor Saito havia morrido. Solucei no fone as palavras *Ah, meu Deus,* e desliguei. Depois, no meu quarto silencioso, senti o sangue latejar dentro de minha cabeça. As cortinas estavam abertas e eu podia ver o topo das árvores. As folhas começavam a nascer depois de um inverno indiferente, e em todas as árvores de nossa rua as pontas dos galhos estavam dilatadas, os botões verdes e compactos pareciam que iam desabrochar a qualquer momento. Fiquei chocado, entristecido, mas não estava totalmente surpreso. Evitar o drama da morte, seu caráter desagradável, tinha sido minha ideia involuntária ao não ir lá.

Telefonei para a casa dele de novo — já não era dele, o pensamento me passou pela cabeça — e a mesma mulher atendeu. Pedi desculpas por ter desligado o telefone antes, expliquei quem eu era e perguntei sobre o velório. Num tom de voz formal demais, ela respondeu que haveria uma pequena cerimônia em caráter privado e que seria apenas para os familiares. Talvez haja, acrescentou, uma cerimônia em sua memória muito mais tarde, talvez no outono, organizada pelo Maxwell College. Perguntei se ela sabia como eu poderia entrar em contato com Mary. Ela não pareceu familiarizada com o nome e, como se mostrou ansiosa para desligar o telefone, nossa conversa terminou.

Eu não sabia para quem telefonar. Ele havia significado muito para mim, mas, compreendi, nosso relacionamento fora tão particular, ou melhor, tão fora de qualquer rede mais ampla de relacionamentos, que dificilmente alguma outra pessoa saberia a respeito do assunto, nem de como tinha sido importante para nós dois. Tive então um momento peculiar de dúvida: talvez eu tivesse superestimado a amizade, e sua importância talvez só tivesse existido para mim. Eu sabia que aquilo era a voz da comoção falando comigo.

Eram nove e meia da manhã, e em San Francisco, onde eram três horas mais cedo, fiquei surpreso por Nadège atender o telefone. Pedi desculpas de novo quando percebi sua voz de sono. É o professor Saito, falei. Ele morreu. Você se lembra do meu professor de literatura inglesa antiga, o professor Saito? Morreu de câncer e acabei de receber a notícia. Ele era muito bondoso comigo. Desculpe, estou telefonando numa hora ruim? Ela respondeu: Não, não tem importância. Como você está? E na hora em que falou, ouvi uma voz de homem dizer: Quem é? E ela, em resposta a ele, disse: Me dê só um segundo. Mais tarde, naquela manhã, Nadège telefonou e me disse que era melhor me contar logo a verdade, assim seria mais simples para todo mundo. Ela estava noiva e ia casar. O noivo era haitiano-americano, de uma família amiga da família dela havia muito tempo. Iam casar no fim do verão. Era melhor que eu evitasse telefonar, disse ela. Só por enquanto; seria melhor assim.

Tive uma sensação ulcerosa de coisas demais acontecendo

ao mesmo tempo. O que Nadège achava que eu queria com ela? Mas eu sabia que ela me havia libertado das débeis esperanças que eu vinha alimentando. Ajudou a dar um fim concreto a algo que, em todo caso, já havia terminado muito antes. Só fiquei aborrecido ao pensar em quanto tempo tinha demorado e na quantidade de pensamento inútil que fora investida naquilo; fiquei aborrecido também de ficar ainda um pouco surpreso com o fato de Nadège ter tomado outro rumo tão rapidamente e de maneira tão resoluta. Assim, minhas mágoas interfeririam uma na outra. Pus a "Cantata do café" de Bach para tocar no som estéreo naquela tarde e deitei na cama. Era uma gravação da Academy of Ancient Music. A música, ritmada e jocosa, não despertava nenhum eco em minha mente, mas deixei tocar até o fim, reconhecendo sua beleza, sem senti-la. Depois achei que talvez fosse melhor ouvir Purcell, seria mais reconfortante, portanto pus para tocar o "Hino noturno": uma linda partitura para tenor e seis violas da gamba, mas era lúgubre demais e também fiquei insensível à composição. Assim, permaneci deitado em silêncio, olhando para os ciscos de poeira no ar, até que resolvi me levantar, enviar uma encomenda, algo que eu já vinha adiando — um pacote que eu pretendia despachar no correio havia algum tempo — e manter à distância a autocomiseração.

Fui a pé até o Morningside Park. Lá ainda havia neve no chão, em trechos sujos. Era um mundo feito de marrom e de preto, de cinza e de branco. Meus passos eram relutantes. Então parei: tive a nítida sensação de ser observado. Numa árvore, vi um gavião. Ou melhor, ele me viu. Seu olhar de predador deu comichão na minha nuca e me virei para descobri-lo, muito atento, num galho baixo a não mais de seis metros de onde eu estava. O parque estava vazio e o sol era ineficaz, invisível, oculto. Tratava-se de um pássaro forte, grande, sua presença era a encarnação de uma complexa elaboração do processo evolutivo. Imaginei que ele talvez fosse da família de Pale Male, o famoso gavião do Central Park que tinha feito um ninho num edifício da Quinta Avenida, ou que talvez fosse o próprio Pale Male. Ele me observava menos com desdém do que com desinteresse. Olhamos um para o outro, continuamos olhando, até que eu, intimidado, baixei os olhos, dei meia-volta e, com cuidado, devagar, continuei andando para longe dele, enquanto sentia o tempo todo aqueles olhos cravados em mim.

Quando saí do parque bem no norte de Central Park North, não havia muita gente na rua. Dois homens estavam perto da entrada da agência do correio, um dos quais eu já vira antes. Tinha cabelo castanho com sujeira incrustada que caía no rosto como cordões finos. A barba era grossa, com riscos brancos, e dele emanava o cheiro de semanas sem banho; os pés, descalços e abertos na sua frente, em sua posição sentada, pareciam feitos de cinzas. O outro homem, limpo e muito mais jovem, a quem eu não conhecia, estava apoiado sobre um joelho e segurava o pé do homem mais velho. Quando me aproximei, vi que estavam conversando, de maneira tranquila e cordial, como se estivessem à mesa de jantar num restaurante. Falavam espanhol e riam de vez em quando, pelo visto sem perceber que sua interação ocorria em público, alheios ao meu olhar. O homem limpo estava cortando as unhas dos dedos do pé do homem sujo. Fazia aquilo com tamanha atenção que não pude deixar de pensar que o homem de quem estava cuidando era um parente mais velho; quem sabe seu pai, ou um tio.

Entrei na agência do correio. Era tarde, quase na hora de fechar. Como não consegui encontrar um formulário da alfândega para a minha encomenda, tomei lugar na fila desalentadoramente comprida, mas logo depois uma das funcionárias do correio dividiu a fila, abriu um novo guichê e perguntou se alguém queria enviar uma encomenda internacional. De repente me vi no primeiro lugar de uma fila. Agradeci a ela e me adiantei na direção da janelinha do guichê. Falei para o homem atrás do guichê, um funcionário de meia-idade, simpático e careca, que eu queria um formulário da alfândega. Preenchi o formulário com o endereço de Farouq. A lembrança de minhas conversas com ele tinha me convencido a lhe enviar o livro *Cosmopolitismo*, de Kwame Anthony Appiah. Selei o envelope e o funcionário do correio me mostrou várias cartelas de selos. Nada de bandeiras, falei, alguma coisa mais interessante. Não, esses não, aqueles também não. Acabei optando por uma linda série inspirada em colchas artesanais de retalhos feitas pela comunidade Gee's Bend, de afro-americanos do Alabama. Ele olhou para mim e disse: Entendo. E após uma pausa, acrescentou: Entendo, meu irmão. Depois falou: Escute, irmão, de onde você é? Sabe, estou perguntando porque estou vendo que você é da Terra Natal. Vocês, irmãos, têm alguma coisa que é vital para a saúde de gente como nós, que fomos criados deste lado do oceano. Escute o que vou dizer: estou criando minhas filhas como se fossem africanas.

Não havia ninguém na fila atrás de mim e a janelinha do guichê do correio estava parcialmente oculta por uma coluna. Terry (era esse o nome no crachá de identificação pendurado em seu pescoço) terminou de preparar minha encomenda e perguntou se eu ia pagar com cartão de crédito ou em dinheiro. Veja, irmão — Julius, falei —, está bem, irmão Julius, a questão é a seguinte, você é um visionário. Posso ver isso em você. É uma pessoa que viajou muito. É o que chamamos de viajante. Assim, me deixe dividir uma coisa com você, porque acho que vai entender. Colocou as mãos sobre a balança de metal na sua frente, inclinou a cabeça na direção da janelinha e, baixando a voz até quase o volume de um sussurro, começou a recitar um poema: Fomos nós que levamos pontapés. Nós que fomos objetos de pilhagem e fomos espezinhados. Invencíveis. Nós, que carregamos as cruzes. Está vendo? Nossos amigos e parentes foram usados como cavalos de carga. Nós, que temos perdas incontáveis e medonhas, atacados pelas forças, privados de escolhas, vozes silenciadas. E ainda invencíveis. Está sacando o que estou querendo dizer? Durante quatrocentos e cinquenta anos. Cinco séculos de lágrimas. E ainda assim continuamos, continuamos os invencíveis.

Fez uma pausa significativa após o último verso. E então falou: Você conhece? Balancei a cabeça. Fui eu que escrevi, disse ele. Sou poeta, entende? Dei o título de "Os invencíveis". Fico escrevendo essas coisas e às vezes vou aos bares onde recitam poemas. É o meu dom, sabe, a poesia. Se gostou, disse ele, escute este outro: O catálogo da dor que vem com a cocaína não vem de nós. Eles a fabricaram, eles fizeram o negócio, eles nos fizeram resistentes, foram eles, os portadores da dor, que trouxeram os tempos difíceis, onde antes as coisas eram tranquilas. E agora, do que precisamos, entende? Precisamos semear um novo bálsamo, um novo credo. De dentro. De nossos ancestrais. Para nossos filhos. Para nosso futuro.

De novo, comovido com as próprias palavras, ficou um pouco em silêncio. Irmão Julius, disse ele, com grande emoção, você é um visionário, mantenha viva a esperança. Acho que a gente podia ler uns poemas juntos. Posso ver que você entende isso de maneira instintiva. Temos de ser uma luz para esta geração. Esta geração vive nas trevas, entende? Sei que está entendendo. Você também escreve? Peguei o cartão de apresentação que ele me passou por baixo do vidro. Estava impresso em tinta dourada sobre papel creme TERRENCE MCKINNEY, ESCRITOR/POETA PERFORMÁTICO/ATIVISTA. Não, falei, eu não me considero propriamente um escritor. Bem, dê uma ligada para mim um dia desses, falou. Podemos ir juntos ao Nuyorican Poets Cafe. Eu gostaria de conversar com você. Claro, respondi.

Nas circunstâncias, era a coisa mais simples que eu podia dizer. Deixei registrado na memória que, no futuro, devia evitar aquela agência de correio. Quando saí do prédio, o mais jovem dos dois homens que falavam espanhol que eu tinha visto antes haviam saído dali. O barbado, cujas unhas dos pés tinham acabado de ser aparadas, estava sentado sob a luz dourada do sol, que agora havia aparecido no céu, e o dia tinha ficado bem mais quente do que eu havia previsto. A luz caía reta, vinda do canto do edifício no outro lado da rua. Ele estava deitado, semiadormecido, na poça de luz, transfigurado. A seu lado, três garrafas de bebida vazias. Eu tinha pagado o correio em dinheiro e trazia comigo alguns trocados. Dei ao bêbado dois dos três dólares que estavam no meu bolso. Havia um gato bravo atrás dele, procurando uma sombra naquela luz forte e repentina. *Gracias*, disse o homem, despertando. Depois que dei três passos para além dele, voltei e lhe dei o último dólar, e ele sorriu para mim com os dentes quebrados. O gato bateu com a pata na própria sombra no concreto.

Peguei o metrô na rua 110. Saltei na rua Catorze e peguei um atalho para o East Side, percorri a Bowery inteira, sem ter em mente nenhum destino específico, passei pelas inúmeras lojas que vendiam luminárias e material para restaurantes, lojas que, vistas de fora, pareciam aviários exóticos. Acabei chegando a uma praça movimentada na East Broadway. Ficava a uma pequena caminhada da parte mais turística de Chinatown, mas me pareceu ficar à distância de um mundo, pois não se via nenhum turista onde eu estava e, a rigor, quase ninguém que não fosse originário do leste da Ásia. Os letreiros das lojas e dos restaurantes e os cartazes estavam escritos com caracteres chineses e só de vez em quando vinham acompanhados de traduções para o inglês.

No meio da praça propriamente dita, uma praça que era pouco mais do que uma ilha de tráfego rodeada pelo entroncamento de sete ruas, havia uma estátua que, vista de longe, pensei ser de um imperador ou de um poeta ancestral, mas por fim vi que era de Lin Zexu, o ativista antinarcóticos do século XIX. O monumento austero para celebrar aquele herói das Guerras do Ópio — ele tinha sido nomeado comissário em Guangzhou em 1839 e era muito odiado pelos britânicos por causa de sua função de impedir o tráfico de drogas que os ingleses faziam — era aquele em torno do qual os pombos agora revoavam em bandos. Riscavam a estátua com guano cinzento, aumentando a substância branca e seca que eles já haviam depositado nas pontas verde-escuras da roupa da estátua e na sua cabeça. Algumas pessoas tomavam sorvete ou comiam petiscos fritos, sentadas nos bancos na ilha de tráfego, ou caminhavam em torno da estátua apreciando a luz do sol. Restavam poucos sinais do que tinha sido o bairro no início do século XIX: um mercado de cavalos e gado a céu aberto, um bairro de albergues noturnos, de salões de tatuagem e tabernas.

Todo mundo parecia chinês à primeira vista, ou podia facilmente ser confundido com chinês, menos eu e uma outra pessoa — um homem nu até a cintura, que açoitava energicamente os braços e o peito com um trapo. Havia um brilho extraordinário em seu corpo, como se já estivesse embebido em óleo, mas se estava aplicando o lustrador ou se tentava removê-lo, isso eu não conseguia entender. Tinha a silhueta escura e o corpo trazia sinais ou de longas horas na academia de ginástica ou de uma vida inteira de trabalhos braçais pesados. Ninguém prestava muita atenção nele, enquanto cumpria meticulosamente sua tarefa, a qual logo interrompeu a fim de apanhar uma bicicleta que estava deitada a seus pés. Retirou a bicicleta do sol, de modo que ele ficasse mais seguramente abrigado sob a sombra do monumento em homenagem a Lin Zexu. Então recomeçou seus açoites, ou sua aplicação da substância oleosa. Seu corpo inteiro reluzia, nem mais nem menos do que quando havia começado, e ele mesmo parecia uma estátua de bronze. O homem então enfiou o trapo no bolso de trás da calça jeans e, como faria alguém repentinamente espantado ao lembrar-se de uma tarefa esquecida, saltou sobre a bicicleta e saiu em disparada por uma das ruas menores, costurando para lá e para cá no trânsito em seu caminho, até que não consegui mais avistar suas costas pretas e lustrosas no meio da multidão, sob o resplendor direto do sol.

Pouco depois eu também desci por uma das ruas transversais, uma rua ainda menor e mais congestionada, ao longo da qual edifícios construídos antes da guerra se espremiam de maneira vertiginosa, todos providos de uma complicada escada de emergência, que cada um dos prédios oferecia para o mundo como uma máscara transparente. Fios de eletricidade, postes de madeira, bandeiras abandonadas e um emaranhado de letreiros coalhava completamente, até o topo, as fachadas dos prédios de quatro ou cinco andares. As vitrines exibiam produtos dentários, chá, ervas. As latas de lixo estavam cheias até a boca com bagaços de gengibre e de raízes medicinais, e havia uma diversidade tão completa de bens e serviços que, após um tempo em que fiquei olhando uma vitrine cheia de carcaças penduradas de patos assados, seguida por outra repleta de manequins de alfaiate e outra cheia de folhetos impressos e esvoaçantes, em meia dúzia de tonalidades variantes do vermelho, desbotadas pelo sol, a qual por sua era vez seguida por outra vitrine com um amontoado de estatuetas de Buda de bronze e de porcelana, entrei na loja para escapar da atividade atordoante da ruazinha minúscula.

A loja, da qual eu era o único cliente, era um microcosmo da própria Chinatown, com uma interminável variedade de objetos curiosos: uma profusão de gaiolas de bambu e também de metal, trabalhadas com requinte, penduradas no teto como se fossem lampiões; peças de xadrez esculpidas à mão sobre tabuleiros em cima do balcão de bar, de aspecto antiquado, entre o freguês e o compartimento onde ficava o dono da loja; objetos decorativos laqueados imitando peças da dinastia Ming, cujo tamanho ia de minúsculos vasos decorativos até vasos bojudos e grandes o suficiente para esconder um homem em seu interior; folhetos humorísticos do tipo "Assim disse Confúcio", que tinham sido impressos na Inglaterra e em Hong Kong e que davam conselhos para os cavalheiros que desejavam alcançar o sucesso com as mulheres; pauzinhos de comer feitos de madeira, arrumados sobre suportes de porcelana; tigelas de vidro de todos os matizes, densidades e desenhos; e; numa prateleira envidraçada e aparentemente interminável, bem acima das prateleiras normais, uma série de máscaras pintadas com cores vivas, que abrangiam todas as expressões faciais possíveis na arte da dramaturgia.

Em meio àquela profusão, havia uma mulher sentada que, depois de erguer os olhos para mim um momento quando entrei, agora estava inteiramente concentrada em seu jornal chinês, conservando um ar hermético que, era fácil acreditar, não era perturbado desde o tempo em que os cavalos bebiam água em cochos na rua em frente. Parado ali naquela loja silenciosa e cheia de partículas de poeira, com os ventiladores de teto rangendo acima de minha cabeça e sem que as paredes forradas com painéis de madeira apresentassem nada de nosso século, eu me sentia como se tivesse tropeçado numa torção do tempo e do espaço, e tinha a impressão de que poderia facilmente estar em qualquer dos numerosos países para os quais os mercadores chineses tinham viajado e haviam oferecido seus produtos para vender, enquanto o comércio tinha sido global. E na mesma hora, como que para confirmar tal ilusão, ou pelo menos para ampliá-la, a velha me disse alguma coisa em chinês e fez um gesto apontando para fora. Vi um menino num uniforme de gala caminhando com um bumbo. Logo foi seguido por uma fila de homens com instrumentos de sopro, nenhum deles tocando, mas todos marchavam de modo solene e ritmado, descendo pela rua estreita, que, por algum passe de mágica, parecia ter se esvaziado de todos os consumidores para sua passagem. A velha e eu ficamos olhando de dentro da estranha calma da loja, na qual só se ouviam os ventiladores de teto e, fileira após fileira, passaram os componentes de uma banda marcial chinesa, com suas tubas, trombones, clarinetes, trompetes: homens de todas as idades, alguns de queixo proeminente, outros com ar de quem acabou de chegar à puberdade, com os primeiros sinais pretos de penugem de pêssego no queixo, mas todos com a mais profunda compenetração, levando com pompa seus instrumentos dourados, fileira após fileira, até, como que para rematá-los, passou marchando enfim um trio de taróis e um enorme bumbo final, levado por um homem enorme. Eu os segui com os olhos até o cortejo escoar atrás do último dos Budas de bronze, que estava na vitrine da loja, olhando para o lado de fora. Os Budas sorriam da cena com uma serenidade familiar, e todos os sorrisos me pareciam ser um só, o sorriso dos que haviam ultrapassado as preocupações humanas, o sorriso arcaico que também surgia nos lábios esculpidos nas estelas funerárias das *kouroi* gregas, sorrisos que pressagiavam não prazer, mas um total alheamento. Fora de vista da loja, eu e a velha senhora ouvimos as primeiras sequências de notas do trompete, que tocou dois compassos. Aquelas doze notas, primas espirituais do clarim fora de cena da Segunda Sinfonia de Mahler, foram retomadas pela banda inteira. Era uma figura melódica cromática, com uma modulação de blues, que devia ter tido sua primeira existência como um hino de missão religiosa, um canto fúnebre que era como uma tempestade ouvida à grande distância, ou o ronco das ondas, quando o mar está fora de vista. A canção não estava entre as que eu podia identificar, mas em todos os aspectos ela se igualava em sinceridade e simplicidade às canções que eu havia cantado no pátio da escola no Colégio Militar Nigeriano, canções do repertório anglicano reunidas no livro *Canções de louvor*, que constituía para nós um ritual diário, muitos anos antes e a milhares de quilômetros do lugar onde eu estava, naquela loja poeirenta e inundada de sol. Eu estremeci enquanto o coro gutural de instrumentos de sopro se derramava dentro daquele espaço, enquanto a tuba caminhava a passo lento com suas notas muito graves e o som todo entrava na loja, como raios de luz entrecortada. E então, com uma lentidão quase imperceptível, a música começou a baixar de volume à medida que a banda marchava para longe, rumo ao barulho da cidade.

Se aquilo exprimia algum orgulho cívico ou dava o tom solene a um enterro, eu não podia dizer, mas a melodia casava tão bem com minha memória daquelas reuniões matutinas da infância que experimentei a repentina desorientação e o êxtase de alguém que, numa mansão antiga e suntuosa, e a uma grande distância de sua parede espelhada, pudesse ver nitidamente o mundo duplicado dentro dele mesmo. Eu já não sabia dizer onde terminava o mundo tangível e onde começava o mundo refletido. Aquela imitação exata, item por item, de cada vaso de porcelana, de cada ponto fosco no polimento de cada cadeira de teca manchada, se estendia até onde o meu eu invertido, como eu mesmo também, havia parado e dado meia-volta. E esse duplo de mim, naquele exato momento, havia começado a lutar com o mesmo problema que o seu original igualmente confuso. Estar vivo, assim me pareceu, enquanto ficava ali parado envolto em todos os tipos de dor, era ser tanto original quanto reflexo, e morrer era ser dividido, ser só reflexo.

17.

Na primavera a vida voltou para o corpo da terra. Fui a um piquenique no Central Park com amigos e sentamos embaixo de pés de magnólias que já haviam perdido suas flores brancas. Perto, ficavam as cerejeiras, que, curvadas sobre a cerca de arame atrás de nós, chamejavam de flores cor-de-rosa. A natureza é infinitamente paciente, uma coisa vive depois que outra cedeu seu lugar; as flores da magnólia morrem quando as da cerejeira nascem. Ao atravessar as pétalas das flores das cerejeiras, o sol coloria a grama úmida, e as folhas novas, aos milhares, dançavam na brisa de abril, de modo que, de vez em quando, as árvores na extremidade do gramado pareciam carentes de substância. Fiquei meio na sombra, observando um pombo preto caminhar em minha direção. Parou, depois voou e sumiu de vista por trás das árvores, depois voltou de novo, caminhando desengonçado, como fazem os pombos, talvez à cata de migalhas de pão. E muito acima do pássaro e de mim, houve a súbita aparição de três círculos, três círculos brancos contra o fundo do céu.

Nos últimos anos, eu havia notado o quanto a luz afeta minha capacidade de ser sociável. No inverno, me retraio. Nos longos dias ensolarados que seguem o inverno, em março, abril e maio, sou muito mais propenso a procurar a companhia dos outros, mais propenso a sentir-me alerta às imagens e aos sons, às cores, aos desenhos, aos corpos em movimento, a outros cheiros além daqueles que encontro em meu trabalho ou em meu apartamento. Os meses frios me deixam aborrecido e a primavera parece aguçar suavemente a sensibilidade. Em nosso pequeno grupo no parque naquele dia, éramos quatro, todos recostados sobre um pano grande e listrado, comendo pão árabe e *homus* e beliscando uvas verdes. Tínhamos aberto uma garrafa de vinho branco, a segunda daquela tarde, escondida dentro de uma sacola de compras. Fazia um dia quente, mas não tão quente a ponto de o Great Lawn ficar lotado de gente. Fazíamos parte da multidão de habitantes da cidade numa fantasia cuidadosamente orquestrada da vida rural. Moji tinha trazido um exemplar de *Anna Kariênina*, apoiava-se no cotovelo e lia o grosso volume — era uma das traduções novas — e só de vez em quando interrompia a leitura a fim de participar da conversa. E a alguns metros de nós havia um jovem pai que chamava sua filha pequena, que ainda mal sabia andar e que estava se afastando: Anna! Anna!

Havia um avião que voava a tamanha altitude acima de nós que o ronco de seus jatos mal se fazia ouvir acima de nossa conversa. Depois só restou seu tênue rastro de fumaça e, assim que isso também se desfez, vi os três círculos brancos crescendo. Os círculos flutuavam, pareciam ir para o alto ao mesmo tempo que caíam para baixo, depois tudo se esclareceu, como a lente de uma câmera que ajusta o foco, e vimos a forma humana dentro daquele círculo. Cada pessoa, cada um daqueles homens voadores, pilotava seu paraquedas, puxava os cordões para a esquerda e para a direita, e ao observá-los senti o sangue latejar em minhas veias.

Todo mundo no gramado, agora, estava atento. Quem jogava bola parou, as conversas se tornaram ruidosas e muitas mãos apontaram para o alto. A cambaleante Anna, espantada como todos nós, se agarrava à perna do pai. Os paraquedistas eram habilidosos, flutuaram na direção uns dos outros até entrar numa espécie de formação em feitio de peteca, depois se afastaram de novo e tomaram a direção do centro do gramado. Chegaram mais perto do solo, descendo depressa. Imaginei o zunido do vento em seus ouvidos enquanto cortavam o ar, imaginei a tensa atenção com que se seguravam para aterrissar. Quando estavam a uma altura de mais ou menos cento e cinquenta metros, vi que vestiam macacões brancos, com alças brancas. Os paraquedas de seda pareciam enormes asas brancas de borboletas alienígenas. Por um momento, todos os sons em redor pareceram se apagar. O espetáculo de homens realizando o antigo sonho de voar se desdobrava em silêncio.

Eu quase conseguia imaginar como eles se sentiam, rodeados pelo claro espaço azul, muito embora eu jamais tivesse pulado de paraquedas. Certa vez, num dia igualmente bonito um quarto de século antes, ouvi os gritos de um menino. Estávamos dentro da água, éramos mais de doze, e ele tinha se afastado para a parte mais funda. Não sabia nadar. Estávamos numa grande piscina no campus da Universidade de Lagos. Criança, eu me tornara um ótimo nadador, graças à insistência de minha mãe, e um pouco para preocupação de meu pai, pois ele tinha medo da água. Minha mãe me levou para ter aulas de natação no clube campestre quando eu tinha cinco ou seis anos de idade e, como ela também era boa nadadora, acompanhava sem temor enquanto eu aprendia a me sentir em casa dentro da água; com ela, aprendi aquele destemor. Fazia anos que eu não ia a uma lagoa como aquela, porém dessa vez minha capacidade de nadar foi importante. Aconteceu um ano antes de eu partir para estudar no Colégio Militar Nigeriano; salvei a vida de uma pessoa.

Aquele menino, de quem agora não lembro nada senão o fato de que, como eu, era mestiço (em seu caso, meio indiano), estava em perigo de morte e, quanto mais se esforçava para manter a cabeça acima da água, mais era puxado para partes mais profundas da lagoa. As outras crianças, paralisadas pelo choque e pela angústia, se mantinham na parte rasa e olhavam. Não havia salva-vidas, e nenhum dos adultos, supondo que algum deles soubesse nadar direito, estava perto o bastante da parte funda para poder ajudar. Não me lembro de ter parado para pensar nem de ter calculado o perigo que eu podia correr, só lembro que parti na direção dele o mais depressa que pude. O momento que ficou na minha mente foi quando não havia ainda alcançado o menino, mas já me afastara do bando de crianças. Entre os gritos do menino e os das outras crianças, eu nadava com força. Mas, apanhado no meio da vastidão azul à minha volta e acima de mim, de repente tive a sensação de que não estava mais perto dele do que estivera antes, como se a água se intrometesse de propósito entre o lugar onde ele se encontrava, na sombra de estruturas que serviam para pular e mergulhar, e o lugar onde eu flutuava, debaixo do brilho do sol. Eu tinha parado de nadar e o ar esfriava a água na minha cara. O menino sacudiu os braços, rompendo por um instante a superfície com movimentos frenéticos, antes de ser puxado de novo para baixo. As pesadas sombras tornavam difícil, para mim, enxergar o que estava acontecendo. Pensei por um instante que eu ia ficar nadando para sempre na direção dele, que jamais conseguiria atravessar a distância que restava, de doze ou quinze metros. Mas aquele momento ia passar e eu me transformaria no herói do dia. Houve risadas depois e o menino meio indiano foi alvo de caçoadas. Porém, não faltou muito para ter sido uma tarde trágica. O que arrastei por uma curta distância até a plataforma de mergulhos poderia ter sido um corpo pequeno e sem vida. Mas quase todos os detalhes daquele dia logo se perderam para mim, e o que permaneceu com mais força foi a sensação de estar completamente sozinho na água, uma sensação de autêntico isolamento, como se eu tivesse sido jogado, sem estar preparado, dentro de uma câmara azul imensa e desagradável, distante da espécie humana.

Para os paraquedistas, a distância entre o céu e a terra começou a desaparecer mais depressa, e o solo de repente subiu ligeiro na direção deles. O som voltou e eles aterrissaram, um depois do outro, harmoniosamente, em nuvens ondulantes, para receber os gritos e os assovios dos que faziam piquenique no parque. Eu também aplaudi. Os paraquedistas se esgueiraram por baixo de suas tendas, agachados, e fizeram sinais uns para os outros. Depois se ergueram como vitoriosos matadores de touros, acenando para a multidão, e foram recompensados com nossos gritos alegres e aplausos mais ruidosos.

Então aquilo cessou. Acima do barulho, ouvimos o gemido de sirenes no lado leste do parque. Quatro policiais vieram correndo por cima das cordas em torno do perímetro do gramado e partiram para seu centro. Um deles era branco, outro, asiático, e os dois restantes eram negros, todos tao deselegantes em seus movimentos quanto os movimentos dos paraquedistas tinham sido dignos de um balé. Começamos a vaiar, protegidos pelo nosso grande número, e fomos empurrados para trás no círculo de congratulações que havíamos formado, para que os policiais pudessem prender os intrépidos. Alguém na extremidade do círculo gritou: "Encenação de segurança!", mas o vento havia levantado e acabou engolindo a voz da mulher.

Os paraquedistas não resistiram à prisão. Já não estavam mais tolhidos por suas asas quando foram levados pela polícia. A multidão começou a aplaudir outra vez e os paraquedistas, todos jovens, sorriram e se curvaram para agradecer. Um deles, mais alto que os outros dois, tinha uma barba comprida e ruiva que reluzia no sol. Os paraquedas ficaram amontoados num bolo reluzente sobre a grama e, quando o vento levantou outra vez, pareciam exalar trêmulos suspiros. E assim ficamos olhando os paraquedas respirando por um tempo, enquanto os homens eram levados pela polícia. Mais tarde, mas só depois do que pareceu um longo tempo fora do tempo comum, saímos do mundo maravilhoso e retomamos nosso piquenique. Alguma coisa tinha aparecido no céu e desafiado a natureza. Meu amigo, que parecia ter lido meus pensamentos, disse: A gente precisa se propor um desafio e deve encontrar um meio de realizá-lo com exatidão, quer se trate de um paraquedas, quer se trate de mergulhar do alto de uma pedra, ou ficar sem se mexer durante uma hora, e a gente precisa realizar isso de um modo maravilhoso, é claro.

Moji, irmã de Dayo Kasali, jazia de bruços, um chapéu de palha sobre a cabeça. Lise-Anne e meu amigo combinavam muito bem, pensei. Eu nunca tinha visto Lise-Anne, mas ele me garantiu que era sua companheira ideal. Havia um equilíbrio entre a seriedade dele e a alegria natural dela. Lise-Anne já compreendia meu amigo, o que era mais do que se podia dizer de suas últimas e numerosas namoradas. O amor dele pela filosofia se igualava à maneira como praticava a biologia (como ele mesmo me dissera certa vez). Meu amigo era muitas vezes perdoado por sua inconstância; a disposição das mulheres para perdoá-lo tinha relação com o fato de ele ser uma criatura delicada. Mas ser compreendido, como ela parecia compreendê-lo de forma instintiva, era mais raro.

Perto de nós, os ramos de uma glicínia pendiam baixos, as pétalas de suas flores roxas se tornavam reticuladas, atarefadas com a ressurreição. Havia algumas tulipas, os sultões da primavera, supus, com grandes pétalas sedosas que pareciam orelhas.

Abelhas esbarravam nas flores a todo instante, traçando trilhas de voo à nossa volta, por todos os lados. Em nosso caminho para dentro do parque, Moji me disse que andava mais preocupada do que nunca a respeito do ambiente. Seu tom de voz era sério. Quando respondi que eu achava que todos nós estávamos preocupados, ela me corrigiu, balançando a cabeça. O que eu quero dizer é que me preocupo ativamente com o assunto, disse ela. Não acho que isso seja uma verdade geral para as outras pessoas. Acho que eu desperdiço as coisas, tenho maus hábitos, como a maioria dos americanos à minha volta. Como a maioria das pessoas no mundo, eu creio. Minha consciência do assunto se tornou mais forte nos últimos meses, disse ela.

Tentei abordar a questão da maneira correta. Perguntei se ela se preocupava com coisas como viagens aéreas. Eu sabia que ela viajava para a Nigéria pelo menos uma vez por ano. Será que ela não estava preocupada com os efeitos ambientais do combustível dos jatos e tudo isso? Respondeu que estava, sim. Então nossa conversa perdeu a força quando Lise-Anne e meu amigo, que caminhavam alguns passos atrás, nos alcançaram outra vez e ela começou a nos contar como era a vida em Troldhaugen, onde tinha sido criada. Agora, enquanto eu olhava os trabalhadores do parque dobrarem os paraquedas, recordei aquela breve conversa que tivera com Moji, pouco antes. Eu ouvia falar muito da preocupação com o meio ambiente, o bastante para saber que era uma prioridade genuína para algumas pessoas, mas ainda não havia sentido na própria pele a seriedade da questão. Não tinha experimentado um fervor com o assunto. Não parava para pensar se devia usar papel ou plástico, não separava material reciclável, a não ser por uma questão de simples conveniência, e não por alguma crença de que reciclar era de fato importante. No entanto, eu já estava começando a respeitar os que agiam de modo diferente. Era uma causa, e eu desconfiava de causas em geral, mas era também uma escolha, e vi aumentar minha admiração por escolhas decididas, porque eu mesmo era fundamentalmente indeciso.

Moji levantou o chapéu que cobria seu rosto e uma abelha que a vinha incomodando reavaliou a situação e partiu voando na direção da flor mais próxima. O céu havia tomado uma cor azul mais escura e o ar estava mais frio. Ela esfregou o rosto com a mão. Olhei para Moji e achei-a enigmática. Era alta demais e tinha os olhos pequenos. Seu rosto era escuro, tão escuro que tinha marcas roxas, mas não era linda da maneira como eu esperava que fossem as mulheres de pele escura. Sabe de uma coisa que eu sei sobre as abelhas?, perguntou ela de repente, interrompendo meus pensamentos. Que o nome abelhas africanas assassinas é uma besteira racista. Africanas assassinas: como se já não tivéssemos problemas de sobra para enfrentar, sem que a palavra *africano* virasse uma abreviação de assassino. Moji se inclinou para a frente a fim de arrancar uma uva do cacho sobre o prato. Ela estava de camiseta decotada e sem mangas e eu podia ver a curva escura de seus seios.

As abelhas estão morrendo em todo o país, falei, e os cientistas não sabem o motivo. Sempre achei as abelhas inescrutáveis. São obcecadas de um modo que desconcerta os seres humanos e agora acabaram virando presas de um morticínio em massa. Tem alguma coisa a ver com ciclos do clima ou com pesticidas, eu acho, ou talvez alguma modificação genética esteja no âmago da questão. Hoje, um terço das abelhas já morreu e outras ainda vão morrer; o percentual está aumentando o tempo todo. Faz muito tempo que são usadas como máquinas de produzir mel, falei, suas obsessões foram empregadas em benefício dos seres humanos. Agora elas estão se revelando mestras em morrer também, morrer por causa de alguma terrível desordem na ordem dos himenópteros.

Houve sorrisos e movimentos afirmativos com a cabeça. Lise-Anne me olhou com certa admiração e meu amigo zombou de mim com os olhos. Moji disse que tinha lido alguma coisa sobre o fenômeno, que era chamado de distúrbio do colapso das colônias. Agora já é algo muito disseminado, disse Moji, comum em toda a Europa e na América do Norte, e até em Taiwan. E também não tem alguma coisa a ver com o milho geneticamente modificado? Meu amigo pôs a cabeça no colo de Lise-Anne e disse: Isso parece uma coisa saída da história imperial: distúrbio do colapso das colônias! Os nativos estão agitados, Vossa Majestade, não vamos poder controlar essas colônias por muito tempo mais. Lise-Anne disse: Algum de vocês conhece *O espírito da colmeia*? É um filme de um homem chamado Erice, feito nos anos 70. No filme, as abelhas representam sei lá o quê, mas parece que, numa época violenta e triste da história da Espanha, elas representavam uma forma diferente de pensar, uma forma de pensar e de viver que era específica das abelhas, mas isso tinha alguma relação com o mundo humano. Há umas cenas nesse filme que, falando sério, ficaram gravadas na minha cabeça até hoje. Penso nas cenas em que o pai — ele tem duas filhas jovens e uma delas se chama Ana, assim como aquela menina que estava logo ali, agora há pouco —, as cenas em que o pai fica numa espécie de estado de choque por causa de um trauma de guerra, ou é prisioneiro de uma espécie de lembrança sobre a qual não pode falar, e ele trabalha como apicultor. Essas cenas são muito comoventes, não têm diálogo nem enredo, mas funcionam. De todo modo, não sei aonde eu quero chegar, mas talvez as abelhas sejam sensíveis, e sensíveis de um modo fora do comum, a toda negatividade que existe no mundo humano. Talvez elas estejam ligadas a nós de uma forma essencial que ainda não conseguimos compreender, e a morte delas seria um tipo de advertência para nós, como os canarinhos dentro de uma mina de carvão, sensíveis a uma emergência que em breve irá se tornar aparente para seres humanos vagarosos e embotados.

Eu não tinha visto o filme de Erice, mas o colapso das populações de abelhas me levou a pensar em outra coisa, que então associei ao que Lise-Anne tinha acabado de contar. A falta de familiaridade com a morte em massa, com a epidemia, a guerra e a fome me pareciam uma coisa nova na história da humanidade. Estas últimas décadas, falei para meus amigos, em que guerras estouraram em pequenas áreas, em vez de devastarem tudo, e em que a agricultura não provoca mais um medo da natureza, e as variações sazonais do clima não são augúrios de inanição, é uma anomalia na história humana. Somos os primeiros seres humanos completamente despreparados para a catástrofe. É perigoso viver num mundo seguro. Vejam essa linda e inofensiva proeza praticada pelos paraquedistas. Sabemos que eles estão do lado do bem, por terem produzido algo memorável para nós, com algum risco pessoal, mas a polícia tem a função de nos manter a salvo em todos os momentos, está oficialmente incumbida de nos dar segurança, com a força das armas, e de nos proteger até dos prazeres. Muitas vezes penso no longo século XIX. Que, em todas as partes do mundo, foi um interminável banho de sangue, uma orgia de matança contínua, na Prússia ou nos Estados Unidos, nos Andes ou na África Ocidental. A carnificina era a regra, e as nações entravam em guerra sob quaisquer pretextos. E isso continuou por muito tempo, interrompido por breves intervalos para os países se rearmarem. Pense nas epidemias que varreram do mundo dez, vinte ou até trinta por cento da população na Europa. Há pouco tempo, li em algum lugar que a cidade de Leiden perdeu trinta e cinco por cento da população num período de cinco anos na década de 1630. O que significaria viver diante de tal possibilidade, com pessoas de todas as idades caindo mortas em volta da gente o tempo todo? O fato é que nós não temos a menor ideia. Na verdade, li isso numa nota de rodapé em um artigo sobre outro assunto, sobre pintura ou mobílias.

Famílias que perdiam três dos sete membros não eram de forma nenhuma coisa rara. Para nós, a ideia de três milhões de nova-iorquinos mortos por uma doença nos primeiros cinco anos do milênio é algo impossível de apreender. Achamos que seria a distopia total; portanto pensamos em tais realidades históricas apenas como notas de rodapé. Tentamos esquecer que outras cidades em outras épocas viram coisas piores, que não existe nada que nos imunize de alguma peste, de um tipo ou de outro, que somos tão suscetíveis quanto qualquer civilização do passado, mas estamos particularmente despreparados para isso. Até mesmo na maneira como falamos sobre o pouco que nos aconteceu, já esgotamos nossas hipérboles.

Eu teria continuado. Foi Lise-Anne quem me salvou, mudando de assunto. Ela disse: Mas, Julius, você é psiquiatra. Eu sempre penso nesse assunto. Eu obviamente sou maluca, do contrário não estaria com este cara aqui. Portanto deixe para lá as abelhas, as epidemias e tudo isso. Quem foi a pessoa mais maluca que você viu ultimamente? Aposto que você esbarra com umas pessoas doidas de pedra. Ou será que você jurou manter segredo sobre esse assunto? A gente promete que não vai contar para ninguém.

Fiz a vontade deles e contei histórias sobre meus pacientes, sobre as visitas de alienígenas e a vigilância das autoridades governamentais, as vozes nas paredes, as desconfianças de conspirações na família. Existe sempre um fundo de histórias humorísticas no horror das doenças mentais, sobretudo nas fileiras dos paranoicos. Recordei então aquelas histórias, cheguei a apresentar alguns pacientes de meus colegas como se fossem meus pacientes. Meu amigo ria enquanto eu relembrava um caso em que o paciente tinha conseguido "interceptar" sinais de outros planetas forrando cuidadosamente todas as janelas de seu apartamento com folhas de papel laminado, colocando nas solas dos sapatos receptores entrelaçados de forma elaborada com clipes de papel e levando sempre consigo um pequeno pedaço de chumbo em cada bolso, mesmo quando estava dormindo. A esquizofrenia paranoica se prestava muito bem a tais narrativas, e os que padeciam da doença eram bons contadores de histórias, porque se ocupavam com a construção de mundos. Dentro dos parâmetros de suas próprias realidades, tais mundos eram de uma coerência notável: só pareciam loucos vistos de fora.

Os médicos usam de fato a palavra *maluco*?, perguntou Moji. Com certeza usamos, respondi. Na verdade, há certas pessoas que são simplesmente doidas, e é isso que escrevemos na ficha do prontuário. Fiz isso ainda na semana passada. Um vendedor de quarenta e nove anos, conversei com ele durante alguns minutos e, enquanto ele estava falando, escrevi assim: O paciente é um doido varrido. Outro paciente eu diagnostiquei assim: Despirocado. Acho que você ficaria surpresa com o que os médicos dizem na verdade, quando ninguém está olhando.

Conhece aquela loja perto de TriBeCa?, perguntou Lise-Anne. A que chama We Are Nuts About Nuts.* Pois bem, disse meu amigo, eu sei com absoluta certeza que sou maluco. De fato, existe uma porção de gente louca nesta cidade, talvez a maioria dos nova-iorquinos. Está certo, nem tanto, prosseguiu ele, não estou falando sério. Mas, de fato, todo mundo encontra um jeito de enfrentar esse problema, ninguém está completamente livre de problemas mentais, por isso digo que é melhor deixar todo mundo resolver a questão por sua própria conta. A insanidade mental é usada como desculpa para suprimir a dissi-

---

* "Somos loucos por nozes", trocadilho em inglês. (N. T.)

dência, exatamente como sempre aconteceu. Julius, tenho certeza de que você sabe tudo sobre o assunto: na Europa medieval, havia prisões flutuantes, barcos cheios de loucos que iam de um porto para outro, recolhendo os indesejáveis. As pessoas que hoje diríamos que estão um pouco deprimidas eram submetidas a exorcismos. A questão era apenas afastar da sociedade os elementos tidos como contaminantes.

E se estamos falando da insanidade mental real, prosseguiu meu amigo, e não vou fingir que isso não existe, se estamos falando de uma disjunção drástica, radical mesmo, entre a realidade de fato e uma espécie de realidade inventada pessoalmente, bem, houve muito disso na minha família. O que você falou sobre Leiden, bem, de certo modo minha família era Leiden. Meu pai ficou maluco e viciado em cocaína. Ou talvez seja o contrário, talvez a cocaína tenha vindo primeiro. Seja como for, ele está lá na Carolina do Sul, em algum canto, neste minuto, tentando dar mais uma cafungada. É para isso que ele vive. Entendam que uso a palavra *pai* em sentido lato. Não vejo o homem há quatro anos e, na última vez em que o vi, era melhor nem ter visto. De outro lado, tem minha mãe: seis filhos de homens diferentes. Isso também é uma espécie de loucura, não é? Quer dizer, como é que alguém não para de fazer isso depois do terceiro ou do quarto filho? Tenho um irmão mais velho que está preso por tráfico de drogas. E isso sem mencionar meu tio Raymond. O tio Ray era mecânico na região de Atlanta. Tinha esposa e três filhos. A pessoa mais correta do mundo, nunca se meteu em encrenca, nunca usou drogas. Então, quanto eu tinha onze anos de idade, perdeu a cabeça sei lá por que motivo, se enfiou no quintal da casa e deu um tiro na cabeça. Sua filha mais nova, minha prima Yvette, que na época tinha sete anos, encontrou o corpo.

Um silêncio caiu sobre o grupo. Eu conhecia a história. Aquele era o aterrador ambiente familiar que meu amigo teve de superar para conseguir entrar na universidade, fazer pós-graduação e tornar-se professor assistente numa das principais universidades do país. Agora, depois de falar, tinha no rosto uma expressão de paz. À nossa frente, nas sombras cada vez mais compridas da tarde, os paraquedas tinham sido dobrados e eram levados embora em veículos que pertenciam ao Departamento de Parques e Áreas de Recreação. Os acrobatas na certa teriam de responder a uma acusação criminal por colocar em risco a própria segurança e a de terceiros, e seriam multados por isso. Afinal, Moji falou: Suponho que as coisas que os negros tiveram de enfrentar neste país — e não me refiro a mim ou ao Julius, me refiro a pessoas como vocês, que vivem aqui há gerações —, as coisas que vocês tiveram de enfrentar são mais do que o suficiente para levar qualquer um até seu limite. A estrutura racista deste país é de enlouquecer.

Ah, por favor, disse Lise-Anne, não invente desculpas para ele! Todos nós rimos, com certo alívio. Lise-Anne era instantaneamente simpática. Em contraste, fiquei impressionado com a fragilidade de Moji, o tom defensivo que ela pareceu ter sempre à mão. Ao falar sobre o namorado, que eu ainda não conhecia, ela me perguntou: Você está tentando descobrir se ele é negro? Fiquei espantado. Garanti a ela que não, eu não tinha nenhum interesse naquilo. Era banal, me sugeria uma espécie de mente informe. Mas achei aquilo atraente, e até sexual, e de repente imaginei nós dois juntos, numa situação sexual. Moji não era nenhuma Nadège; era uma atração de uma valência distinta. Eu nem mesmo estava seguro de que podia chamar de atração. Mas havia algo interessante no jeito que ela se enrolava naquilo como se fosse um roupão. Moji era franca, falava sem rodeios, sempre disposta a brigar, e no entanto dava a impressão de ser uma observadora, de examinar com atenção as pessoas e as palavras.

Quando saímos do parque, meu amigo e sua garota nos deixaram e pegaram um táxi para a parte residencial da cidade. Eu caminhei ao lado de Moji pelo Central Park West. De novo, era eu quem mais falava. Tentei outra vez levar Moji a falar sobre a questão da reciclagem. Ela respondia apenas com sim e não, como se soubesse muito bem que eu estava falando por falar, só para preencher o silêncio. Um pombo de penas escuras, talvez o mesmo que eu tinha visto antes naquela tarde, embora eu duvidasse que fosse o mesmo, se movia aos saltos no alto do muro, ao longo do lado oeste do parque, como se estivesse nos seguindo, depois levantou voo de repente e sumiu nas árvores de uma vez por todas. Perguntei para ela de novo a respeito do namorado, fingindo estar interessado. O nome dele era John Musson. Moji não tinha nada a dizer sobre ele. A noite de primavera reduzia aquilo que falávamos, absorvia nossa energia, e assim, depois de um tempo, nos limitamos a caminhar em silêncio, lado a lado. Uma ou duas vezes, ergui os olhos para o rosto de Moji, que só então pareceu muito concentrado e carente de beleza, além de completo em seu fascínio. Eu tinha grande dificuldade para interpretar Moji. O trânsito rosnava baixo a nosso lado, o ruído de motores impacientes e agitados, e a fumaça de gasolina trazia uma ameaça ao mundo perfumado do parque. No metrô da rua 86, deixei-a ir embora.

O exercício da psiquiatria compreende, em parte, encarar o mundo como um conjunto de tribos. Pegue um punhado de indivíduos dotados de cérebro que, no que diz respeito à maneira como mapeiam a realidade, são mais ou menos iguais: entre os cérebros desse conjunto, desse grupo ostensivamente normal, desse grupo de controle que constitui a maioria da humanidade, as diferenças são pequenas. O bem-estar mental é misterioso, mas esse grupo é bastante previsível, e o pouco que a ciência descobriu sobre o funcionamento do cérebro e os impulsos químicos é aplicável em linhas gerais. O hemisfério direito processa em paralelo, o esquerdo processa em série, e mensagens são transmitidas de modo mais ou menos eficiente entre os dois hemisférios por meio do corpo caloso. O órgão inteiro se abriga dentro do crânio e vai se aprimorando numa gama de tarefas de uma complexidade assombrosa, enquanto vai piorando em algumas outras poucas tarefas. Essa é nossa imagem de normalidade. Nas experiências individuais, as diferenças tendem a ser exageradas — por razões sociais importantes, as pessoas gostam de pensar que as outras são completamente diferentes delas —, mas tais diferenças, na realidade, são muito pequenas, na maior parte das funções.

No entanto, tomemos outro grupo do indivíduos, uma tribo mais distante, e entre eles os cérebros têm uma diferença significativa, em relação aos do primeiro grupo, nos aspectos químico e fisiológico. Esses são os mentalmente enfermos. Os loucos, os malucos: gente que é esquizofrênica, obsessiva, paranoica, compulsiva, sociopata, bipolar, deprimida ou alguma sinistra combinação de duas ou mais dessas modalidades; todas essas pessoas formam um conjunto harmônico, deviam ser classificadas juntas. Ou é assim que pensamos — e essa é a justificativa racional do exercício da psiquiatria. Se são bastante doentes, elas se apresentam no hospital, por vontade própria ou não, e recebem medicamentos, ingeridos de bom grado ou à força. Mas dentro dessa tribo, e isso muitas vezes me impressiona, as diferenças são tão profundas que, de fato, aquilo que estamos vendo são muitas tribos, cada uma tão distinta das demais quanto difere da tribo dos normais.

Entre minhas obrigações como estudante de pós-graduação da faculdade de medicina e residente de psiquiatria, eu estava autorizado a ser terapeuta e empurrava os menos normais na direção de algum sentido estatístico imaginário de normalidade.

Eu tinha o uniforme e o diploma para prová-lo e tinha à mão meu *Manual diagnóstico e estatístico de transtornos mentais*-IV. Minha tarefa, se eu tivesse de declará-la da maneira mais pomposa possível, era curar os loucos. Se não pudesse curá-los, o que era o mais frequente, fazia o melhor possível para ajudá-los a enfrentar a doença. Durante todo o curso de medicina, lutei muito para não perder de vista esse princípio sublime, o sonho que está por baixo de nossa ciência e de nossa práxis. Tais reflexões eram inteiramente confidenciais, é claro, e uma das lições que aprendi mais prontamente na condição de estudante de medicina foi que, mais por hábito que por necessidade, a imagem mais abrangente era sacrificada em favor do pequeno detalhe. Aprendíamos a desconfiar da filosofia; nossos professores preferiam o neurotransmissor potente, o truque analítico, a intervenção cirúrgica. O holismo era desdenhado por muitos professores e, nisso, os melhores alunos seguiam a orientação deles.

Éramos todos profundamente sensíveis ao sofrimento de nossos pacientes, mas eu era um numa minúscula minoria, até onde eu podia dizer, que pensava o tempo todo na alma ou se preocupava com seu lugar em todo esse conhecimento cuidadosamente calibrado. Meu instinto era para dúvidas e perguntas. A gestão da maioria dos casos, depois de três anos de residência, se tornou algo óbvio para mim. Como tudo tinha sido desconcertante no início, um vasto mar de conhecimento indomável, repleto de manobras traiçoeiras e de oportunidades de fracasso. Porém, como que de uma só vez, descobri que eu era um psiquiatra competente. Nessa ocasião, eu também começava a formar uma noção melhor do que devia fazer depois: que bolsas de estudos devia solicitar, a quem devia pedir cartas de recomendação. Aos poucos eu tinha desistido de minha ambição acadêmica, na área da pesquisa e da clínica, e meu futuro parecia ser trabalhar num grande hospital municipal, e não universitário, ou talvez numa pequena clínica nos subúrbios. Para mim, isso estava bom, pois na verdade nunca tivera muito apetite para o tipo de competição que a universidade acarretava.

Em meados de abril, nosso chefe de departamento se afastou para clinicar por conta própria. A substituta, Helena Bolt, transferida de Hopkins, era especialista de ponta em transtorno do déficit de atenção e hiperatividade, uma pessoa generosa com quem era muito fácil trabalhar. Sua presença foi muito importante para todo o departamento. Tinha havido um escândalo: um ano antes, nosso chefe, o professor Gregoriades, tinha sido acusado de empregar uma palavra pejorativa para se referir a alguns pacientes asiáticos. A acusação não fora feita em público nem formalmente, mas pelo que diziam as pessoas que discutiam aquele caso, as fontes eram confiáveis. Embora a maior parte de nós nunca tenha descoberto que palavra foi usada na realidade, se é que houve alguma, o fato é que foi uma cena feia, sobretudo para o punhado de pacientes coreano-americanos e sino-americanos internados e que faziam parte do programa. Era uma acusação grave e sem dúvida nenhuma teve um peso em sua transferência para outro programa. Com sua partida, certa energia negativa e certo descontentamento que havia no departamento se dissiparam.

Gregoriades, na verdade, nunca havia se mostrado nada mais que educado comigo. Era um estudioso brilhante, de reputação nacional, finalista do prêmio Lasker, membro da Academia Americana de Ciências e Artes, membro de honra da Associação Americana de Psiquiatria; as realizações profissionais diziam sobre ele algo distinto da sua personalidade, algo que exigia respeito. Em todo caso, nunca me importei com suas maneiras um tanto frias e até tinha alimentado, tempos antes, a ideia de conhecê-lo melhor, de criar alguma estratégia para cair nas suas boas graças, em razão do possível benefício que agir assim poderia trazer à minha carreira. Isso foi algo que decidi não levar adiante, mas a ideia me passou pela cabeça. Fama, condição social, relações: se eu fosse inteiramente desprovido de tais preocupações, acho que não teria vindo para o Presbyterian. No entanto ele pertencia a uma geração diferente, ou pelo menos assim diziam. Ele era menos sensível aos novos matizes do que era politicamente correto. Sem dúvida as pessoas seriam menos otimistas acerca da situação caso ele tivesse sido acusado de praticar ofensas raciais contra estudantes negros ou judeus.

A professora Bolt, sua substituta, era mais do que educada. Por meio dela, nós, médicos jovens, tivemos uma visão autêntica do que poderia ser uma clínica médica humanitária, após vinte e cinco anos de carreira cumpridos na universidade e no hospital. A lista de suas publicações abrangia algumas páginas, ela tivera êxitos profissionais apenas um pouco menos brilhantes que os de Gregoriades, e era considerada uma gestora hábil. Porém, o mais evidente era que também se importava de modo genuíno com o cuidado direto dos pacientes. Queria criar normas por meio das quais pudéssemos aprimorar os resultados alcançados com os pacientes. A mudança foi imperceptível de início, mas um mês depois da chegada de Bolt, um tema recorrente nos papos do vestiário era a maneira como nossa cultura de trabalho no departamento tinha mudado. Tinha mudado para melhor. E foi especialmente gratificante para mim, com minha visão um tanto ingênua e mantida com teimosia, quando eu já chegava ao final de meu período de residência, daquilo que a psiquiatria devia ser de fato: provisória, hesitante e o mais gentil possível.

Ao conversar com meu amigo e com os demais no parque sobre a residência, eu me concentrara, como tinha de fazer no contexto, em vinhetas cômicas. Há um antigo casamento entre comédia e sofrimento humano, e a doença mental em particular é facilmente representada de maneira a provocar risos. Mas tive dúzias de casos que não serviriam nem de longe para tal propósito, e às vezes é difícil desvencilhar-se do sentimento de que, deixando de lado todas as piadas, existe de fato uma epidemia de dor que varre o mundo, cujo fardo pesado é suportado, por enquanto, apenas por uns poucos desafortunados.

Leio Freud só por conta de verdades literárias. Suas deficiências, afinal, foram expostas de maneira tão cabal que, na cultura popular quase tanto quanto na psiquiatria profissional, ele foi compreendido sobretudo por intermédio de seus críticos: H. J. Eysenck o criticou por sua psicoterapia, Popper, por sua ciência, Friedan, por sua atitude em relação às mulheres. A crítica em geral não foi injusta. Portanto eu lia Freud não como um profissional em busca de esclarecimentos profissionais, mas da mesma forma que leria um romance ou um poema. Sua obra era um bom contrapeso ao viés farmacológico da clínica moderna. A aura histórica era atraente também: afinal, ele fora procurado por Mahler. Seria possível argumentar que, mesmo admitindo seus excessos e erros de interpretação, Freud elucidou a psicanálise — que, é bom não esquecer, foi sua descoberta original — de modo mais brilhante do que fariam até mesmo os mais meticulosos psiquiatras modernos.

Seus escritos sobre dor e perda, descobri, continuavam úteis. Em "Luto e melancolia" e, mais tarde, em "O ego e o id", Freud sugeriu que, no luto normal, a pessoa internaliza o morto. O morto é inteiramente assimilado ao vivo, um processo que ele chamou de introjeção. No luto que não transcorre de maneira normal, o luto em que algo deu errado, essa internalização benigna não ocorre. Em vez disso, existe uma incorporação. O morto apenas ocupa uma parte de quem sobreviveu; ele fica numa área isolada, oculto numa cripta, e desse lugar de ocultamento o morto assombra o vivo. A nitidez da fronteira que havíamos traçado em torno dos acontecimentos catastróficos de 11 de setembro de 2001 me parecia corresponder a esse tipo de isolamento. Houve um grande heroísmo, é claro, embora, à medida que os anos passaram, tornou-se claro que aspectos desse heroísmo foram exagerados. Houve firmeza de propósito também na linguagem do presidente, houve sem dúvida brigas políticas e houve uma determinação de reconstruir rapidamente. Mas o luto não tinha sido concluído e o resultado era a angústia que toldava a cidade.

Contrapostas a essa imagem maior, havia as muito menores: na primavera, vi um cavalheiro idoso. O sr. F., do condado de Westchester, tinha oitenta e cinco anos de idade e, a não ser pela catarata, estava em excelente condição física. Durante alguns meses, sua família achou que ele estava começando a sofrer do mal de Alzheimer: sua atenção vacilava, a memória falhava e muitas vezes parecia estar perdido, desorientado. Falava cada vez menos e, quando falava, parecia interessado apenas nas recordações antigas, algumas das quais misturava. Mas no fim a neurologista descobriu que não havia nenhum motivo médico para acreditar que ele estava com Alzheimer; ela o enviara para nós, em Milstein, e sua desconfiança estava correta: o sr. F. estava deprimido.

Era veterano da marinha na Segunda Guerra Mundial e tinha participado de combates no oceano Pacífico. Mas voltara para casa e casara com sua bem-amada, e formaram uma família numerosa — cinco filhos —, todos criados com seu salário de operário de fábrica em Albany, e com o salário dela, que era auxiliar de enfermagem e professora substituta. Sua esposa havia morrido em 1999 e ele tinha ido morar com a segunda das três filhas um ano antes; foi enquanto morava lá, em White Plains, que passou a comer e a dormir mal, perder peso, afundar no desânimo e experimentar uma aceleração dos pensamentos que ele descrevia, com muita dificuldade — era um homem de poucas palavras — como um esforço para não afundar. Quando ele chegou, com seu quepe de veterano de guerra e um casaco corta-vento azul, tinha o olhar distante das pessoas que, de algum modo, haviam ficado trancadas no interior da própria tristeza.

Eu só o vi duas vezes (ele fazia psicoterapia), mas lembro como depois daquela segunda sessão comigo, ocasião em que elaborei uma história médica razoavelmente abrangente para ele, expliquei-lhe de que forma os vários medicamentos podiam agir. Estava lhe explicando que era improvável que ele visse alguma melhora em seu estado de ânimo por mais ou menos um mês quando ele me interrompeu, erguendo a mão com delicadeza. Parei no meio da frase e o sr. F. disse, com uma emoção repentina na voz: Doutor, só queria lhe dizer como estou orgulhoso de ter vindo aqui e ver um jovem negro como o senhor, nesse jaleco branco, porque as coisas nunca foram fáceis para nós e ninguém nunca nos deu nada sem luta.

18.

Num sinal de trânsito na rua 124, estavam dois homens de seus vinte e poucos anos, de cuja conversa alguns fragmentos voaram à minha volta enquanto atravessávamos a rua. Ele se deu bem mesmo, não foi?, disse um. Ele se deu bem sim, disse o outro, eu achei que você conhecia esse crioulo. Que nada, disse o primeiro, eu não conheço esse filho da mãe. Eles acenaram para mim e eu para eles, em seguida os dois viraram à direita e desceram pela rua na direção sul. Caminharam sem esforço, com ar indolente, como atletas, e por um momento me admirei com sua prodigiosa blasfêmia, depois me esqueci deles.

Uns dez minutos depois, tomei a ruazinha que passa acima de Morningside Park (antes de se transformar em Morningside Drive propriamente) e percebi um movimento súbito nas sombras adiante. Meu nervosismo era desnecessário, eu sorri e relaxei quando vi quem eram: os dois jovens que eu tinha cumprimentado com a cabeça pouco antes. Eles não sorriram para mim em resposta, mas avançaram a passos largos em minha direção e cada passo deles parecia calculado para poupar energia. Passaram por mim, um de cada lado, sem falar um com o outro e como se não tivessem me visto. Os dois pareciam concentrados nos próprios pensamentos. Ocorreu-me que, pouco antes, tinha acontecido entre nós a ligação mais superficial possível, olhares trocados entre estranhos na esquina de uma rua, um gesto de respeito mútuo com base no fato de sermos negros, jovens, homens; noutras palavras, com base em sermos "irmãos". Olhares assim eram trocados entre homens negros na cidade inteira, a cada minuto do dia, uma rápida solidariedade introduzida na trama das ocupações mundanas de cada homem, um aceno de cabeça, um sorriso ou um rápido cumprimento. Era uma pequena maneira de dizer: Sei um pouco o que é a vida para você neste mundo. Agora os dois tinham passado por mim e, por algum motivo, mostraram-se relutantes em repetir aquele gesto fugaz.

Estávamos na última luz do dia e a rua se encontrava em grande parte na sombra. Era improvável que me reconhecessem de novo, mesmo em plena do dia. No entanto, fiquei nervoso. E foi no meio desse pensamento que senti o primeiro golpe, no meu ombro. Um segundo, mais forte, acertou a parte de baixo das costas e minhas pernas fraquejaram como gravetos. Caí no chão. Não lembro se gritei, nem mesmo se abri a boca. Eu me sentia incapaz de produzir qualquer som. Começaram a me chutar de todos os lados — uma coreografia rápida, planejada. Gritei, supliquei que parassem, consciente de ser um homem que era espancado no chão. Depois perdi a vontade de falar e recebi as pancadas em silêncio. A consciência inicial da dor se fora, mas então veio uma premonição de como aquilo ia doer mais tarde, como o dia seguinte seria difícil, para meu corpo e para minha mente. Minha mente ficara vazia, exceto por um único pensamento, o pensamento que fazia meus olhos arderem, uma expectativa que parecia ainda mais dolorosa do que as pancadas. Achamos conveniente descrever o tempo como um material, nós "desperdiçamos" tempo, nós "poupamos" tempo. Ali, estirado no chão, o tempo se tornou material de uma forma estranha e nova: fragmentado, rompido em tufos incoerentes, e ao mesmo tempo se espalhava como algo espirrado, como uma mancha.

Não havia nenhum medo mortal. De certo modo, estava claro que eles não tinham a intenção de me matar. Havia uma tranquilidade na sua violência e, embora ninguém brandisse nenhuma arma e nenhuma explicação fosse dada, eu sabia que eles tinham a situação sob controle. Eu estava sendo espancado, mas não era uma surra pesada, seguramente não tão pesada como poderia ser, caso estivessem de fato enfurecidos. "Eles" não eram dois, como eu havia pensado: um terceiro se unira aos dois primeiros e havia risadas, um riso tranquilo, entremeado com blasfêmias. Quando meus olhos entraram em foco, vi, ou tive a impressão de ver, que eles eram muito mais jovens do que eu havia calculado, não tinham mais de quinze anos. E as palavras, fluentes, enfiadas e arrancadas de suas risadas, de certo modo pareciam distantes da situação, como se fossem dirigidas a outra pessoa, como se aquela vez fossse igual a todas as outras vezes em que encontrei aquelas palavras: nunca hostis, nunca dirigidas a mim, tão inocentes quanto na hora em que aquelas mesmas palavras foram pressentidas no cruzamento. Agora a intenção delas era humilhar, e eu procurava recuar diante delas. Minha mão estava erguida também contra as imprecações, enquanto as pancadas continuavam a me atingir, se bem que com menos frequência. Os meninos continuavam a rir e um deles pisou na minha mão pela última vez, com uma força especial. O mundo escureceu. Eles foram embora, em disparada, seus tênis de jogar basquete batiam e guinchavam no chão.

Foram embora e a forma do tempo se restabeleceu. Levaram minha carteira e meu celular. Fiquei sentado na rua, calado, perplexo, pensando que podia ter sido pior, pensando também que fora inevitável. Acima de mim, as luzes noturnas dos apartamentos acenderam, e ainda havia um pouco de luz no céu; a noite que chegava se equilibrava entre a luz do dia e a luz elétrica; a luz do interior das casas, que eu podia ver, mas não alcançar, parecia garantir que a vida prosseguia. As pessoas estavam voltando do trabalho para casa, ou se preparando para o jantar, ou terminando os últimos fragmentos das tarefas vespertinas. Gente; mas não havia ninguém na rua, só o vento seco que tombava entre as árvores. Fiquei sentado na rua olhando para uma vala sufocada pelas urtigas. A trama cerrada das ervas me espantou.

Podia ter sido pior: um pensamento enfurecido, um pensamento falso, porque o que havia ocorrido foi pior, pior do que a segurança e do que um corpo inviolado. Então veio a dor, em torrentes, a dor física, como se a temperatura ambiente tivesse subido de repente e um calor seco se espalhasse por todas as partes de meu corpo. As lágrimas caíram de meus olhos. Respirar doía. Achei que tinha quebrado uma ou duas costelas, se bem que depois se viu que não era o caso. Os nós dos dedos da mão esquerda estavam cobertos de areia e sangue, e havia um talho nas costas da mesma mão, depois do pulso; era a mão que eu havia erguido para proteger minha cabeça, enquanto eu jazia encolhido sobre o asfalto, com os joelhos dobrados sobre o peito e a cabeça abaixada. Minha boca estava dormente, como depois de uma consulta no dentista. Não era a minha boca, pensei, enquanto mexia a língua em círculos por dentro dela, aquela boca alheia, feia, que não queria cooperar.

Por fim vi uma pessoa na ponta da rua. Não era bem na ponta, só a dois quarteirões de onde eu estava. A pessoa era pequena, lenta, parecia uma recordação que se aproxima aos poucos. Levantando-me, sacudindo a poeira de minhas roupas, comecei a caminhar, mancando um pouco, cerrando os dentes, sentindo a feiura se espalhar pelo meu rosto. Mas aquela pessoa se deixou enganar pelo meu disfarce. Era um senhor idoso, de macacão. Passou por mim e não percebeu, ou não se deu ao trabalho de perceber, que eu tinha acabado de ser espancado.

Enquanto andava em meu caminho de volta, tentei me manter na sombra o maior tempo possível. Minha casa não ficava longe. Os meninos tinham se evaporado no parque e agora, provavelmente, já estavam muito longe dali, em algum local bem para dentro do Harlem. A portaria estava vazia, o elevador estava desocupado. Entrei em meu apartamento e fiquei diante do espelho do banheiro durante muito tempo. Toquei no queixo, deslizei com cuidado o dedo para cima, até a bochecha. Doía, inchada com uma furiosa mancha roxa. Tirei a roupa, primeiro o paletó preto e imundo, depois a imaculada camisa azul-clara, amarrotada embaixo do paletó. A camisa, que eu raramente vestia, era um presente de Nadège. A lucidez retornou: Tenho de limpar os ferimentos (não parecia necessário uma visita ao hospital) e devo dar parte na polícia. Meus cartões de crédito também: era esse o primeiro telefonema que eu devia dar, a fim de reduzir os danos financeiros. Depois, procurar a polícia do campus, que colocaria um aviso no elevador anunciando (como acontecera tantas vezes, nos casos anteriores em que eu não era a vítima) que uma pessoa tinha sido agredida recentemente nas proximidades e que os suspeitos eram do sexo masculino, negros e jovens, de peso e altura medianos.

Abri a janela e olhei para fora. Agora a escuridão era total, o céu tinha cor de cinza de carvão, a escuridão era interrompida mais perto do solo por causa de distantes luzes fluorescentes. Os edifícios do outro lado da rua eram de apartamentos, na maioria ocupados por estudantes e professores das várias instituições do bairro, o Teachers College, o Union Theological Seminary, o Jewish Theological Seminary e a Columbia Law School. Num dos apartamentos, aquele que ficava bem em frente ao meu e na mesma altura, uma jovem olhava para uma parede. Usava um xale sobre a cabeça e a abaixava repetidas vezes, fazendo uma prece judaica sob a luz amarela de uma luminária de pé. Alguns andares acima, no telhado plano do prédio, uma grande chaminé vomitava fumaça cinzenta, formando um penacho largo. A fumaça era como uma explosão em velocidade reduzida, silenciosa, ondulante, absorvida em suas beiradas pela escuridão mais cerrada do céu. Meu apartamento também estava escuro. Eu tinha feito chá e o bebia, enquanto olhava a mulher rezar. Os outros não são como nós, pensei comigo mesmo, as formas deles são diferentes das nossas. No entanto eu também rezava, gostaria de olhar para a parede e rezar, se aquilo me tivesse sido dado. A prece, e fazia muito tempo eu havia definido isso em minha mente, não era nenhum tipo de promessa, não era um instrumento para obter aquilo que se desejava na vida; era a mera prática da presença, só isso, uma terapia de estar presente, de dar um nome aos desejos do coração, os desejos plenamente formados e os ainda sem forma.

Fazia apenas duas horas que tinha acontecido. Estava trêmulo do choque, ainda soluçava por dentro, diante do inesperado daquilo; mas já começava a parecer, de certo modo, uma briga de alunos no pátio da escola. Será que me saí de forma digna por um breve momento, quando, a exemplo de um velho que dá boas-vindas para a morte, aceitei a pancada seguinte e também a próxima? Não, não fiz isso. Eu tinha sentido apenas o medo da dor e o amor de estar livre da dor. Mas como posso ter deixado de enxergar isso?, pensei, deitado na poeira da rua. Como pude ser ainda mais do que totalmente inconsciente de como era bom estar a salvo de ferimentos?

Agora, todo clichê mediante o qual a agressão podia ser minimizada acudia às pressas e reclamava um espaço em minha cabeça. Essas coisas acontecem, era só uma questão de tempo, veja pelo lado positivo, e, sim, podia ter sido pior — e tais pensamentos fizeram subir a bile em minha garganta. Três dias de folga do trabalho bastariam para recuperar meu equilíbrio, pensei, e eu ia tentar ser franco sobre as razões de minha licença, de minha vontade de ficar fora da vista dos demais. Enquanto isso, eu teria de procurar meu amigo para me dar ajuda em algumas questões práticas. Ele pelo menos não daria ao evento mais importância do que o necessário.

Eu tinha ouvido histórias de outras pessoas que haviam sido assaltadas. Arrancaram a bolsa de uma colega do trabalho. Quebraram o queixo de um dos enfermeiros — um luso-americano robusto, de fala mansa — numa agressão cometida por uma gangue, que deixou para trás sua carteira, seu relógio, sua correntinha de ouro e só levou seu iPod. Teve de levar dezessete pontos na cara toda. A violência por esporte não era nada de estranho na cidade; mas agora: eu. Tinha limpado os ferimentos nos ombros, nos braços e nas pernas, as muitas escoriações eram pequenas e iam curar logo, em sua maior parte. Minha boca e minha mão desfiguradas me causavam mais preocupação. Enquanto examinava as escoriações, um bando de pensamentos fazia algazarra dentro de mim: Por que este mesmo corpo vigoroso deixara tantas vezes suas amantes para trás com tanta pressa?

A mulher tinha parado de rezar. Passou os dedos pelo bonito cabelo castanho, retirou o *talit* dos ombros, fez um momento de pausa como se tivesse esquecido alguma coisa. Depois dobrou o manto e apagou a luz.

A jovem ficou em dúvida, pensou muito antes de pronunciar cada palavra. O homem sentado a seu lado, para quem ela havia olhado em busca de confirmação, balançou a cabeça e a corrigiu. Não, isso é a Organização Mundial da Saúde. Tente de novo, entende? Esta é a Organização Mundial do Comércio. Sim, é a de comércio. Você não lembra qual é a palavra para comércio?

Ele apontou e bateu com um par de dedos sobre a página. Ela refletiu sobre aquilo por um tempo, depois deu outra resposta em chinês, que pareceu semelhante à primeira. Essa agora o deixou mais satisfeito, e ele perguntou se ela não gostaria de fazer uma revisão na lista desde o início. Eu estava numa mesa pequena, sozinho, tomando café, captava a conversa deles no meio das vozes que escapavam na lanchonete. Eles estavam no balcão na minha frente, tomando coca-cola. A estudante era asiática. Sua franja preta como tinta atravessava seu rosto e ela passava um bolinho de fichas de estudo de uma mão para a outra, sem parar. O professor, não muito mais velho que ela, era um homem louro, em roupa de ginástica.

Eu fingia olhar para a rua. As sombras eram compridas, a luz amarela e, na calçada, havia duas mulheres de salto alto, abraçadas a grandes sacolas de compras. A conversa entre o professor louro e sua aluna era a de um relacionamento novo, com os papéis já definidos, mas com certa formalidade ainda em vigor. Ela ria de vez em quando e ele corrigia sua pronúncia. Ela parecia lutar para trazer à superfície o pouco que sabia do idioma. Seus olhos procuravam, esquecidos de que estavam sendo vistos. O jeito do professor parecia mais encabulado. Ele estava ciente da incongruência entre suas feições e sua tarefa, ciente de cumprir aquela tarefa num espaço público. Dava a impressão de estar apresentando suas credenciais, dirigindo-se não a ela apenas, mas a qualquer pessoa ao alcance de sua voz que pudesse se deter um momento perante a imagem de um homem branco que ensina chinês para uma mulher asiática. Ele parecia bastante satisfeito consigo mesmo. Repetiu as expressões de novo e, com um rápido olhar de relance para cima, cruzou seu olhar com o meu, na vidraça da frente da lanchonete.

A lanchonete ficava na Broadway, entre a Duane Street e a Reade Street, e perto da Brooklyn Bridge — a estação do metrô City Hall, que dava para um parque, o qual era tranquilo, pelos padrões da baixa Manhattan. Naquela manhã, estava movimentado com a presença de funcionários de escritório, trabalhadores do parque e turistas ocasionais, mas o volume das vozes mal chegava a pouco mais que um zunido. Pessoas subiam a escada da estação do metrô e tomavam o caminho do trabalho; os do primeiro turno do dia já estavam no parque, aproveitando a primeira pausa para o cafezinho daquele dia. Um letreiro de neon apagado que dizia COMIDA LATINA estava pendurado do lado de fora do café e, dentro do restaurante, trabalhadores limpavam travessas que eram aquecidas no vapor. Dali a pouco elas estariam cheias de arroz amarelo, banana frita, macarrão chinês, costeletas grelhadas e os diversos pratos dominicanos, porto-riquenhos e chineses que lugares como aquele servem como almoço rápido para pessoas que têm de voltar logo para o trabalho. Não era um restaurante grande, mas era fácil ver que estava fazendo bons negócios, sem dúvida por causa de sua proximidade com os enormes edifícios em redor, e por causa dos inúmeros funcionários públicos que diariamente entravam e saíam daqueles prédios.

Já fazia duas semanas e tudo o mais estava curado. Como constatei depois, não foi preciso ir ao hospital para tratar da boca. Mas a mão esquerda deu trabalho. O que à primeira vista era uma contusão sem importância, agora parecia ser uma lesão no osso e, ao girar a maçaneta ou levantar a xícara de café, a mão doía. Na maior parte do tempo, eu ficava com a mão no bolso do paletó. Do outro lado da rua, na frente do maior dos edifícios do governo federal, se formara uma fila serpenteante. Ninguém fazia fila na frente de um edifício do governo federal no início da manhã de um dia útil, a menos que as pessoas tivessem um bom motivo. Quando saí da lanchonete, vi que a multidão parecia ser de imigrantes, e não de candidatos a membros de júris populares, que era a outra possibilidade no caso daquele prédio. A atmosfera era de expectativa ansiosa, um esforço palpável de projetar desembaraço para os interrogatórios que viriam a seguir.

Atravessei a rua de maneira a passar ao longo da fila e bem a seu lado. Um grupo de nativos de Bangladesh — a pequenina matriarca de cabelos cor de prata vestida num *salwar kameez*, o jovem vestido num paletó de lã e calça folgada marrom, a jovem de saia comprida, que batia na panturrilha, as crianças pequenas embrulhadas em panos — todos davam a impressão de estar remexendo seus documentos. Parecia haver um número fora do comum de casais inter-raciais postados na fila. Um casal, imaginei, era formado por um afro-americano e uma vietnamita. Os guardas, como revelavam seus uniformes, também eram da empresa Wackenhut, a mesma firma privada contratada para controlar os imigrantes na prisão no Queens. Quando cada família ansiosa chegava afinal ao início da fila, recebia instruções de retirar as joias, os sapatos, os cintos, as moedas e as chaves, para que o temor oficial do terrorismo, como a voz de um baixo, fizesse par com o temor privado que as pessoas tinham de que um funcionário da Imigração as julgasse insatisfatórias, depois que tivessem subido ao primeiro andar.

Do lugar onde eu estava, podia ver, por trás da lanchonete, o gigantesco edifício da empresa de telefonia AT&T Long Lines, na Church Street. Era uma torre sem janelas, uma laje de concreto colossal que se erguia rumo ao céu, com pouco mais de algumas escassas aberturas de ventilação, que pareciam periscópios, a fim de indicar que aquilo era um edifício, e não um tijolo compacto fabricado por uma máquina gigantesca. Cada andar tinha pelo menos o dobro da altura que se via em prédios de escritórios normais, de modo que a torre em seu conjunto, por mais assustadora que fosse, tinha apenas vinte e nove andares. O aspecto militar do edifício da empresa Long Lines era reforçado pelos cantos bojudos, pelos compridos fossos com os quais o edifício imitava a forma de um torreão de castelo, flanqueado pelas torres do portão principal, e que escondia os elevadores, a rede hidráulica e elétrica. Os poucos trabalhadores que usavam o edifício, imaginei, deviam se transformar em toupeiras depois de alguns anos, seus ritmos circadianos ficariam completamente perturbados, sua pele perderia a pigmentação a ponto de beirar a transparência. O edifício da Long Lines, que eu continuava a contemplar, como se ele me tivesse arrastado para um transe, parecia nada menos que um monumento ou uma estela.

Fui arrancado de meus pensamentos pela voz de um guarda: O senhor não pode ficar parado aí, ande, vamos. Andei e desci pela rua transversal. A fila havia se estendido até lá, até a extremidade do prédio. Perto, outro homem, que parecia um zelador, ajudava uma família de hispânicos, a mãe e dois filhos, que pareciam perdidos. Tentando compreender o que estavam perguntando, o zelador repetia a pronúncia da mãe de *passport* como *passiport*. O filho mais velho apenas começava a germinar os primeiros e ingovernáveis pelos faciais. Parecia entediado, ou talvez constrangido. Perto do início da fila, uma jovem correu para fora do prédio, passando pelas portas de vidro, atirou-se de encontro a um grupo que aguardava e se pôs a abraçar as pessoas e a chorar. Um jovem, talvez seu marido, saiu junto com ela, e as pessoas que ambos encontraram do lado de fora ficaram radiantes, abraçaram-se umas às outras e se saudaram com o gesto de erguer a mão espalmada e bater na mão dos outros, também aberta e erguida no ar. Uma senhora mais velha no grupo começou a chorar e a mulher jovem disse, alto o bastante para que todos ouvissem: Agora estão vendo a quem foi que eu puxei, foi a mamãe. Os outros que aguardavam na fila, desejando a mesma boa sorte para si mesmos, possivelmente mais tensos ainda em face da demonstração de alívio de outras pessoas, talvez também desconcertados pela forte emotividade, observavam, desviavam o olhar e olhavam de novo. O zelador perto de mim sorriu, balançou a cabeça e explicou à família hispânica como chegar à seção dos passaportes.

Havia uma pequena ilha de segurança no meio da rua transversal e, bem em frente, do outro lado da rua, rodeado pelos enormes edifícios de escritórios, estava um terreno gramado. Não teria chamado minha atenção de maneira nenhuma se eu não tivesse visto uma forma curiosa — escultura ou arquitetura, eu não soube dizer de pronto — instalada bem no meio. Uma inscrição no monumento, pois foi isso o que ele revelou ser, o identificava como um marco em memória do local onde ficava um cemitério de africanos. O minúsculo lote de terra era o que fora reservado agora para indicar o lugar, mas nos séculos XVII e XVIII o local era vasto, uns seis acres de terra, para o norte alcançava o que é hoje a Duane Street, e para o sul chegava ao que é hoje o City Hall Park. Ao longo da Chambers Street e no parque propriamente dito, os restos mortais humanos ainda eram descobertos em escavações, de modo rotineiro. Mas a maior parte do cemitério se encontrava embaixo dos edifícios de escritórios, das lojas, das ruas, das lanchonetes, das farmácias e de toda a interminável agitação do comércio cotidiano e do governo.

Debaixo dessa terra foram enterrados os corpos de quinze a vinte mil negros, na maioria escravos, mas depois se ergueram construções sobre o solo e as pessoas da cidade esqueceram que ali havia sido um cemitério. O terreno tinha passado a ser propriedade privada e municipal. O monumento que eu vi fora projetado por um artista haitiano, mas não consegui olhar mais de perto, porque estava bloqueado ao público, a fim de ser restaurado, segundo uma placa me informou, entre os preparativos para a temporada de turismo de verão. Na grama verde e no sol radiante, à sombra dos prédios do governo e do comércio, parado a alguns metros do monumento isolado por cordões, eu não tinha nenhuma pista de quem seriam as pessoas cujos corpos, entre 1690 e 1795, tinham sido sepultados embaixo de meus pés. Era ali, nos arredores da cidade, naquela época, ao norte de Wall Street e portanto fora do âmbito da civilização, tal como era então definida, que os negros tinham autorização para enterrar seus mortos. Depois os mortos voltaram, quando, em 1991, a construção de um edifício no cruzamento da Broadway com a Duane Street trouxe à superfície restos mortais humanos. Tinham sido sepultados em mortalhas brancas. Os caixões que foram então descobertos, cerca de quatrocentos, estavam quase todos voltados para o leste, como se constatou então.

A disputa acerca da construção do monumento não me interessa. Sem dúvida, não havia a menor possibilidade de que seis acres de imóveis de primeira linha na baixa Manhattan fossem demolidos e mais uma vez a terra fosse consagrada como campo-santo. O que me impregnou naquela manhã quente foi o eco, que atravessou séculos, da escravidão em Nova York. No Cemitério de Negros, como era conhecido na época, e outros semelhantes no litoral leste, os corpos retirados das escavações traziam vestígios de sofrimento: traumas contundentes, lesões corporais graves. Muitos esqueletos tinham ossos quebrados, prova do sofrimento que haviam suportado em vida. Doenças também era uma coisa comum: sífilis, raquitismo, artrite. Em algumas mortalhas se encontraram conchas, contas e pedras polidas, e nisso os pesquisadores viram sinais das religiões africanas, ritos preservados talvez do Congo ou do litoral ocidental da África, de onde tantas pessoas tinham sido trazidas à força e para serem vendidas como escravos. Descobriram um corpo que fora enterrado em uniforme de oficial da Marinha britânica. Outros tinham sido descobertos com moedas sobre os olhos.

Na década de 1780, houve uma petição assinada por negros livres em favor de seus mortos. Corpos de negros muitas vezes eram roubados por ladrões de cadáveres, que depois os vendiam a cirurgiões e anatomistas. A petição, redigida em linguagem nitidamente angustiada, deplora aqueles que, sob o manto da noite, "desenterram os corpos dos falecidos, amigos e parentes dos peticionários, os levam embora sem mostrar respeito pelo sexo nem pela idade, mutilam sua carne por curiosidade desumana e depois a deixam exposta a aves e a feras". As autoridades municipais reconheceram a razão da causa e, em 1789, foi aprovada a Lei da Anatomia de Nova York. A partir de então, como foi feito na Europa, as necessidades dos anatomistas seriam supridas por cadáveres de homicidas, incendiários e arrombadores condenados à morte. À sentença de morte para os criminosos, a lei acrescentava a punição do ofício da medicina; e deixava em paz e esquecidos os corpos enterrados de negros inocentes. Como era difícil, do ponto de vista do século XXI, acreditar plenamente que aquelas pessoas, com a vida difícil que eram obrigadas a viver, eram de fato gente, pessoas complexas em todas as suas dimensões, como somos nós, pessoas que gostam de prazeres, fogem do sofrimento, se apegam à família. Quantas vezes, no curso de cada uma daquelas vidas, a morte teria invadido e levado embora um marido ou uma esposa, um pai ou uma mãe, um irmão ou uma irmã, um filho, um primo, um namorado? E no entanto, no Cemitério dos Negros, não havia nenhuma cova coletiva: cada corpo tinha sido enterrado individualmente, conforme o rito que os negros, fora dos muros da cidade, tivessem o direito de praticar.

A ilha de segurança perto do monumento estava deserta. Atravessei o cordão de isolamento e avancei no pequeno terreno gramado. Curvando-me, levantei uma pedra da grama e, quando o fiz, uma dor disparou através das costas de minha mão esquerda.

19.

Eu precisava de roupas para as cerimônias do enterro de meu pai, em maio de 1989. Como esse tipo de coisa — e tantas outras tarefas simples — confundiam minha mãe naqueles dias, a maior parte dos ritos e das questões práticas ficou a cargo da irmã de meu pai, a tia Tinu. Algumas semanas antes do enterro, ela me levou a um alfaiate em Ajegunle, uma favela espalhada, feita de telhados enferrujados e de esgoto a céu aberto, onde as crianças eram todas pobres e algumas evidentemente subnutridas. As crianças olharam fixamente quando minha tia e eu saímos do carro porque, do ponto de vista delas, nós representaríamos uma riqueza e um privilégio inimagináveis, impressão reforçada por minha "brancura". A alfaiataria em si tinha um ar de eficiência; seu interior, iluminado apenas por luz natural, era limpo e tinha cheiro de alfazema. Sobre o chão, havia retalhos de panos estampados com a técnica africana chamada Dutch Wax, quadrados disseminados de cores berrantes que interrompiam o brilho cinzento do concreto, e o alfaiate me fez elogios, enquanto tirava minhas medidas com a fita métrica, agilmente desenrolada, como se fosse a coisa mais natural do mundo congratular alguém pelo comprimento do gancho da calça ou pela largura dos ombros. Talvez estivesse tentando me consolar, depois de ter uma conversa discreta com minha tia, que lhe explicara o propósito de nossa visita. O alfaiate foi dizendo os números misteriosos para seu auxiliar, números que mais tarde seriam transformados em roupas, uma camisa branca e um terno escuro para o enterro, a *buba* e o *sokoto* em tecido tingido de cor de anil, uma roupa feita sob medida para a festa que seria oferecida depois do enterro.

A sensação de estar na alfaiataria, mesmo naquelas circunstâncias, era agradável. Eu gostava do cheiro de pano novo e, para mim, a maravilha íntima de alguém tirar minhas medidas para fazer roupas era como cortar o cabelo ou sentir as costas quentes da mão do médico tocar no meu pescoço quando ele avaliava se eu estava com febre. Eram esses os raros casos em que se dava permissão para que um estranho penetrasse em nosso espaço pessoal. Confiávamos no conhecimento especializado oferecido e apreciávamos a promessa de que as manobras opacas daquelas mãos estranhas iam produzir um resultado. O alfaiate me consolou naquele dia, apenas por fazer seu trabalho.

O enterro aconteceu num dia ensolarado, como suponho que eu achava que deviam ser os dias de enterros, e acho até hoje. Agora lembro que Mahler, sepultado em Grinzing em 1911, teve o enterro discreto e reservado que queria, sem discurso à beira da cova, nem preces nem poemas floreados sobre a lápide funerária, só o nome, Gustav Mahler. E, como convinha, choveu o tempo todo, como conta Bruno Walter, até o corpo ser sepultado, e então o sol saiu.

O enterro de meu pai foi num dia especialmente quente, sem nada de fúnebre. Minhas roupas novas, que eram azul-escuras, e não pretas, me arranhavam, sobretudo no pescoço, e ficar de pé ao ar livre, no calor, me deixava particularmente ciente do incômodo. A multidão que se acotovelava no Atan Cemetery era grande, uma multidão sombria, mas, em razão de seu tamanho, não deixava de ter um toque festivo. Muitas pessoas presentes pareciam ser amigos e parceiros de negócios de meu pai, que era muito atuante na política. Muitos tinham viajado desde Ijebu-Ile e outras cidades no estado de Ogun a fim de mostrar seus respeitos ao meu avô, que, embora não tivesse nenhum cargo político formal na época, havia sido conselheiro de Estado na década de 1970 e continuava a ser visto, em geral, como um forte pistolão e uma pessoa de grande influência política.

Minha experiência da morte era limitada, até menos que isso. Nenhuma pessoa que eu conhecesse de perto tinha morrido até então. Mas, quando meu pai foi enterrado naquela tarde, eu pensava em outra pessoa que tinha morrido, ou que provavelmente havia morrido. Era uma garota nova, da minha idade mais ou menos, calculei. Eu ocupava o banco da frente do carro em que estavam me levando para a escola quando o motorista a atropelou. Aconteceu num bairro pobre, na certa era o bairro da garota, ou nas proximidades, se ela estivesse a caminho da escola. A menina tinha oito ou nove anos e estava de uniforme escolar, de que eu me lembrava nitidamente, um vestido verde-limão bem claro. Lembro bem que tínhamos visto a menina atravessar na frente do carro uma vez antes, quando o trânsito estava engarrafado, uma garota magricela, embora não tivesse aspecto doentio, apenas desengonçado. Depois ela atravessou a rua de novo e nós a atropelamos. A situação, nossa situação, por um instante, foi perigosa, pois apareceram alguns homens do bairro. O motorista foi puxado para fora do carro, depois que ele hesitou um pouco atrás do volante, e de início pareceu que ia levar uma surra. Mas então, talvez se dando conta de repente de que sua situação era bastante grave, ele se mostrou muito ativo, afastou as pessoas, apanhou a menina e colocou-a no banco de trás. Ela estava consciente, mas muda. Fomos ao hospital ali perto em tão alta velocidade que teríamos atropelado outra criança, se aparecesse alguma em nosso caminho. O motorista suava, embora fosse uma manhã fria em que soprava o vento harmatã. O hospital era, ou tinha sido até pouco antes, uma casa residencial, agora convertida em hospital, com uma cruz em luz neon fixada do lado de fora, na rua. A menina estava inconsciente nessa altura e eu tinha a sensação, uma sensação de certeza que até hoje não consigo explicar, de que ela não havia simplesmente adormecido ou entrado em coma, mas tinha morrido. O motorista, em estado de grande agitação, carregou a menina para dentro do hospital. Por favor, me salvem, recordo que ele repetia para as enfermeiras que vieram correndo para fora, ao nosso encontro. Fiquei no carro. Não me lembro de ter esperado muito tempo, vinte minutos, talvez, depois do que ele saiu, com ar sério, e prosseguimos nossa viagem para a escola em silêncio.

Depois, naquele dia, não pensei mais na menina, nem no dia seguinte, nem nenhuma outra vez. Não falei sobre ela com meus pais nem com ninguém. O motorista também não mencionou o episódio. A menina só me voltou à mente quatro ou cinco anos depois, no enterro de meu pai, diante da sepultura, quando o padre fez as orações diante do caixão e comecei a pensar sobre a morte em geral. Mas então foi como se a menina no uniforme verde-claro, morta numa manhã fria, uma manhã de enterro, fosse algo que eu tinha sonhado ou que ouvira alguém contar.

Depois do enterro, houve uma festa em nossa casa. Não foi a festa grande e animada que seria se meu pai tivesse morrido aos setenta e cinco anos de idade, nem o ritual inteiramente sem alegria, de fritar *akara*, que teria sido se ele tivesse morrido aos quarenta anos. Meu pai morreu com quarenta e nove anos e foi um homem bem-sucedido, pelos padrões em vigor: uma boa carreira como engenheiro, esposa e filho, uma bela casa. E, assim, houve uma festa para celebrar sua vida e foi servido um almoço para os poucos familiares e para os amigos mais próximos, colegas profissionais, membros da igreja e vizinhos, mas as cores eram sombrias, não tinha música ao vivo e nenhuma bebida alcoólica. As pessoas ficaram sentadas na sala e do lado de fora, embaixo do toldo alugado.

Alguns convidados tinham trazido os filhos pequenos e as crianças corriam em redor das mesas, riam, enquanto os adultos conversavam em voz baixa e se lamentavam uns para os outros. A memória me escapa, mas acho que, durante a maior parte da tarde, minha mãe ficou sozinha em seu quarto, e meus avós, minha tia e meu tio receberam a maioria dos convidados. Eu tinha um papel a representar, minha tia me explicou, e assim me cabia ficar também na sala abafada, incomodado com a *buba* e o *sokoto*, que me arranhavam a pele, e me mostrar o mais educado possível com os muitos homens e mulheres de idade que faziam questão de dizer que eu certamente os conhecia e que, ao tentar consolar-me, o órfão, inventavam na cabeça deles um relacionamento comigo que tinha pouca base na realidade e que não se estendeu de nenhum modo significativo além daquela ocasião. De muitos deles, ouvi reiteradas vezes a ideia de que eu tinha de tomar conta de minha mãe, que eu agora deveria ser o homem da casa, o que me chocava já naquela ocasião como um lugar-comum inútil.

As crianças, que naquele dia por algum motivo estavam difíceis de controlar, ficaram cada vez mais turbulentas e quando, no meio de uma perseguição, uma delas esticou o braço e por acidente derrubou uma travessa cheia de arroz *wolof* sobre o chão de cimento, três outras crianças caíram em cima do arroz, num ataque de riso. Por mais que mandassem as crianças ficarem quietas ou as ameaçassem, elas não sossegavam e seu riso subia e borbulhava no meio da sombria reunião, provocando grande constrangimento para seus pais enraivecidos. Uma ou duas vezes, o barulho diminuiu, mas aí uma criança recomeçava e outras três não conseguiam resistir ao impulso de unir-se a ela, e suas risadas estridentes e ondulantes se prolongavam por vários minutos. Um dos criados domésticos foi orientado a conduzir as crianças para os fundos da casa, de onde, durante pelo menos mais cinco minutos, pudemos ouvir como gargalhavam, parecendo possessas. O incidente causou um óbvio incômodo entre os adultos, mas a mim divertiu e, mesmo agora, me é impossível pensar nos acontecimentos daquele dia, por mais que tenham sido envoltos em sofrimento, sem sentir certa gratidão por aquelas crianças, todas com menos de oito anos, que se viram dominadas pelo momentâneo feitiço da alegria e arejaram um ambiente que os ritos da morte tinham tornado asfixiante.

Eu já estava com catorze anos, não era mais tão novo, quando meu pai foi enterrado. Minha recordação daquele dia não era confiável, porque foi um evento público e, como tal, foi tomado pelas preocupações de outras pessoas. A morte dele foi algo particular: houve, ao pé da letra, um leito de morte (o que na hora me chocou, porque eu sempre havia pensado naquela expressão como uma metáfora). Mas era do enterro propriamente que eu me lembrava melhor, e não da morte. Só à beira da cova experimentei a absurda sensação de finitude, o sentimento de que ele não ia melhorar nem voltar depois de alguns meses: o sentimento me deixou vazio. E enquanto eu tinha os pensamentos elevados de alguém que estava prestes a tornar-se um homem, enquanto alimentava em mim mesmo o estoicismo e a determinação para enfrentar a dor da maneira correta, eu sucumbia a instintos mais infantis, de modo que, na beira da cova, uma parte das coisas que eu recordava, uma parte das imagens que se projetavam em minha mente enquanto entoavam as preces pelo corpo de meu pai, incluía os demônios e os zumbis do filme *Thriller*, de Michael Jackson.

Nos anos seguinte, foi a data do enterro, e não a da morte, que eu celebrava como um aniversário. Eu quase sempre me lembrava da primeira data e, no dia 9 de maio deste ano, eu estava no metrô a caminho do trabalho quando me veio à mente que meu pai tinha sido entregue à terra havia exatamente dezoito anos. Naquele tempo, eu havia complicado minha memória do dia não com outros enterros, pois tinha ido a poucos, mas com pinturas de enterros — *O enterro do conde de Orgaz*, de El Greco, *O enterro dos Ornans*, de Courbet —, de modo que o evento real acabara assumindo características daquelas imagens e, ao fazê-lo, tornara-se indistinto e duvidoso. Eu não podia ter certeza da cor do solo, se era de fato o barro muito vermelho que eu pensava ter na memória, ou se eu havia tomado a forma da sobrepeliz do padre da pintura de El Greco ou de Courbet. O que eu lembrava como rostos sofridos e alongados, podiam ser rostos redondos e tristonhos. Às vezes, em devaneios, imaginava meu pai com moedas sobre os olhos e um barqueiro de ar grave apanhando as moedas de meu pai, como preço de sua passagem.

Lembro que naquele dia do décimo oitavo aniversário havia um homem que percorria os vagões do metrô. Estava fazendo uma inspeção nas aberturas de ventilação acima das portas automáticas. Usava uniforme azul-escuro do Departamento Metropolitano de Trânsito e levava consigo uma espécie de calculadora na qual pressionava os números e que emitia apitos intermitentes. Eu o observei com atenção, imaginei que era um mensageiro espiritual, algum tipo de anjo, embora não pudesse saber se era do bem ou do mal, e ele estava tão concentrado no trabalho que sua inspeção metódica de cada abertura de ventilação não fez nada para me dissuadir das ideias fantasiosas que se multiplicavam dentro da minha cabeça. Ergui os olhos e observei as aberturas de ventilação quando passamos com estrondo pelas estações da parte alta da cidade, as das ruas 125, 137, 145. Pensei nos terríveis momentos finais nos campos, momentos a que ninguém sobreviveu para dar um testemunho pessoal, quando o gás Zyklon-B era ligado e todos seres humanos cativos inalavam sua morte, e como, enquanto tudo isso estava acontecendo nos primeiros anos da década de 40, minha *oma* estava a caminho do norte, para Berlim, como refugiada, espantada e assustada como estavam todos a seu redor. Eram essas as conversas que eu gostaria de ter com ela: sobre os jovens de sua cidade que tinham marchado rumo à guerra e que nunca mais voltaram, ou sobre aqueles que um dia acabaram voltando — como meu *opa*, sobre o qual não me contaram quase nada — ou aqueles que foram capturados e mandados para o campo de Mauthausen-Gusen.

Na rua 157, uma garota asiática que estava cochilando levantou-se de repente, espantada, agitada, e saiu do metrô de um pulo, antes que as portas do vagão fechassem. Outra pessoa entrou e, por um breve e desconcertante momento, pensei reconhecer um dos meninos que me haviam espancado. Mas eu estava enganado. Eles viviam aparecendo em meus sonhos, é claro, e a ideia, tão desagradável para mim na época, de que poderia ter sido pior me parecia agora extremamente sensata. Mas naqueles sonhos eu resistia, contra-atacava. Ficava ferido com mais gravidade, mas também batia neles de forma até cruel. Um deles caía no chão e eu pulava sobre ele, esmurrava seu rosto até ficar igual a um bolo de papel vermelho debaixo de meus punhos cerrados, até ele perder um dos olhos. Quando eu acordava, a dor de bater no rapaz coincidia com a dor que eu sentia nas costas da mão esquerda.

Levantei-me e fui falar com o funcionário do Departamento de Trânsito na hora em que ele estava prestes a abrir a porta que ligava nosso vagão ao vagão seguinte. Parecia um guianense ou um indiano de Trinidad — havia nele um toque de linhagem africana, achei —, embora ele pudesse também ter vindo direto do próprio subcontinente indiano. Perguntei qual era seu trabalho. Respondeu que era especialista em ar-condicionado, verificava a temperatura dos vagões. Mostrou-se simpático e pareceu surpreso por alguém ter lhe dado alguma atenção.

É surpreendente, disse ele, como variações tão pequenas, mais quente ou mais frio, podem gerar queixas. Temos sistemas de refrigeração e de aquecimento eficientes — servem para aquecer, ventilar e refrigerar —, e no verão tentamos manter o ambiente cinco ou oito graus mais frio do que lá fora. Ficamos verificando a temperatura o tempo todo, portanto é um trabalho muito grande. Mas é claro que ninguém nota a temperatura, a menos que fique desconfortável, quando os bocais de ventilação ficam entupidos ou há uma pane geral no sistema. E, acrescentou ele com uma risada, a gente nem percebe o oxigênio que respira, a não ser quando ele termina: alguma coisa dá errado no sistema de refrigeração, nem que seja só por quinze minutos, e as pessoas ficam logo a um passo de uma revolta.

20.

Fui convidado para ir a uma festa no apartamento de John Musson. Ficava em Washington Heights, um pouco ao norte do hospital. O apartamento dava para o rio Hudson, disse Moji, quando me telefonou, e tinha uma vista maravilhosa, água, árvores e a George Washington Bridge, eu tinha de ir lá e conhecer, disse ela. Moji não morava com ele, tinha seu próprio apartamento em Riverdale, no Bronx, mas passava muitas noites na casa de John Musson, disse ela, e era a coanfitriã naquela festa. Eu não a via desde nosso encontro no parque, mas tinha me telefonado três ou quatro vezes e travamos conversas breves e amigáveis, em geral já tarde da noite. Certa vez, ela me perguntou de súbito como estava minha mãe. Fiquei calado, depois respondi que não sabia, que não mantínhamos contato. Ah, isso é muito ruim, disse Moji, num tom de voz estranhamente animado. Lembro que estive com sua mãe. Era uma pessoa muito simpática.

Nos dias anteriores à festa, suponho que fiz certo esforço para me livrar, mas aí a data chegou, no meio de maio, e vi que eu não tinha nenhuma desculpa razoável e teria de comparecer.

Naquele dia, saí do trabalho mais cedo, por volta das cinco e meia. Tinha de encher meu tempo até o horário da festa, portanto, em vez de pegar o metrô, resolvi caminhar. Dei a volta pela Harkness até o cruzamento da Broadway com a St. Nicholas, e as ruas, como era de se esperar naquela hora, eram invadidas por motoristas impacientes que vinham de todas as ruas, por menores que fossem, e de todas as direções. O Mitchel Square Park, onde as duas ruas principais cruzavam, um mirante de menos de um acre, era dominado por um afloramento rochoso que ascendia do solo de maneira suave, de onde se podia avaliar a camada de prédios que tinha dado ao campus de medicina sua forma atual. As novas construções não só ficavam perto dos edifícios antigos como também, em muitos casos, estavam enxertadas neles, reluzentes e estranhas como membros protéticos. Milstein, o edifício central do hospital, era o amálgama de uma construção vitoriana em pedra e uma fachada triangular e nova feita de vidro e aço, que lhe dava o aspecto de uma pirâmide cintilante, num ambiente austero e pomposo.

Tais justaposições eram comuns a muitos prédios em redor, e a mesma sobreposição de camadas se estendia aos nomes dos prédios, que recontavam a história das instituições que haviam começado como instituições públicas municipais e aos poucos se tornaram dependentes de benfeitores, filantrópicos ou empresariais. No lintel de pedra entalhada de forma ornamental de uma das construções mais antigas, havia as palavras HOSPITAL DE BEBÊS E CRIANÇAS 1887; na porta ao lado, em caracteres modernos e sem serifa, pintados em tinta azul brilhante, estava escrito HOSPITAL INFANTIL MORGAN STANLEY. Do Mitchel Square Park — dedicado aos veteranos da Primeira Guerra Mundial e batizado em homenagem a um prefeito de Nova York que morrera na guerra —, eu pude ver o Mary Woodard Lasker Biomedical Research Building, o Irving Cancer Research Center, o Sloane

Hospital for Women e o Russ Berrie Medical Science Pavilion. Estacionada na frente do Children's Hospital, estava uma outra doação, uma ambulância da Fire Family Transportation Foundation, do Departamento de Bombeiros de Nova York. Algumas doações eram mais velhas, muitas eram recentes, mas todas estabeleciam um vínculo muito forte entre atenção médica moderna e memória de um lado, e, de outro, memória e dinheiro. Um hospital não é um espaço neutro, não é um espaço puramente científico, nem é o espaço religioso que foi em tempos medievais; a realidade agora envolve o comércio e uma correlação direta entre a doação de grandes somas de dinheiro e ter um prédio batizado em memória do doador. Os nomes importam. Tudo tem um nome.

Na pedra grande que ocupava a praça, alguns meninos brincavam de skate, transpunham a ladeira íngreme, mas amigável, subindo e descendo, e riam. Li a placa na entrada da rua 166 que era em homenagem a Mitchel. Ele tinha sido um dos prefeitos mais jovens da cidade, eleito para o cargo aos trinta e quatro anos, no início da guerra, e sua morte em Louisiana quatro anos depois, quando voava com a Unidade de Aviação do Exército, provocou uma grande comoção pública. Enquanto estava lendo a placa e refletia acerca do estranho sobrenome do meio, Purroy, um homem com um grande blusão dos Yankees entrou no parque. Parou ao meu lado e pediu dois dólares para pegar o ônibus, mas lhe recusei sem dizer nada e voltei para a Broadway. Um pouco ao norte do parque, depois do monumento de bronze e granito em memória à Primeira Guerra Mundial, seus três heróis aprisionados para sempre em batalha — um de pé, um de joelhos e o terceiro curvado com um ferimento mortal —, o clima do bairro mudou e, como se de repente o passado tivesse se transformado no presente, o hospital do campus deu lugar ao bairro pobre habitado por hispânicos.

Quase de uma hora para outra, havia um número menor daqueles brancos profissionais da área médica que antes iam e vinham na entrada para Milstein, e agora as ruas estavam repletas de consumidores, trabalhadores e residentes dominicanos e de outros países latino-americanos. Alguém veio na minha direção e acenou com a mão, de forma exuberante. Era uma mulher alta, de meia-idade, com um bebê no colo, mas não reconheci o rosto. Mary, sou a Mary, disse ela. Trabalhei com seu velho amigo, lembra? Balançou a cabeça com a surpresa de me ver ali. Lembrei-me dela pelo nome. E era de fato ela; morava em Washington Heights agora e ia começar um curso de enfermeira na Columbia, assim que seu filho pequeno entrasse para a creche. Dei-lhe os parabéns e senti no íntimo um espanto ao ver como a vida rapidamente tomava seu rumo. Conversamos um pouco sobre o professor Saito. Era um velho bom, sabe, disse ela. Sempre gostou muito de suas visitas, não sei se ele lhe disse. Foi difícil vê-lo partir daquele jeito, passar tantas dificuldades no final. Agradeci a ela por ter cuidado dele. Seu bebê começou a chorar e nos despedimos.

Da interseção com a rua 127, a George Washington Bridge surgiu pela primeira vez aos meus olhos, suas luzes eram pontos amarelos e suaves na distância cinzenta. Passei pelas lojinhas que vendiam bibelôs, pela vasta vitrine da loja de departamentos El Mundo e pelo restaurante perpetuamente popular El Malecón, ao qual eu ia de vez quando para jantar. Do outro lado da rua, em frente ao El Malecón, havia um prédio imponente e de arquitetura extravagante. Tinha sido construído em 1930 e naquela época era conhecido como o Teatro Loews da rua 175. Projetado por Thomas W. Lamb, era repleto de detalhes deslumbrantes — candelabros, tapetes vermelhos, uma profusão de ornamentos arquitetônicos, por dentro e por fora —, além de elementos de terracota na fachada, inspirados em estilos egípcio, persa e *art déco*. O propósito declarado de Lamb era produzir um efeito de encantamento e de mistério no "espírito ocidental", com o uso de "ornamentos, cores e desenhos exóticos".

Agora o prédio tinha um letreiro na marquise, com letras brancas sobre fundo preto, que diziam: ENTRE OU SORRIA AO PASSAR. Tinha se transformado numa igreja, mas os excessos da era de ouro permaneciam. A atividade religiosa tinha iniciado em 1969, e o teatro, rebatizado com o nome de United Palace, ainda abrigava algumas congregações. A mais conhecida e mais duradoura delas era a liderada pelo reverendo Frederick Eikerenkoetter. O reverendo Ike, como era popularmente conhecido, pregava a prosperidade e vivia da maneira principesca, o que, na sua opinião, convinha a um fiel servidor da palavra de Deus. Estacionado na frente da igreja, e estranhamente coerente com suas falsas ameias assírias e sua pompa descontextualizada, estava seu Rolls-Royce, um dos vários carros de luxo que possuía. Sua igreja, o United Church Science of Living Institute, chegou a contar, no passado, com dezenas de milhares de seguidores. Agora eles eram mais escassos. Porém, as pessoas doavam com fartura, como tinham feito desde a década de 1960.

O teatro, o terceiro maior dos Estados Unidos quando foi construído, com lugar para três mil pessoas, tinha apresentado em sua primeira encarnação filmes e também espetáculos de *vaudeville*. Al Jolson se apresentou lá, bem como Lucille Ball, e naquela época era rodeado por restaurantes caros e lojas de artigos de luxo. Agora, da porta de El Malecón, sob a luz declinante de um anoitecer de sexta-feira, o teatro parecia silencioso. A mixórdia de estilos arquitetônicos, depois de mais de setenta e cinco anos, não conseguia se definir em algo mais significativo. Mesmo em seus melhores dias, devia ter parecido algo estranho naquele ambiente. E agora mais ainda, pois, embora estivesse em razoável estado de conservação, era um prédio totalmente deslocado, sua arquitetura se situava à distância de um mundo das lojinhas em redor, as colunas e os arcos grandiosos pareciam irrelevantes para os fatigados imigrantes que raras vezes erguiam a cabeça para olhar acima do nível da rua. O encanto havia terminado.

A porta de uma van estacionada se abriu. Um menino pôs a cabeça para fora e vomitou na sarjeta, e de dentro da van a voz tranquilizadora de uma mulher falou com ele. O menino vomitou de novo, em seguida ergueu os olhos, com uma expressão de querubim, e seus olhos se cruzaram com os meus. Continuei a andar, subi a Broadway mais ainda, pelo visto atraído pela fisionomia do bairro que mudava rapidamente. Havia um outro prédio enfeitado na esquina da rua 181. E ali estava o velho concorrente do teatro Loews da 175, o Coliseum, que em seu tempo, antes de construírem o Loews, era o terceiro maior teatro do país. Uma breve e triste credencial para a fama: ter sido um dia o terceiro maior teatro. Agora, muito modificado, se tornara o New Coliseum Theatre e dividia o espaço com uma grande farmácia e uma mixórdia de outras lojas de rua; só do primeiro andar para cima havia vestígios da arquitetura dos anos 20.

Dobrei à esquerda na rua 181 e desci na direção da Fort Washington, passei pela estação de trem A e pela Collegiate Church de Fort Washington, depois fui para a Pinehurst, que se encontrava com a rua 181 não diretamente, mas por meio de uma escadaria comprida e estreita que subia por um pequeno emaranhado de vegetação que ia dar na rua propriamente dita. A escada, vertiginosa e evocativa de uma escadaria muito maior que levava a Sacré-Coeur em Montmartre, ficava à sombra das árvores, margeada de ambos os lados por terrenos de vegetação cerrada, dividida ao meio por uma série dupla de corrimões de ferro, de um jeito que fazia lembrar um teleférico; eu mais ou menos esperava que um bondinho viesse descendo com estrépito pelo lado esquerdo, enquanto eu subia a pé pelo lado direito. A escada me conduziu ao final morto da Pinehurst, um mundo diferente da rua agitada e cheia de vida de alguns metros abaixo: prédios residenciais, um bairro mais rico e mais branco. E assim prossegui em meio aos brancos, entrei em sua vida de rua mais sossegada, tendo por alguns minutos a sensação de que eu era a única pessoa que caminhava num mundo despovoado onde apenas um ou outro sinal de vida me mandava um aviso tranquilizador: uma velha senhora no fim de um quarteirão levava uma sacola de compras de alimentos, um par de vizinhos conversava na frente de um prédio de apartamentos e o aparecimento, uma a uma, de luzes cintilantes por trás das janelas de graciosas casas de tijolos, recuadas da rua. À direita estava o Bennett Park, parado e silencioso, animado apenas pelo ondular ocasional da bandeira americana e pela bandeira preta dos Prisioneiros de Guerra, hasteada logo abaixo dela. A Pinehurst terminava na rua 187, e esta me levou ao Cabrini Boulevard, que seguia paralelo ao rio.

Seguir pelo Cabrini Boulevard, algumas centenas de metros adiante, até sua extremidade, me levaria até o Fort Tryon Park, onde o museu Cloisters estava aninhado como uma joia sobre um forro de veludo. Recordei minha última visita ao museu, quando fui lá com um amigo. Ficamos parados no jardim murado, que dá para o rio Hudson. Havia uma grande pereira, cercada por estacas, em forma de candelabro verde contra o fundo formado pelo muro de pedra; seus galhos, ramificados como os da Árvore de Jessé, tinham sido forçados ao longo de anos pelo trabalho dos jardineiros a formar ângulos retos e um plano único, bidimensional. A meus pés estavam algumas ervas típicas do terreno de um convento — manjerona, salsa, malva, azedinha, alho-poró, valeriana vermelha, sálvia. Elas cresciam livremente, vicejavam a tal ponto que conversamos sobre como seria ótimo ter uma horta idêntica àquela.

Recordo como, naquele dia, me ajoelhei perto da horta e inalei a fragrância das ervas. O terreno continha erva-saboeira e hepática, plantas que ganharam seus nomes em função do saber antigo que permitia a identificação do poder terapêutico de cada erva medicinal, ou fitoterapia simpática, uma arte quase mística mediante a qual as propriedades medicinais das plantas eram relacionadas à sua aparência física. Supunham que a hepática fosse boa para doenças do fígado porque suas folhas lembravam a forma dos lobos do fígado; a pulmonária, do mesmo modo, era boa para doenças respiratórias porque suas folhas tinham o formato de um pulmão; a erva-saboeira era apreciada por suas virtudes dermatológicas. Foi a isso que a busca de um sentido levou nossos ancestrais medievais: à certeza de que Deus, que fez toda a criação, havia disseminado dessa forma as pistas para as funções úteis das coisas criadas, e que bastava um pouco de atenção para decifrar tais pistas. A identificação das propriedades das ervas medicinais era a forma mais elementar desse tipo de saber; a busca de Sinais, tal como praticada por Paracelso, o humanista alemão do século XVI, era um desenvolvimento dessa mesma ideia.

Para Paracelso, a luz da natureza funcionava de forma intuitiva, mas era também aguçada pela experiência. Interpretada de forma adequada, ela nos informava o que era a realidade interior de algo mediante seu formato, de modo que a aparência de um homem fornecia um reflexo válido da pessoa que ele era de fato. A realidade interior é, a rigor, tão profunda que, para Paracelso, só pode ser expressa na forma exterior. Por outro lado, como no caso dos artistas, a menos que a obra de arte tratasse da questão de uma vida interior, seus Sinais exteriores seriam vazios. E assim Paracelso desenvolveu uma teoria quádrupla sobre como a luz da natureza se manifesta em homens individuais: por meio dos membros, por meio da cabeça e do rosto, por meio da forma do corpo em seu todo e por meio da atitude, ou da maneira como um homem se apresenta e se conduz.

Conhecemos essa teoria dos Sinais nas formas degradadas da frenologia, eugenia e racismo. Todavia essa sensibilidade para as relações entre o espírito interior e a substância exterior também respaldou muitos artistas da época de Paracelso, sobretudo os escultores de madeira do sul da Alemanha. Ao mostrar extrema atenção às propriedades da madeira e ao modo como tais propriedades podiam ser traduzidas em atributos esculturais, eles criaram obras de arte duradouras, exatamente do tipo que se via nos salões e nos corredores do museu Cloisters. Riemenschneider, Stoss, Leinberger e Erhat alcançaram um complexo conhecimento material do trabalho em madeira de tília por meio dos entalhes que faziam, e suas tentativas de casar o espírito do material com sua forma visível, por mais artesanal que sejam, não são afinal tão diferentes assim do esforço que fazem os médicos, com tanto empenho, para definir um diagnóstico. Isso é particularmente verdade no caso daqueles entre nós que são psiquiatras, pois tentam usar os Sinais exteriores como pistas de realidades interiores, mesmo quando o relacionamento entre os dois planos não é nada claro. Tão modesto é nosso êxito nessa tarefa que é fácil acreditar que nosso ramo da medicina se encontra agora numa fase tão primitiva como a cirurgia na época de Paracelso.

Naquele dia, com essas noções de Sinais e de fitoterapia simpática em mente, tentei transmitir a meu amigo uma ideia da minha maneira, ainda em formação, de encarar a prática da psiquiatria. Disse-lhe que via cada paciente como um quarto escuro e que, ao entrar nesse quarto, numa sessão com o paciente, eu considerava essencial ser vagaroso e prudente. Não causar nenhum mal, o mais antigo dos princípios médicos, estava em minha mente o tempo todo. Há mais clareza no trabalho com doenças exteriores e visíveis; os Sinais são expressos mais forçosamente e assim é mais difícil não vê-los. Para os problemas da mente, o diagnóstico é uma arte mais traiçoeira, porque mesmo os sintomas mais fortes às vezes não são visíveis. É algo especialmente enganoso porque a fonte de nossas informações sobre a mente é a própria mente, e a mente é capaz de enganar a si mesma. Como médicos, disse para meu amigo, dependemos daquilo que o paciente nos conta, num grau muito mais alto do que no caso de estados não mentais. Mas o que vamos fazer quando as próprias lentes através das quais vemos os sintomas são, muitas vezes, sintomáticas: a mente é opaca para si mesma e é difícil saber com exatidão onde estão essas áreas de opacidade. A ciência oftalmológica descreve uma região atrás do bulbo ocular, o disco óptico, onde mais ou menos um milhão de gânglios do nervo óptico saem do olho. É exatamente aí, onde um número enorme de neurônios associados à visão se aglomeram, que a visão morre. Lembro que, naquele dia, fiquei muito tempo explicando para meu amigo que eu tinha a impressão de que boa parte do trabalho dos psiquiatras em particular, e dos profissionais da saúde mental em geral, era um ponto cego tão grande que havia tomado a maior parte do olho. O que sabíamos, eu lhe disse, era muito menos do que aquilo que permanecia nas trevas, e nessa grande limitação residia o atrativo e a frustração de nossa profissão.

Encontrei o edifício, John falou comigo pelo interfone e me deixou entrar. Peguei o elevador para o vigésimo nono andar. Ele estava na porta, de avental. Entre, disse, que bom falar com você em pessoa, afinal. Havia muito pouca gente ali. John era um investidor de fundos *hedge* e já estava bastante rico, a julgar por sua casa, que era espaçosa e decorada com requinte, com móveis no estilo moderno de meados do século xx. Uma coleção de tapetes orientais e um piano de cauda Fazioli. Calculei que ele era quinze anos mais velho que Moji. Havia algo de forçado em seu espírito gregário, e as bochechas rosadas e coradas e o cavanha-que que mesclava tons claros e escuros não me agradaram. Moji veio ao meu encontro e nos abraçamos. Por que essa atadura?, perguntou. Agora deu para lutar boxe, não é? Balbuciei algo sobre um escorregão na soleira da porta, mas ela já havia voltado para a cozinha. De lá, gritou, me perguntando o que eu queria beber. Gritei em resposta, sem saber com segurança o que tinha dito antes mesmo de o eco de minha voz se apagar, pois minha mente ainda estava ligada em como ela parecia linda, desejável e, é claro, inacessível.

Por volta das duas horas da madrugada, muita gente tinha ido embora e a festa havia acalmado. Alguém trocou a música eletrônica que estava tocando no som estéreo por uma gravação de Sarah Vaughan, com arranjo de cordas. Os convidados que ficaram, mais ou menos uma dúzia, estavam todos espalhados nos sofás. Alguns fumavam charutos; o cheiro era agradável, sedutor, uma fragrância de tom grave que me inspira sentimentos de serenidade. Um casal dormia abraçado e uma garota com uma pesada sombra preta nos olhos estava enroscada sobre o tapete perto do casal. Moji e John conversavam, concentrados, com um físico italiano. Ele era de Turim. Sua esposa, uma mulher de Cleveland que eu havia conhecido mais cedo, também era física. Havia algo em suas reações atrasadas na conversa e também na maneira um pouco estranha como falava que me fez imaginar que talvez fosse surda. Naturalmente não era possível perguntar isso, e deixei o assunto de lado. Havia conversado com ela e com o marido durante um tempo. Ela gostou de manter uma conversa comigo sobre Italo Calvino e Primo Levi; o marido pareceu entediado e, sob o pretexto de ir apanhar mais uma bebida, se afastou.

Saí para a varanda, o que vinha desejando fazer a noite inteira; a vista era uma maravilha, como Moji me prometera. Ela envolvia o apartamento por dois lados e lá de cima, no vigésimo nono andar, eu podia avistar, num só olhar, as residências de milhões de pessoas. A maneira como as minúsculas luzes cintilavam através de quilômetros de ar me fez pensar em todos os computadores dentro de todos aqueles lares, a maioria agora adormecidos, mas não desligados, com suas luzes de espera piscando silenciosamente. Eu estava na minha terceira taça de champanhe. O dia parecia muito distante e meu espírito estava tranquilo. Havia também a agradável sensação de flertar com Moji, não com alguma expectativa, mas apenas por puro prazer. E dessa vez notei menos tensão, menos conflito, em minha interação com ela. Eu estava feliz de ter ido à festa.

A porta de vidro abriu com um estalo atrás de mim e John saiu para a varanda. Também trazia na mão uma taça cheia de champanhe. As faces estavam ruborizadas pela bebida. Cumprimentei-o por sua generosidade e por seu belo apartamento. Havia uma fileira de árvores bonsai, talvez uma dúzia ao todo, paralela à janela de vidro laminado que dava para a sala de estar. Era impossível imaginar algo mais diferente das plantas domésticas comuns. Cada árvore de bonsai, atarracada, antiga e retorcida, tinha crescido desde antes de nós nascermos e, dentro de seu tronco e de suas raízes, todas tinham os segredos genéticos capazes de garantir que sobreviveriam a todos nós. Eu as havia admirado mais cedo, contei para ele. John me perguntou se eu havia notado a que tinha a etiqueta *Acer palmatum*. Esse bebezinho tem cento e quarenta e cinco anos de idade, disse. Alguns a chamam de bordo japonês e pode crescer, sei lá, vinte, vinte e cinco metros. Mas a questão agora não é mais de tamanho, não é?

Você percebeu como suas folhas parecem as de um pé de maconha? Deu uma risadinha. Fiquei sem graça, mas nem mesmo ele conseguiu estragar meu bom estado de ânimo.

Depois que saí do apartamento de John, parei numa lanchonete na rua 181 com o Cabrini Boulevard para tomar um café. Bebi muito depressa, depois caminhei adiante pelo Cabrini até a rua 179 e segui em frente até a George Washington Bridge. Queria ver bem de frente o sol subindo do rio Hudson. A cidade ainda dormia. Na lanchonete, eu tinha visto um homem com uma tatuagem que cobria a maior parte do braço repousando a cabeça sobre os nós dos dedos. Quando saí, vi outro homem, um dominicano ou porto-riquenho, num carro estacionado, que estava ou dormindo ou olhando atônito para o aparelho de GPS na sua frente. O reflexo do sol transformava metade do para-brisa num campo metálico brilhante. Quando cheguei à passagem para pedestres no lado da ponte que ia no sentido de Fort Lee, vi à minha frente, e do outro lado do canteiro central, um carro marrom batido. Era um dos modelos grandões americanos do final dos anos 80, talvez um Lincoln Town, e tinha se chocado com força na cerca de segurança. O acidente devia ter acontecido no máximo quinze ou vinte minutos antes de eu chegar ao local; os carros dos bombeiros e da polícia estavam chegando naquele instante. Pararam em silêncio, se encostaram um no outro no canto da ponte; quase não havia trânsito e eles não precisavam tocar a sirene. Pude ver que as duas portas da frente do carro estavam abertas e que os vidros tinham se espatifado. A frente do carro estava amassada e havia vidro na pista, além de sangue empoçado no asfalto, como se fosse um vazamento de óleo. Andei mais alguns metros e agora pude ver o carro do leste. Sobre o ressalto de concreto perto do carro, com o sol nascente subindo no céu devagar atrás dos dois, havia um casal sentado. Estavam calados, perplexos, vivendo o pesadelo de uma manhã de sábado. De longe, pareciam filipinos, ou talvez da América Central. Quando comecei a subir a passarela, os bombeiros tinham acabado de chegar a eles, muito diligentes. O vermelho brilhante do caminhão dos bombeiros parecia um corte profundo na pista vazia. De onde poderia ter vindo todo aquele sangue perto do carro? O homem e a mulher tinham ferimentos nas pernas, mas não pareciam estar sangrando abundantemente. Era surreal e, na minha memória agora, é a coisa mais surreal que já vi. Aquela visão de sofrimento desnecessário tingiu tudo o mais que eu enxerguei no nascer do sol, no rio e nas ruas sossegadas da manhã, durante a hora seguinte, quando, saindo da ponte, desci pela Fort Washington até chegar à rua 168, no campus de medicina, e de lá caminhei pela Broadway, pelo adormecido, confuso e sujo bairro dos hispânicos, atravessei o Harlem até a Amsterdam e o sossegado campus da Universidade Columbia. Vi meu vizinho Seth — fazia meses que não o via, acho que desde o dia em que me falou da morte da esposa — e parei para cumprimentá-lo. Junto com o síndico do prédio, ele estava arrastando para a frente do edifício o segundo de dois colchões grandes. Tenho de comprar novos, disse Seth. Parecia estar lendo alguma coisa na superfície dos colchões, que tinham sido jogados de encontro à parede da frente do prédio. Em seguida deu meia-volta e, como explicação, falou: Estes aqui foram tomados pelos percevejos.

Seth perguntou se eu tinha visto algum sinal de percevejos em meu apartamento, e respondi que não. Mas aí lembrei que, antes de ter ido embora duas semanas antes, meu amigo falou que estava tentando eliminar os percevejos de sua casa. Seu pedido de efetivação na Universidade Columbia tinha sido negado e ele havia deixado para trás Nova York, percevejos e tudo o mais, em troca de um cargo de professor na Universidade de Chicago. Para minha grande surpresa, sua nova namorada, Lise-Anne, foi embora junto com ele. E foi naquele momento específico, ao conversar com Seth na frente dos colchões infestados de percevejos, que tive uma indicação de como eu iria sentir de forma aguda a falta de meu amigo.

De certo modo, cada um deve tomar a si mesmo como referência da normalidade, deve supor que o espaço da própria mente não é, não pode ser, inteiramente opaco para a pessoa portadora da mente. Talvez seja isso que chamamos de sanidade mental: acreditar que, por maiores que sejam nossas excentricidades, não somos os vilões de nossas próprias histórias. Na verdade, é exatamente o contrário: representamos, e apenas representamos, o papel de herói, e na torrente das histórias das outras pessoas, na medida em que tais histórias nos dizem respeito, nunca somos menos do que heroicos. Na era da televisão, quem já não ficou parado na frente de um espelho e imaginou sua vida como um espetáculo que talvez já esteja sendo visto por multidões? Com tal ideia em mente, quem já não introduziu algo de performático em sua vida cotidiana? Temos a capacidade de fazer o bem e o mal, e na maioria das vezes optamos pelo bem. Quando não o fazemos, não nos perturbamos com isso, nem nós nem nossa plateia imaginária, porque somos capazes de nos articular conosco mesmos e porque, por conta de nossas outras decisões, já fizemos por merecer a simpatia das pessoas. Elas estão prontas a acreditar no melhor a nosso respeito, e não sem bons motivos. Do meu ponto de vista, ao pensar na história da minha vida, mesmo sem a pretensão de um sentido de ética especialmente elevado, me sinto satisfeito por ter me mantido com perseverança do lado do bem.

E assim, o que significa quando, na versão de outra pessoa, eu sou o vilão? Conheço até bem demais as histórias ruins — mal imaginadas ou mal contadas —, porque as escuto muitas vezes dos pacientes. Conheço as manobras dos que põem a culpa nos outros, dos que não conseguem enxergar que eles mesmos, e não os outros, constituem o ponto comum em todos os seus relacionamentos ruins. Existem tiques característicos que revelam a falsidade essencial de tais narrativas. Mas o que Moji me disse naquela manhã, antes de eu ir embora do apartamento de John e seguir pela George Washington Bridge e percorrer a pé os poucos quilômetros que faltavam até minha casa, nada tinha em comum com tais histórias. Ela me disse aquilo como se, com todo o seu ser, estivesse segura de sua exatidão.

Das mais ou menos dez pessoas que ficaram para dormir no apartamento na noite da festa, fui eu que acordei primeiro. Eram mais ou menos seis horas e o sol já estava alto. Andei na ponta dos pés me desviando dos corpos adormecidos sobre o chão da sala e entrei na cozinha. Fiz um chá e voltei na ponta dos pés, sentei na varanda envidraçada que dava para o rio Hudson. Moji veio unir-se a mim, sentou-se na outra cadeira acolchoada e baixa.

Dormiu bem?, perguntei, e já ia lhe indagar sobre a física de Cleveland, se era mesmo surda como eu desconfiava, mas Moji olhou para o outro lado do rio, estreitando os olhos. Em seguida virou-se para mim e disse, em voz baixa e serena, emocional em sua completa falta de inflexão, que havia coisas que desejava me contar. E então, com a mesma neutralidade afetiva, disse que no final de 1989, quando tinha quinze anos e eu era um ano mais jovem, numa festa que seu irmão tinha promovido na casa deles em Ikoyi, eu a tinha obrigado à força a transar comigo. Depois, disse Moji, com os olhos cravados no rio brilhante lá embaixo, nas semanas que se seguiram, nos meses e nos anos que se seguiram, eu me comportei com se nada soubesse a respeito do assunto, tinha até esquecido Moji, a ponto de não reconhecê-la quando nos encontramos de novo, e eu nunca havia tentado admitir o que fizera. Aquela farsa tortuosa prosseguiu até o presente. Mas para ela não tinha sido assim, contou Moji, o luxo da negação não fora possível para ela. Na verdade, eu tinha sido uma pessoa sempre presente na vida dela, como uma mancha ou uma cicatriz, e Moji havia pensado em mim, de forma fugaz ou em prolongadas agonias, quase todos os dias de sua vida adulta.

Moji continuou falando desse modo durante talvez uns seis ou sete minutos. Contou-me quem mais esteve na festa naquela noite e descreveu com exatidão a memória que tinha do que aconteceu: nós dois tínhamos bebido cerveja, ela estava à beira de perder os sentidos e eu a levei para outro quarto e a obriguei a transar comigo. Durante semanas depois disso, contou Moji, ela sentiu vontade de morrer. Eu me recusava a olhar para ela, contou Moji, e seu irmão Dayo sabia que aquilo havia acontecido, não que ela e o irmão tenham conversado sobre o assunto, mas era inconcebível que, nas sombras e nas ausências da noite, ele não tenha percebido, e Moji o odiava, disse ela, por não ter feito nada para protegê-la. E agora, ali estávamos nós dois, adultos, maduros, e ela continuava com sua dor, e o fato de me ver outra vez, e ver que eu não tinha perdido nada de minha insensibilidade, disse ela, havia renovado aquela dor e havia trazido de volta para ela um sofrimento comparável, em intensidade, ao que padecera naquelas semanas, só que dessa vez, disse Moji, ela havia tentado, por razões que não estavam claras nem para ela, manter sua dor oculta e fingir-se alegre na situação. Moji tentara perdoar, disse ela, e esquecer, mas nem uma coisa nem outra tinham dado certo.

A voz de Moji, que nunca aumentava de volume, havia adquirido naquela altura um tom tenso e instável, como se ela estivesse ficando rouca. Você não vai dizer nada, falou. Sei que não vai dizer nada. Sou só mais uma mulher cuja história de violência sexual não vai merecer crédito. Sei disso. Olhe, a amargura tem me devorado durante todo esse tempo, porque aconteceu tanto tempo atrás, e é a minha palavra contra a sua e você vai dizer que foi consensual, ou que nem mesmo aconteceu. Já previ todas as suas possíveis respostas. É por isso que nunca contei para ninguém, nem para meu namorado. Mesmo assim ele enxerga o que se passa dentro de você, o psiquiatra, o sabe-tudo. Sei que você acha que ele é um palhaço. Mas é um homem melhor do que você. É mais sábio, entende a vida melhor do que você jamais vai entender. É por isso que, sem que eu tenha de lhe contar nada, ele sabe da influência maligna que você exerceu na minha vida.

Acho que você não mudou nada, Julius. As coisas não vão embora só porque a gente quer esquecê-las. Você me violentou há dezoito anos porque podia escapar impune, e suponho que conseguiu mesmo escapar impune. Mas não no meu coração, não ficou impune. Amaldiçoei você vezes demais para poder contar quantas foram. E talvez não seja uma coisa que você fizesse hoje, mas naquele tempo eu também não achava que você fosse capaz de fazer aquilo. Basta que aconteça uma vez. Mas e agora, não vai dizer nada? Vai dizer alguma coisa?

Outras pessoas tinham acordado e começavam a se movimentar dentro do apartamento. Moji parou de falar e manteve os olhos fixos no cintilante rio Hudson. Achei que ia começar a chorar, mas, para meu alívio, não chorou. Qualquer pessoa que tivesse chegado à varanda naquele momento não poderia imaginar que estivéssemos fazendo outra coisa que não apreciar a luz refletida no rio Hudson.

O sol que acabara de nascer batia no rio Hudson num ângulo tão fechado que o rio brilhava como um telhado de alumínio. Naquele momento — e recordo isso de forma tão exata como se a imagem estivesse passando de novo agora na minha frente —, pensei em como, em seus diários, Camus conta uma história dupla que tem a ver com Nietzsche e com Múcio Cévola, um herói romano do século VI a.C. Cévola foi capturado quando tentava matar o rei etrusco Porsena e, para não denunciar seus cúmplices, deu provas de seu destemor colocando a mão direita sobre o fogo e deixando que ela queimasse. De tal gesto proveio seu apelido, Cévola, o canhoto. Segundo Camus, Nietzsche se irritou quando seus colegas de escola disseram que não acreditavam na história de Cévola. E assim, aos quinze anos de idade, Nietzsche apanhou uma brasa na lareira e segurou-a na mão. Queimou-se, é claro. Nietzsche levou a cicatriz consigo durante o resto da vida.

Entrei no apartamento e cumprimentei os que estavam acordando. Cinco minutos depois, fui embora. Só alguns dias mais tarde, ao verificar aquela história em outra fonte, vi que o desprezo de Nietzsche pela dor tinha sido expresso não com uma brasa, mas com um punhado de palitos de fósforo acesos que ele colocou na palma da mão e que, quando começaram a queimar sua pele, um assustado inspetor da escola jogou os fósforos no chão.

21.

Segunda-feira foi meu primeiro dia de trabalho em horário integral numa clínica privada. A clínica, que meu sócio principal, David Ng, administrou por catorze anos, fica na Bowery Avenue. É um local agradável, no terceiro andar de um prédio construído antes da guerra, com janelas que dão para lojas de lâmpadas e luminárias do outro lado da rua e para o céu desimpedido acima delas. Ainda não houve sinal das migrações de aves este ano, mas sei que elas vão vir. Em momentos de sossego, poderei observar os auspícios até me fartar. Foi um mês atarefado: só na semana passada me mudei para um apartamento pequeno na rua 21 Oeste. A vista não é boa, mas é um bairro agradável (como o corretor me lembrou *ad infinitum*) e de lá posso ir a pé até a clínica. Algumas semanas atrás, me submeti à cirurgia da mão que vinha adiando. A dor se foi.

Minha bolsa de estudos terminou no final do verão e optei por trabalhar com Ng, embora houvesse propostas mais lucrativas longe da cidade, entre as quais a mais atraente era uma clínica interdisciplinar em Hackensack, Nova Jersey. Significaria mais dinheiro, a tranquilidade dos subúrbios, as coisas que o dinheiro pode comprar; mas no final não foi uma escolha difícil. Ficar aqui na cidade é a única opção que faz sentido emocional para mim; meus próprios instintos me ajudaram, assim como o conselho profissional da dra. Bolt, a chefe de nosso serviço. O dr. Martindale, com quem dividi a autoria de alguns estudos, tentou me convencer a permanecer na universidade, mas tinha ficado claro desde muito tempo que o ambiente universitário não serve para mim.

Comecei a organizar meu local de trabalho. No geral, o consultório é despojado, mas comprei alguns livros e meu computador foi instalado com um par de pequenos alto-falantes que posso usar para ouvir música no intervalo das consultas. Já selecionei como um dos favoritos no computador uma estação de rádio de música clássica de Nova York, e agora me sinto mais tolerante com os comerciais do que era antes. Na sexta-feira chegou um sofá novo, e o cheiro de seu estofado, uma curiosa mistura de limão e terra, domina o ambiente, mas até agora nenhum paciente reclamou. Na porta, do lado de fora, está uma placa de metal chanfrado com meu nome, que Ng mandou fazer antes mesmo de eu chegar.

No mural de cortiça atrás de minha cadeira, está preso com tachinhas um cartão-postal de Heliópolis que descobri por acaso num sebo de livros faz duas ou três semanas. Está amarelado pelo tempo e mostra uma rua sombreada por um prédio à direita. O prédio tem o que parece ser um campanário medieval, com dois pares de colunas de cada lado. Dois homens, figuras pequeninas, caminham junto ao prédio. Vestem túnicas brancas. Um outro homem, só um pouco maior, está parado, de pé, no meio da rua vazia, olhando para o fotógrafo. Também usa uma túnica que bate nas canelas, mas, por cima, veste um paletó preto. À direita desse homem, a rua está marcada pelos trilhos prateados e convergentes de um bonde e, perto da linha do horizonte, há dois bondes. Seus equipamentos articulados e erguidos, que os ligam aos fios suspensos, lhes dá o aspecto de moscas. À esquerda da rua, de resto vazia, há um prédio menor, ou apenas mais distante, e uma das torres do prédio é coroada por uma cúpula em formato de cebola. O cartão-postal, que não tem data, diz simplesmente, em letras brancas e miúdas sobre a fotografia: "9108 Le Caire, Heliópolis". Não é um cartão pitoresco. O céu é desbotado, as sombras são escuras, a composição não tem nenhum interesse especial. Parece uma coisa que alguém esqueceu, não algo que uma pessoa fosse intencionalmente pregar no mural de cortiça. Mas não consigo afastar a sensação de que o homenzinho de paletó preto e de túnica branca, cujo rosto está invisível por causa da sombra na rua, desempenha o papel de uma testemunha e me observa enquanto trabalho e, de fato, foi essa figura miúda que de início me compeliu a pegar o cartão. Só mais tarde percebi que retratava a Heliópolis do barão Empain.

Ontem à tarde, enquanto ouvia o rádio num intervalo sossegado entre consultas de pacientes novos, ouvi o anúncio dos concertos no Carnegie Hall nesta semana. A Orquestra Filarmônica de Berlim vai dar três concertos regidos por Simon Rattle. Entrei na Internet e comprei um ingresso para a apresentação da noite. Na noite de hoje, haverá o último dos três concertos, *Das Lied von der Erde*, que não vou poder ver, porque os ingressos estavam esgotados. A mente de Mahler vivia incessantemente nas últimas coisas: *Das Lied von der Erde*, com suas dolorosas notas de despedida e seu mundo sonoro doce e amargo, foi quase toda composta no verão de 1908. No ano anterior, 1907, uma política nefasta de natureza antissemita o obrigou a deixar o cargo de diretor da Ópera de Viena. Essa frustração veio logo depois de um grande choque ocorrido em julho de 1907, a morte da mais velha de suas duas filhas, Maria Anna, de cinco anos de idade, por causa da escarlatina. Quando o Metropolitan Opera o contratou para a temporada de 1908, Mahler trouxe a esposa Alma e a filha mais jovem para Nova York. Houve, então, um alívio, um momento de glória e alguma satisfação. Ele emocionou as plateias com sua regência e seus programas inovadores, até os diretores o afastarem em favor de Toscanini.

Noite passada, assisti à apresentação da Nona Sinfonia, a obra que Mahler compôs depois de *Das Lied von der Erde*. Tão forte é o sentido de término em Mahler que suas muitas histórias musicais do fim quase passam a dominar tudo o que veio antes. Mahler tornou-se um mestre dos fins de sinfonia, do fim do conjunto de uma obra e do fim de sua própria vida. Mesmo a Nona Sinfonia não foi sua última obra; sobrevivem fragmentos de uma Décima Sinfonia, e ela é ainda mais fúnebre do que as obras anteriores. Com base nos rascunhos de Mahler, a obra foi concluída na década de 1960 pelo musicólogo britânico Deryck Cooke.

Eu me vi pensando nos últimos anos de Mahler quando sentei no trem N, sentido centro, na noite passada. Toda a escuridão que rodeava Mahler, os diversos sinais de fragilidade e mortalidade que eram acesos com força por alguma fonte desconhecida, mas até aquela luz continha sombras. Pensei em como as nuvens às vezes correm pelos desfiladeiros, banhados pelo sol, formados pelos flancos escarpados dos arranha-céus, de modo que as fronteiras nítidas de treva e de luz se movem em disparada junto com a luz e a treva que passam. As obras finais de Mahler — *Das Lied von der Erde*, a Nona Sinfonia, os rascunhos da Décima — foram todas apresentadas depois de sua morte; todas são obras vastas, fortemente iluminadas e vivazes, cercadas pela tragédia que se desdobrava na vida. A impressão esmagadora que produzem é de luz: a luz de uma apaixonada fome de vida, a luz de uma mente tristonha que contempla a implacável aproximação da morte.

A obsessão com as últimas coisas não estava aparente apenas em seu estilo tardio. Já estava presente desde o início de sua carreira de compositor, desde a distante Segunda Sinfonia, que era uma ampliada exploração musical da morte e da ressurreição. Se nos últimos anos tivesse composto apenas *Das Lied von der Erde*, a obra seria encarada como as adequadas últimas palavras de um compositor, uma das maiores obras no gênero, comparável ao Réquiem de Mozart, à Nona Sinfonia de Beethoven e à ultima sonata para piano de Schubert. Mas compor depois de *Das Lied*, como fez Mahler, a igualmente imensa Nona Sinfonia no verão seguinte, em 1909, significou tornar-se, por força de sua vontade, o gênio das despedidas prolongadas.

O concerto fazia parte de uma série que celebrava a cidade de Berlim. Comprei meu ingresso para o concerto de ontem já muito tarde e acabei ficando no quarto balcão. A sala, um lindo espaço em forma de concha, com o teto guarnecido de ornamentos e com iluminação embutida, estava lotada. A pessoa a meu lado, uma mulher linda, vestida num casaco caro, cheirava mal; era um odor forte, algo entre a saliva e o álcool, e supus que não fosse uma questão de higiene inadequada, mas sim um excesso de perfume. Ocorreu-me que devia mudar de assento, mas vi que era impossível. Ela se abanou de maneira brusca e o cheiro se dissipou. Seu companheiro, um homem alto e bronzeado, de terno azul e camisa branca xadrez, um tipo de aspecto europeu, com olhos cinzentos e alegres, logo chegou. O primeiro violino emergiu dos bastidores para receber os aplausos e a orquestra começou a afinar, primeiro o oboeísta emitiu um lá bem claro e depois os sons dos instrumentos de corda arrastaram uns aos outros numa linda cacofonia até formar uma nota em uníssono.

O último concerto que o próprio Gustav Mahler regeu foi

no Carnegie Hall, em fevereiro de 1911. Não continha nenhuma de suas composições: regeu a Orquestra Sinfônica de Nova York, que mais tarde se transformou em Filarmônica de Nova York, na estreia mundial da *Berceuse Élégiaque*, de Busoni. Naquele dia, Mahler estava com febre e regeu contra as recomendações de seu médico pessoal, o dr. Joseph Fraenkel; a febre deve ter ardido dentro dele de forma insuportável naquela noite, enquanto regia a composição de Busoni, inspirada nas seguintes palavras: "O berço do bebê balança, a sorte de seu destino oscila; o caminho da vida se apaga, se apaga na distância eterna".

De novo o oboeísta tocou a nota lá, e dessa vez os instrumentos de sopro afinaram e depois foram seguidos por um turbilhão de sons das cordas. Por fim, veio um sinal do palco, e um pedido de silêncio percorreu a sala de concerto. Quase todos eram brancos, como quase sempre acontece em tais concertos. É uma coisa que não posso deixar de notar; reparo toda vez e tento não ver. Parte do processo é uma complexa e rápida série de adaptações: repreender a mim mesmo por até mesmo ter percebido isso, deplorar os sinais de como nossa vida continua dividida, irritar-me por saber que tais pensamentos podem muito bem voltar a passar pela minha cabeça mais tarde, na mesma noite. A maioria das pessoas à minha volta ontem era velha ou de meia-idade. Estou acostumado, mas nunca deixa de me surpreender a maneira como é fácil sair da hibridez da cidade e entrar em espaços só de brancos, cuja homogeneidade, até onde posso ver, não causa nenhum desconforto aos brancos ali presentes. A única coisa estranha, para alguns deles, era me ver, negro e jovem, em minha poltrona ou no bar do teatro. Às vezes, parado na fila do banheiro no intervalo, recebo olhares que me fazem sentir que nem Ota Benga, o homem da etnia mbuti que foi exposto na jaula dos macacos no zoológico do Bronx em 1906. Estou farto de tais pensamentos, mas já me habituei a eles. A música de Mahler porém não é branca, nem negra, não é velha nem jovem, e até se discute se seria especificamente humana, ou se, mais que isso, estaria em conformidade com vibrações mais universais. Simon Rattle, com um sorriso, sacudindo o cabelo cacheado, entrou no palco para receber os aplausos. Pediu aplausos para a orquestra e depois as luzes diminuíram de intensidade. O silêncio se tornou completo e, após um momento de expectativa, Rattle marcou o tempo com a batuta no ar e a música começou.

O primeiro movimento da Nona Sinfonia é como um grande navio que parte do porto: pesado, mas perfeitamente gracioso em seu movimento. Nas mãos de Rattle, a música começa com suspiros, uma série de hesitações, uma ideia melódica que cai repetidas vezes e se amplia, ao mesmo tempo que se torna mais frenética. Como sempre, eu estava ouvindo com a mente e com o corpo, penetrava nos detalhes já familiares da música, descobria detalhes novos na partitura, pontos de ênfase e de articulação que eu não havia percebido antes, ou que tinham sido destacados, pela primeira vez, pelo maestro. Rattle, enquanto eu observava, estava regendo Mahler, mas ao mesmo tempo se comunicava — pelo menos para mim, na condição de antigo admirador daquela música — com outros maestros: Benjamin Zander, Jascha Horenstein, Claudio Abbado, John Barbirolli, Bernard Haitink, Leonard Bernstein, Hermann Scherchen, Otto Klemperer e também Bruno Walter, que havia regido a estreia da peça em Viena, um ano depois da morte de Mahler e dois anos antes do início da Primeira Guerra Mundial. Eram nomes de homens europeus, na maioria, muitos já mortos, nomes que, nos quinze anos desde minha chegada aos Estados Unidos, passaram a significar muita coisa para mim, cada um deles associado a um estado de espírito e a uma inflexão específicos — equilibrado, radical, sentimental, doloroso, consolador — na vasta partitura da sinfonia. Simon Rattle, ao modelar o som dos dois primeiros movimentos, conduzindo a orquestra pelos frenesis e pelas cantigas de ninar, afirmava sua pretensão a ser um dos titãs daquela composição. O terceiro movimento, o rondó, era alto, rude e tão burlesco quanto se podia conceber.

Então, a partir de uma calma que parecia ter feito a plateia inteira prender a respiração, a doce abertura do movimento final, semelhante a um hino, conduzida pelos instrumentos de cordas, encheu a sala. Fiquei atônito: nunca antes tinha percebido como a melodia daquele movimento era semelhante ao hino anglicano de 1847 "Permaneça comigo". E essa revelação me impregnou da profunda dor da longa mas radiante elegia de Mahler e senti que podia também detectar a intensa concentração, as centenas de pensamentos privados, das pessoas que estavam na plateia junto comigo. Como era estranho que, quase cem anos antes, exatamente ali em Manhattan, à distância de uma breve caminhada do Carnegie Hall, no Plaza Hotel, na esquina da rua 59 com a Quinta Avenida, Mahler havia trabalhado naquela mesma sinfonia, ciente da doença cardíaca que em breve tomaria sua vida.

No fulgor do último movimento, mas bem antes do fim da música, uma mulher idosa na fileira da frente se levantou e começou a caminhar pelo corredor entre as poltronas. Andava devagar e os olhos de todos se voltaram para ela, embora todos os ouvidos se mantivessem presos à música. Era como se ela tivesse recebido um chamado e estivesse deixando a sala para ir aó encontro da morte, atraída por uma força invisível para nós. A velha era frágil, tinha uma rala coroa de cabelo branco que, iluminada por trás pela luz do palco, se tornou uma auréola, e ela se movia tão devagar que parecia um cisco de pó suspenso dentro da música vagarosa. Um de seus braços estava ligeiramente erguido, como se ela estivesse sendo puxada para a frente por uma ajudante — como se eu estivesse lá embaixo com a minha *oma* e a pressão da música nos empurrasse com delicadeza enquanto eu a acompanhava rumo às trevas. Quando ela alcançou a porta e sumiu de vista, em sua graciosidade, assemelhou-se a nada menos que um barco que parte num lago campestre de manhã bem cedo, o qual, para quem se encontra em terra, não parece velejar, mas sim dissolver-se na substância da neblina.

Mahler trabalhou sem autocomiseração durante sua doença, ao longo do catálogo de sofrimentos e, em suas composições colossais, inseriu com primor elegias dentro de elegias. Ele gostava de dizer, com um característico humor negro, que *Krankheit ist Talentlosigkeit* — doença é falta de talento. Ele fez de sua própria morte algo importante — nisso residia um de seus grandes talentos —, de modo que quase pareceu que de fato morreu como um dragão que derruba uma muralha, como se diz a respeito de alguns grandes poetas chineses. Seu enterro ia ser em Viena, no cemitério Grinzing. E assim, depois de receber a definitiva sentença de morte — uma infecção sanguínea de estreptococo, depois de um diagnóstico de endocardite infecciosa, uma doença que destrói as válvulas do coração — do dr. Fraenkel, que tinha chegado ao diagnóstico após conversar com o dr. Emanuel Libman, chefe do departamento médico do Mount Sinai Hospital, Mahler fez a árdua viagem final de volta para casa. Primeiro foi de navio de Nova York para Paris, onde tentou sem sucesso um soro experimental no Instituto Pasteur, depois viajou de trem para Viena, com grande incômodo, onde a multidão lhe deu as boas-vindas e o exaltou, a mesma pessoa que antes haviam tratado de maneira tão cruel, e a massa popular seguiu pelas ruas seu comboio de carros, como se fosse Virgílio voltando a Roma para morrer. E de fato Mahler morreu uma semana depois, à meia-noite do dia 18 de maio de 1911.

A música parou. Um silêncio completo na sala. Simon Rattle ficou estático no pódio, a batuta em pleno ar e os músicos também imóveis, os instrumentos em punho. Olhei a sala em redor, os rostos iluminados, todos inundados por aquele silêncio. Os segundos se prolongaram. Ninguém tossiu e ninguém se mexeu. Dava para ouvir o suave ruído do trânsito ao longe, fora da sala. Mas dentro, nenhum som; até as centenas de pensamentos em alta velocidade tinham parado. Então Rattle baixou as mãos e a plateia explodiu num aplauso.

Só quando a porta estalou atrás de mim, me dei conta do que eu tinha feito. Havia usado a saída de emergência, que levava do quarto balcão direto para a escada de incêndio, do lado externo do prédio. A pesada porta metálica que havia acabado de bater e fechar não tinha nenhuma maçaneta externa: eu estava preso do lado de fora. Não havia como obter nenhum alívio da chuva e do vento porque eu também tinha deixado o guarda-chuva na sala de concerto. Além de tudo isso, havia o fato de que eu não estava numa escada de saída para a rua, como esperava, mas numa frágil escada de incêndio, trancado do lado de fora, na ala sem iluminação do Carnegie Hall, numa noite de tempestade. Era uma irretocável situação de comédia.

A escorregadia tela de arame era tudo o que me separava do nível da rua da cidade, a mais ou menos vinte metros de altura. As luzes bem embaixo de mim, eu as via entre meus pés, e minha cabeça e meu casaco já estavam molhados. Meus companheiros frequentadores de concerto saíam para cuidar de suas vidas, sem tomar conhecimento de minha provação. Estavam longe demais para ouvirem um grito, mesmo se o tempo estivesse mais clemente; à noite, com a chuva ciciando nas ruas, era inútil gritar. E alguns minutos antes eu havia estado nos braços de Deus, na companhia de muitas centenas de outras pessoas, quando a orquestra fluía imponente rumo à coda e nos levava a um júbilo inacreditável.

Agora eu estava em face de uma solidão de rara pureza. No escuro, acima de um declive a prumo, eu podia ver as luzes da rua 42 reluzindo na distância visível. Os corrimões de uma escada de incêndio, certamente precários quando nas melhores condições, estavam escorregadios por causa da água e hostis à pressão dos dedos. Movi-me com cuidado, dava um passo de cada vez com toda a premeditação. O vento pressionava em torno do prédio, fazendo barulho, e eu obtive um consolo um tanto sinistro com a ideia de que, se eu caísse daquela altura, não havia o risco de ficar aleijado: a morte seria instantânea. A ideia me acalmou, e avancei e deslizei pelos degraus de metal, uns poucos e modestos centímetros de cada vez. Meu número de equilibrista na corda bamba prosseguiu por demorados minutos, no escuro. E então vi que a escada de incêndio só descia até a metade do prédio, terminava abruptamente diante de outra porta fechada. O resto do caminho até o chão, uns dois andares mais ou menos, era só de ar. Mas a sorte estava do meu lado: a segunda porta tinha maçaneta. Experimentei e a porta abriu para um corredor.

Antes de atravessar a porta e entrar, enquanto eu a mantinha aberta com alívio e gratidão, ocorreu-me olhar para cima e, para minha grande surpresa, havia estrelas. Estrelas! Eu não tinha pensado que teria chance de vê-las, não com a poluição luminosa que encobria perpetuamente a cidade, e não numa noite em que havia chovido. Mas a chuva tinha parado enquanto eu descia e havia lavado o ar. O miasma das luzes elétricas de Manhattan não chegava a subir muito no céu e, na noite sem lua, o céu era como um telhado com furos atravessados pela luz, e o próprio firmamento cintilava. Estrelas maravilhosas, uma nuvem distante de vaga-lumes: mas, no corpo, eu tinha a sensação daquilo que meus olhos não conseguiam apreender, ou seja, que a verdadeira natureza das estrelas era o eco visual persistente de algo que já se encontrava no passado. Nas eras insondáveis que a luz levou para atravessar tais distâncias, a própria fonte de luz, em alguns casos, tinha se extinguido havia muito tempo, sua escuridão permanece se afastando de nós a velocidades ainda maiores.

Mas, nos espaços escuros entre as estrelas mortas e cintilantes, havia estrelas que eu não podia ver, estrelas que ainda existiam e que emitiam uma luz que ainda não havia me alcançado, estrelas que agora viviam e emitiam luz, mas se apresentavam a mim apenas como interstícios negros. Mais dia, menos dia, sua luz chegaria à Terra, muito depois de eu e toda a minha geração e a geração seguinte à minha termos nos perdido no tempo, talvez muito depois de a própria espécie humana ter se extinguido. Olhar para dentro daqueles espaços escuros era ter uma visão direta do futuro. Agarrei com a mão o corrimão enferrujado na saída de incêndio e, com a outra, segurei firme a porta aberta, e o vago retângulo amarelo de um táxi passou depressa, e depois uma ambulância, sua sirene chegou a mim vindo de sete andares abaixo e se prolongou, enquanto avançava rumo ao inferno neon da Times Square. Eu gostaria de poder me encontrar com a invisível luz das estrelas na metade do caminho, a luz das estrelas que era inalcançável porque todo meu ser tinha sido capturado num ponto cego, a luz das estrelas que vinha vindo o mais depressa que podia, cobrindo mais de um bilhão de quilômetros por hora. A luz ia chegar na hora devida e lançar seu brilho sobre outros seres humanos, ou talvez sobre outras configurações de nosso mundo, após catástrofes inimagináveis terem modificado de forma irreconhecível este mundo. Minhas mãos seguravam o metal, meus olhos, a luz das estrelas, e era como se eu tivesse chegado tão perto de algo que aquilo saiu de foco, ou era como se eu tivesse caído tão longe que aquilo havia se apagado.

* * *

Caminhei paralelo ao Central Park, que estava sufocado pelo cheiro de bosta de cavalo, passei pelo prédio do apartamento do dr. Saito rumo a Columbus Circle e peguei o trem 1 do metrô para a rua 23. Quando saí do metrô, em vez de ir direto para casa, atravessei a West Side Highway. Queria ver a água e me aproximei do edifício Chelsea Piers. Ao contorná-lo pela direita, onde ficavam ancorados os iates e os barcos de turistas, vi um homem de uniforme. Ele ergueu a mão num cumprimento. Vamos sair num instante, disse ele. Achei que fosse o comandante do barco e expliquei que eu não fazia parte do grupo. Não tem importância, disse ele. O barco ainda não está cheio. E você não precisa pagar nada; os custos já estão cobertos. Ele sorriu e acrescentou: Dá para ver que você adoraria embarcar. Vamos! Em menos de uma hora estaremos de volta. Eu o segui até o Píer 66 e subi no barco branco e comprido, onde jovens com idade de universitários reunidos por algum motivo festivo já faziam bastante barulho. Eram quase onze horas e não chovia. No interior da cabine muito iluminada alguém de uniforme de garçom verificava as carteiras de identidade antes de deixar os estudantes pegarem em sua bandeja taças compridas de champanhe feitas de plástico. Ele me ofereceu uma e recusei. A maioria das pessoas contemplava a paisagem de dentro da cabine, pois o vento agora batia com mais força. Segui até o convés posterior. Havia um punhado de casais e alguns indivíduos solitários, e encontrei um lugar para sentar perto de uma das balaustradas.

O motor emitia um ronco grave e o barco inclinou um pouco para trás e estremeceu, como se estivesse inspirando fundo, preparando-se para um mergulho. Então ele partiu do cais e em pouco tempo a água entre nós e o local de atracação se ampliou e o tagarelar dos jovens em festa subiu da cabine envidraçada.

Traçamos um grande arco no sentido sul, e os prédios mais altos na região de Wall Street logo assomaram à nossa esquerda. Mais perto da água ficava o World Financial Center, com suas duas torres ligadas por um átrio transparente e iluminada de azul por luzes noturnas. O barco avançava sobre as ondulações da água do rio. Sentado no convés, contemplando a esteira branca e espumosa na água preta, sentia-me empurrado para cima e para baixo de novo, como que pelo movimento de uma invisível corda de sino.

Poucos minutos depois de entrarmos na parte mais à frente da baía, vimos a Estátua da Liberdade, um verde vago na neblina, depois, se alçando muito depressa e volumoso acima de nós, um monumento que fazia jus ao nome, com as densas dobras da roupa majestosas como colunas. O barco se aproximou da ilha, um número maior de estudantes tinha agora vindo para o convés, apontavam, e suas vozes, que enchiam o ar à nossa volta, tombavam na água sem fazer eco. O organizador do passeio se aproximou de mim. Está contente por ter vindo, não está? Respondi seu cumprimento com um débil sorriso e ele, percebendo minha solidão, afastou-se de novo. A coroa da estátua tinha permanecido fechada desde o final de 2001, e mesmo os visitantes que se aproximam dela restringem-se a olhar a estátua de baixo; não é permitido que ninguém suba os estreitos trezentos e cinquenta e quatro degraus e olhe para a baía através das janelas da coroa. Em todo caso, a monumental estátua de Bartholdi por muito tempo não serviu mesmo para fins turísticos. Embora desde o início tenha tido certo valor simbólico, até 1902 servia como farol, o maior do país. Naquele tempo, a chama que ardia na tocha guiava navios para o porto de Manhattan; a mesma luz, sobretudo quando fazia mau tempo, fatalmente desorientava as aves. Embora muitas delas fossem espertas o bastante para se esquivar do aglomerado de arranha-céus na cidade, as aves de certa maneira perdiam seu sentido de orientação quando em face de uma única chama monumental.

Um grande número de aves acabou morrendo desse modo. Em 1888, por exemplo, na manhã seguinte a uma noite especialmente tormentosa, mais de mil e quatrocentas aves mortas foram recolhidas na coroa da estátua, na sacada da tocha e no pedestal da estátua. Os funcionários da ilha viram nisso uma oportunidade e, como era seu costume, venderam as aves a baixo preço, para modistas de chapéus de mulheres e para lojas chiques de Nova York. Mas foi a última vez que fizeram isso, porque um certo coronel Tassin, que era o comandante militar da ilha, interveio e determinou que qualquer ave que morresse no futuro não poderia ser usada com fins comerciais; em vez disso seria reservada para fins científicos. As carcaças, toda vez que juntavam duzentas ou mais, deveriam ser enviadas para o Washington National Museum, a Smithsonian Institution e outras instituições científicas. Com esse forte instinto de espírito público, o coronel Tassin organizou um sistema de registro governamental, que ele tratou de manter com uma regularidade militar e, pouco tempo depois, estava em condições de entregar relatórios minuciosos sobre cada morte, inclusive com a espécie da ave, a data, a hora do choque, o número de aves que se chocaram, o número de aves que morreram, a direção e a força do vento, as características do clima e observações gerais. No dia 1º de outubro daquele ano, por exemplo, o relatório do coronel indicava que haviam morrido cinquenta frangos-d'água, bem como onze cambaxirras, dois tordos americanos e um curiango. No dia seguinte, os registros mostravam duas cambaxirras; no dia seguinte, oito cambaxirras. A média, segundo estimativa do coronel Tassin, era cerca de vinte aves por noite, embora o clima e a direção do vento tivessem um grande peso na colheita resultante. Todavia persistiu a impressão de que algo mais perturbador estava em ação. Na manhã do dia 13 de outubro, por exemplo, cento e setenta e cinco cambaxirras foram recolhidas, todas mortas em virtude do choque, embora a noite não tivesse sido especialmente escura ou ventosa.

Agradecimentos

Obrigado a Elizabeth, Andru, Jean e Jeremy, que leram o texto e fizeram comentários úteis. Agradeço a Chimamanda, Siddharta, Amitava, Femi, Patti, Nanda, Kwane, Hilary, Maria, Madhu e Carey, amigos que me ajudaram a escrever o livro. Sou especialmente grato a Angelika, fonte de algumas ideias e de muita bondade. Meu agente Scott foi um perspicaz e entusiasmado defensor do manuscrito desde o início e fez muito para aprimorá-lo. Meu editor, David, se mostrou infalivelmente paciente e gentil, e transformou um manuscrito divagante num livro menos divagante. Sou grato a meus pais e irmãos por seu amor e por suas histórias. Sou agradecido a muitos amigos que não nomeei e a desconhecidos que me inspiraram. Acima de tudo, sou grato a Karen, amor da minha vida e guardiã da minha solidão.

1ª EDIÇÃO [2012] 1 reimpressão

ESTA OBRA FOI COMPOSTA EM ELECTRA PELO ESTÚDIO O.L.M. / FLAVIO PERALTA
E IMPRESSA EM OFSETE PELA RR DONNELLEY SOBRE PAPEL PÓLEN SOFT DA
SUZANO PAPEL E CELULOSE PARA A EDITORA SCHWARCZ EM JULHO DE 2012